Le proscrit

Alexandre Dumas

Robin des Bois
Le proscrit

Éditions J'ai lu

Alexandre Dumas
Sa vie ? Un roman à la Dumas

Il naît à Villers-Cotterêts le 24 juillet 1802, la même année que Victor Hugo, qui deviendra son grand ami. Son père est le général Alexandre Dumas. Sa mère, Marie-Louise, est la fille de Claude Labouret, un aubergiste local dont l'établisse-ment a fait faillite. Trois ans et demi plus tard, le général meurt d'une perforation de l'estomac, suite à un ulcère. Dès lors, sa veuve entretiendra leur fils dans le culte du héros disparu, romantique avant la lettre, c'est-à-dire beau, herculéen, impétueux,

I

intrépide, intègre, tourmenté et complexe. Un jour, Alexandre écrira le roman de la vie de son père.

La légende du Général

En 1760, un Alexandre Davy de La Pailleterie, marquis authentique et parfaitement décavé, s'en va se refaire une santé financière à Saint-Domingue, la future Haïti. Il acquiert une plantation et règne sur un harem d'esclaves noires. La plus jolie se nomme Marie Cessette. Comme elle tient également l'intérieur du maître, elle est surnommée "Marie du mas", vite devenu Dumas. Elle met au monde deux garçons et deux filles. L'aîné est baptisé Alexandre. En 1772, un cyclone ravage l'île. S'ensuit une épidémie de dysenterie. Marie Dumas y succombe. Sur ce, le marquis apprend l'heureux décès de ses frères. Avant de retourner en France récupérer son héritage, il vend sa plantation et, pendant qu'il y est, ses quatre enfants comme esclaves.

Il ne faudrait pas en déduire qu'il est un père complètement dénaturé. Quatre ans après, il rachète par correspondance Alexandre, son aîné, le fait venir à Paris, le

Le général Alexandre Dumas à Villers-Cotterêts.

(Société des Amis d'Alexandre Dumas, sise au château de Monte-Cristo.)

---

reconnaît comme son fils naturel. L'ancien esclave fréquente les tripots et les salons, accumule les succès féminins. Jusqu'à ce que son père lui coupe les vivres. Il s'engage alors comme simple soldat, sous le nom de sa mère. Le premier des Alexandre Dumas vient de naître.

La révolution de 1789 arrive à point pour briser la monotonie de la vie de garnison. Lors d'un passage à Villers-Cotterêts, le dragon Dumas tombe amoureux de Marie-Louise. Coup de foudre réciproque, mais le père Labouret s'oppose au mariage de sa fille avec un nègre, bâtard et désargenté. Trois ans après, il change d'avis : Marie-Louise n'a pas de dot et cet... homme de couleur vient d'être promu lieutenant-colonel. L'ascension fulgurante se poursuit : général de brigade, de division, commandant en chef de l'armée des Alpes. Campagne d'Italie sous les ordres de Bonaparte. Le général Dumas s'y illustre une fois de plus, chargeant sans trêve à la tête de ses hommes. Sa folle bravoure, quasi suicidaire, le fait surnommer par les Autrichiens *Schwarz Teufel*, le Diable noir.

C'est un républicain convaincu. Il voit d'un mauvais œil Napoléon percer sous Bonaparte. Lors de la campagne d'Égypte, en proie à l'un de ces accès dépressifs dont il est coutumier, il demande son congé, l'obtient. Le futur empereur ne lui pardonnera pourtant pas de l'avoir ainsi lâché. Embar-

quement pour la France, tempête, le bateau échoue en Calabre, le Général est fait prisonnier. Il croupit deux ans dans les geôles napolitaines, en butte aux mauvais traitements, victime de tentatives d'empoisonnement. A sa libération, il est diminué physiquement et souffre d'un ulcère à l'estomac. Bonaparte, devenu Premier Consul, pour-

Marie-Louise Dumas, née Labouret.
(Musée Dumas à Villers-Cotterêts.)

suit de sa haine celui qu'il nomme "le nègre Dumas". Le Général ne peut percevoir ni indemnité de captivité ni l'arriéré de ses appointements. Il demande à reprendre du service.

La Convention avait aboli l'esclavage aux colonies. Bonaparte vient de le rétablir. Saint-Domingue s'embrase à cette nouvelle. Toussaint Louverture commande la révolte. Bonaparte trouve très drôle d'envoyer l'ancien esclave mater la rébellion. Le Général refuse net : "Je n'irai pas apporter la chaîne et le déshonneur à ma terre natale, et à des hommes de ma race."

Cette fière réponse lui vaut une mise d'office à la retraite. Il se retire à Villers-Cotterêts, chasse, s'ennuie, s'occupe de son fils Alexandre, meurt à quarante-quatre ans. Sans doute l'immortalité des *Trois Mousquetaires* est-elle due en partie à celle du héros révolutionnaire que son fils, le plus puissant conteur de tous les temps, n'aura pas vu vieillir, donc redevenir petit.

La forêt maternelle

Orphelin donc de père à trois ans et demi, Alexandre est élevé par des femmes, sa mère, des cousines, des voisines qui le gâtent, l'idolâtrent. Très tôt, il séduit les vieilles dames en leur racontant des histoires, qu'il invente le plus souvent. Médiocres études sous la conduite débonnaire d'un brave abbé, mais Alexandre se passionne pour l'Histoire et les mythologies, grecque, latine, juive et chrétienne, génératrices d'innombrables œuvres de la littérature occidentale.

Si le cocon familial est chaleureux, il n'en est pas de même pour l'environnement extérieur. Dans cette petite ville de province royaliste, le fils du Général républicain, le quarteron pauvre, mal fagoté, est malmené, roué de coups, injurié : "Nègre ! Bâtard !" – alors que ses parents étaient légitimement mariés. Ce thème de la bâtardise va longtemps hanter ses premières grandes œuvres et, plus tard, il se revendiquera avec fierté bâtard racial, social, politique, fils et père de bâtards.

Pour le moment, il se réfugie dans l'immense forêt qui appartient au duc d'Orléans et sur laquelle règne l'inspecteur en chef Jean-Michel Deviolaine, un cousin par alliance de sa mère. Auprès de marginaux, il apprend l'art d'attraper des oiseaux avec de la glu. Il fréquente aussi les braconniers, qui lui enseignent leur métier. Deviolaine décide d'y mettre le holà. Faussement bourru, jurant comme un charretier, celui qu'Alexandre considère comme son père substitutif va transformer le jeune délinquant en chasseur émérite, donc considéré. Et qui se plaît en la compagnie des gardes forestiers. Ils lui transmettent des légendes, sources de futurs romans, tel le splendide *Meneur de loups*. Ou bien ils lui montrent comment décrypter les traces laissées par les animaux. Dans *Le Vicomte de Bragelonne*, d'Artagnan se souviendra de leurs leçons. Mieux encore, le garde François élucidera un mystérieux crime à la manière de Sherlock Holmes, mais trente-quatre ans avant celui-ci, dans *Catherine Blum*, le premier "polar" de langue française.

Hélas, il faut bien gagner sa vie. Alexandre entre comme saute-ruisseau chez un notaire. Il meuble ses loisirs en devenant, à dix-sept ans, l'amant d'Aglaé, de quatre ans plus âgée. Et sa rencontre avec Adolphe de Leuven va décider de son destin. C'est le fils d'un aristocrate suédois, vivant tantôt à Paris, tantôt dans un château des environs. Il connaît une foule de célébrités, auteurs, acteurs, peintres, il écrit des vers et songe à composer des pièces, pourquoi pas en collaboration.

Alexandre saute sur l'occasion et les voilà rédigeant ensemble vaudevilles et mélodrames.

On n'est jamais si bien joué que par soi-même : les deux jeunes gens créent un théâtre local et populaire. Les distractions sont rares à Villers-Cotterêts, la salle ne désemplit pas. Alexandre effectue de surcroît des apprentissages non négligeables de metteur en scène, décorateur, machiniste, régisseur. Aussi, quand son ami repart à Paris avec leurs œuvres les mieux rodées, il est persuadé que va s'ouvrir devant lui "une carrière semée de roses et de billets de banque". Il déchante vite, leurs pièces sont refusées partout. Une sinistre année 1821. Il perd son emploi pour cause d'absences injustifiées. Sa maîtresse se marie avec un commerçant aisé. Il tourne en rond, n'écrit rien, en butte à nouveau aux sarcasmes : bientôt vingt ans et encore à la charge de sa pauvre mère, les nègres sont tous des fainéants, c'est connu.

Au bout d'un an d'inactivité, il se résigne à redevenir saute-ruisseau chez un autre notaire, à Crépy-en-Valois. Adolphe lui envoie des livres, dont *Ivanhoé* de Walter Scott. Alexandre en tire un mélodrame assez bien charpenté (et qui ne sera représenté qu'en 1966!). Cette fois, il veut lui-même tenter la chance. Profitant d'une absence de son patron, il fugue à Paris, braconnant en cours de route, son butin lui procurant le gîte et le couvert. Dans la capitale, Adolphe le présente à Talma. Le grand acteur lui prédit qu'il sera un second Corneille. Muni de ces bonnes paroles, Alexandre laisse son manuscrit à Adolphe et retourne à Crépy-en-Valois. Pour s'entendre signifier un nouveau renvoi : le patron est rentré avant lui.

Plus aucun notaire de la région ne voudra l'embaucher, la seule solution est d'aller chercher fortune à Paris, mais sans toutefois sombrer dans la bohème. La double recommandation du député orléaniste de Villers-Cotterêts et de l'inspecteur des forêts Deviolaine lui permet d'être engagé comme copiste suppléant dans les bureaux du duc d'Orléans, au salaire de cent francs par mois, environ l'équivalent du R.M.I.

La bataille d'*Henri III*

Son père s'était fait un nom par l'épée. Alexandre est résolu à devenir au moins aussi célèbre par la plume. Il débarque à Paris au début 1823 avec cent cinquante francs en poche, gagnés à la loterie. Il est pourtant moins démuni qu'il n'y paraît. Une beauté androgyne qui séduit les femmes et ne laisse pas les hommes indifférents, un corps et une santé d'athlète, des facultés intellectuelles et une puissance de travail prodigieuses, une imagination foisonnante. Plus la patience, la ténacité, le sens de l'observation du chasseur, l'ambition et la volonté du jeune homme pauvre contraint de réussir, le tout se cumulant avec la soif intarissable de revanche du paria social et racial. Surtout, il possède à merveille un art de la communication qu'il sait moduler, avec humour, selon ses interlocuteurs et leurs positions sociales, des milieux populaires à l'aristocratie. Son aisance de langage et de manières est à l'opposé de l'image du provincial naïf et balourd qu'on lui attribue généralement, et que lui-même a notablement contribué à répandre par la suite.

Son travail n'est guère absorbant. Mieux, son chef de bureau est un fin lettré qui le conseille judicieusement pour des lectures destinées à améliorer sa culture littéraire. Adolphe lui fait rencontrer des gens connus, l'introduit dans des salons. Sa voisine de palier, Laure Labay, son aînée de huit ans, accorte couturière, ne lui résiste pas longtemps. En 1824, elle lui offre un fils, prénommé logiquement Alexandre. L'heureux père naturel ne reconnaîtra pourtant le futur auteur de *La Dame aux camélias* qu'en 1831, l'année de la naissance de sa fille Marie, dont la mère est bien évidemment une autre femme.

En attendant, sa liaison avec Mélanie Waldor, mariée, poétesse, fait scandale, tout

A vingt-sept ans, Henri III et sa cour *vient de le rendre célèbre.*
(Bibliothèque Nationale.)

Que ce soit à la trentaine,...
(Musée de Villers-Cotterêts.)

à la quarantaine...
(Bibliothèque Nationale.)

en lui ouvrant les portes des salons les plus huppés. Suite de sa stratégie conquérante, avec l'ami Adolphe il fonde *La Psyché*, une revue poétique, pour y publier, certes, leurs propres vers, fort médiocres, mais également tout ce que Paris compte alors de grands noms dans le genre, aussi bien les tenants du clas-

sicisme, tel Casimir Delavigne, que ceux qui flirtent avec le romantisme, Chateaubriand, Nodier, Victor Hugo.

La femme de l'imprimeur de *La Psyché* éprouve une certaine faiblesse devant ce grand gaillard aux cheveux noirs crépus et au teint mat, rendant d'autant plus étonnants ces splendides yeux bleus. En conséquence, elle trouve remarquables les trois *Nouvelles contemporaines* qu'il lui soumet et convainc son mari de les publier à demi-compte d'auteur. Un succès foudroyant : une élogieuse critique d'un copain d'Alexandre dans *Le Figaro,* et quatre exemplaires vendus ! Pourtant ces trois nouvelles de 1826, en dépit de leurs imperfections, recèlent en germe les deux axes autour desquels s'articuleront ses futurs grands romans : la dimension contemporaine et la dimension historique.

Mais c'est du théâtre qu'Alexandre attend gloire et fortune rapides. Il collabore à deux vaudevilles représentés avec succès, sans les signer de son nom, réservant celui-ci à des œuvres plus importantes. Il compose seul, hélas en vers, plusieurs tragédies, toutes refusées. C'est alors que le romantisme triomphe en peinture, au Salon de 1827, avec notamment *La Mort de Sardanapale* de Delacroix. Alexandre admire comme il se doit, s'arrête devant un bas-relief représentant Christine, la reine de Suède qui abdiqua et fit assassiner son amant infidèle. Voilà un sujet neuf, d'où

ALEXANDRE DUMAS, par GILL.

...ou à la cinquantaine, il a toujours inspiré les caricaturistes. L'autographe indique : « J'autorise le journal La Lune *à publier ma charge. Les caricatures étant les seuls portraits ressemblants qu'on ait faits de moi jusqu'aujourd'hui. »*
(Musée de Villers-Cotterêts ou Société des Amis de Dumas.)

l'idée d'une pièce "romantique pour la forme, mais classique par le fond", c'est-à-dire en vers et respectant la règle des trois unités.

Grâce à la recommandation de Charles Nodier, *Christine* est lue devant les comédiens-français, acceptée, mise en répétition. Las ! Alexandre ne s'entend pas avec Mlle Mars, la vedette, une grande actrice, mais épouvantable hors de scène, et raciste : "Ouvrez la fenêtre, cela pue le nègre !" clame-t-elle, quand elle se trouve dans la même pièce que lui. Brouille, la diva part en vacances illimitées, *Christine* est repoussée aux calendes grecques. Alexandre rebondit en écrivant *Henri III et sa cour*. En prose cette fois, faisant voler en éclats les sacro-saintes unités d'action et de lieu, alternant tragique et comique, montrant sur scène ce qui, chez les classiques, se déroule en coulisses, un an et demi avant l'*Hernani* de Victor Hugo, le premier drame romantique est né en France. Et est reçu par acclamation à la Comédie-Française.

Alexandre devient on ne peut plus accommodant avec Mlle Mars. Intense propagande préparatoire par le réseau d'amis barbus et chevelus qu'il a patiemment tissé depuis six ans. Le futur Louis-Philippe s'intéresse de près à cette pièce révolutionnaire, œuvre d'un de ses employés. La bataille des Anciens contre les Modernes lui importe moins que le fait de se mettre à la tête de la jeunesse romantique qui aspire au changement, et pas seulement en littérature. En dépit des cabales montées par les classiques, il assiste donc à la première, le 10 février 1829. Le succès est triomphal. Du jour au lendemain, Alexandre est célèbre.

La revanche du Bâtard

Henri III continue sur sa lancée pendant des mois. C'est dire à quel point, lorsque, l'année suivante, est créé *Hernani*, le public est déjà préparé aux audaces romantiques, malgré les violentes contre-attaques des classiques.

Un mois après, c'est au tour de *Christine* de susciter une mémorable bataille. Alexandre a récrit entièrement sa pièce, l'a retirée à Mlle Mars, portée à Mlle George, sa grande rivale, à l'Odéon. Le rideau se lève, le tumulte est indescriptible, le prologue inaudible. Les Jeunes-France et des ouvriers appelés en renfort font un peu de ménage parmi les spectateurs classiques. On recommence dans un calme relatif. Sifflets et applaudissements s'équilibrent, ni chute donc ni succès. Alexandre a invité chez lui vingt-cinq amis à souper. Vive discussion, la fin de la pièce tombe à plat, plus d'une centaine de vers sont boiteux (Dumas ne sera jamais un bon poète). Alexandre s'affole : il n'aura pas le temps d'arranger ça avant la répétition du lendemain. Victor Hugo et Alfred de Vigny lui disent de ne s'inquiéter de rien. Ils prennent le manuscrit, se retirent dans une chambre et passent la nuit à le raccommoder. Cette générosité chevaleresque des deux grands poètes porte ses fruits : la seconde représentation est un immense succès.

Juillet 1830, les élites parisiennes s'ennuient. Alexandre est tiraillé entre deux de ses principales maîtresses, Mélanie Waldor sur le point de faire une fausse couche, Belle Krelsamer enceinte de sa fille Marie. Une seule solution, filer voir ce qui se passe à Alger qui vient d'être conquise par les Français. Il prépare ses malles. Éclatent les Trois Glorieuses. Il fait le coup de feu sur les barricades, sans prendre de risques inconsidérés, semblable en cela à son futur d'Artagnan qui "n'était pas un de ces hommes inutilement braves qui cherchent une mort ridicule pour qu'on dise qu'ils n'ont pas reculé d'un pas".

Ici se place un épisode digne de la légende du Général. Apprenant que les révolutionnaires manquent de munitions, Alexandre décide d'y remédier. Il part en trombe dans une calèche ornée du drapeau tricolore. Galop d'enfer jusqu'à Villers-Cotterêts. La soirée est paisible, la bourgade digère. Soudain les pavés résonnent, des claquements de fouet, des cris auxquels on ne peut croire. On se précipite au relais de poste pour assister à un terrifiant spectacle : juché sur une borne, brandissant deux pistolets vers le ciel, le Bâtard, le Nègre, blanc de poussière, proclame la république.

Avec deux amis, il s'introduit de nuit dans la ville fortifiée de Soissons, hisse les trois couleurs sur la cathédrale. Il investit ensuite le dépôt de poudre. Le commandant ne veut pas la lui céder. Alexandre arme ses pistolets, il va compter jusqu'à cinq. Un, deux, trois... Une porte s'ouvre, une femme se précipite : "Ô mon ami, cède, cède ! s'écria-t-elle, c'est une seconde révolte des nègres !" Il faut dire que la brave dame avait eu ses parents égorgés sous ses yeux lors d'une révolte d'esclaves à Saint-Domingue. Et Alexandre rapporta à Paris une tonne et demie de poudre.

Autre revanche de taille, littéraire cette fois, grâce à un autre bâtard. En 1829, *Henri III* avait fondé le drame historique. En 1831, *Antony*, en prose, pose le drame mo-

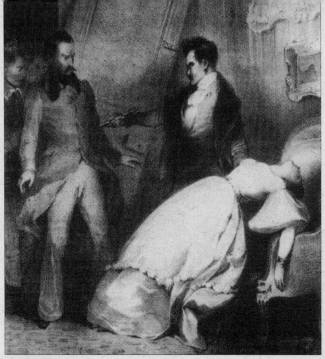

« Elle me résistait... je l'ai assassinée », et le rideau tombe sur Antony.

(Bibliothèque Nationale.)

derne. De naissance illégitime, le héros est un anarchiste, révolté, athée, vivant une grande passion hors des conventions sociales. La réplique finale constitue la quintessence du théâtre romantique. Sur le point d'être surprise par son mari, l'héroïne supplie Antony de la tuer, afin que sa fille ne souffre pas du déshonneur de sa mère. Il l'exécute, jette le poignard aux pieds du mari :

"Elle me résistait, je l'ai assassinée."

Toute sa génération se reconnaît dans *Antony*, dont Alexandre dira bien avant Flaubert pour *Madame Bovary* : "C'était moi." Il est alors considéré comme le chef de file du mouvement romantique, au détriment d'Hugo. Les manuels de littérature en ont décidé autrement. À tort. Si les pièces en vers d'Hugo sont plus belles sur un plan formel, celles en prose de Dumas sont plus puissantes sur le fond et ses personnages sont davantage crédibles.

Profession : novateur

Dumas ne cessera jamais d'écrire pour le théâtre, mais à partir des années 1840 il portera essentiellement à la scène des adaptations de ses romans. A la différence de la décennie précédente au cours de laquelle il poursuit sur sa lancée novatrice. Avec *La Tour de Nesle*, il donne au mélodrame ses lettres de noblesse. *Angèle* jette les fondements du drame bourgeois qui verra son apogée dans la seconde moitié du XIX* siècle. Son art culmine dans *Kean*, toujours joué de nos jours. Et, seul auteur alors à l'oser, il traite de la politique contemporaine dans *Le Fils de l'émigré*. Il y soutient la thèse que les aristocrates sont corrompus et les gens du peuple vertueux. Le héros, encore un bâtard, est à mi-chemin entre les deux, tourmenté et complexe. Scandale, cabale royaliste, la pièce est retirée de l'affiche. Elle restera inédite et ne sera publiée qu'en... 1995.

Alors, Alexandre républicain ? Il l'est par atavisme, l'a manifesté pendant la révolution de 1830. Trois ans plus tard, dans *Gaule et France*, une étude historique, il fait une étonnante prédiction, annonçant avec quinze ans d'avance l'avènement de la république pour laquelle il souhaite un président élu pour cinq ans seulement, non rééligible, et dont la fortune personnelle doit être modeste, afin qu'il ne puisse pas corrompre les électeurs ! Peut-être ces trois vœux seront-ils exaucés en France au troisième millénaire.

Ce qui ne l'empêche pas de prendre ses distances avec les républicains révolutionnaires. Il ne participe pas aux journées insurrectionnelles de 1832 et 1834, et il condamnera toujours les idées socialistes. En fait, il est devenu favorable à une monarchie réellement constitutionnelle, avec des députés élus au suffrage universel. Ce changement d'opinion a pour cause le grand amour, platonique et partagé, qu'il éprouve pour le nouveau duc d'Orléans, celui qui doit succéder à Louis-Philippe, et dont Alexandre se verrait volontiers Premier ministre.

Cette passion, qui durera jusqu'à la mort accidentelle du duc en 1842, ne nuit en rien à d'autres, strictement hétérosexuelles et dont il est impossible d'établir un recensement exhaustif. C'est qu'en dehors d'une femme au logis, Ida Ferrier vient d'y remplacer Belle Krelsamer, Alexandre mène toujours plusieurs liaisons de front. C'est un peu sa manière de travailler. Ainsi il peut avoir simultanément en chantier deux ou trois pièces, quelques nouvelles, plusieurs romans, et passer des uns aux autres au cours d'une même journée, donc changer à chaque fois d'univers et s'y immerger totalement. De façon semblable, il peut être amoureux fou d'une dame de cinq à sept, puis d'une deuxième de sept à neuf, et ainsi de suite. Le tout en étant parfaitement sincère avec chacune. Il est d'ailleurs très étonné quand ses maîtresses se jalousent, pleurent, se chamaillent, crient, et il préfère alors rompre pour avoir la paix.

Il a démissionné des bureaux de Louis-Philippe. Il vit sur un grand pied, entretient femmes et enfants, il a sa mère à charge. Plus des secrétaires et des domestiques, le plus souvent voleurs, ivrognes ou paresseux, et qu'il tolère des années parce qu'il redoute de tomber sur pire encore. Plus une foule de quémandeurs, d'escrocs, de demi-mondaines et de parasites divers. Cela occasionne des frais, il ne compte plus ses dettes, il est condamné à produire sans relâche.

Rafales de pièces de théâtre, seul ou en collaboration. Nouvelles, il se révèle un maître du genre. Impressions de voyage lors de séjours en Suisse, dans le midi de la France, en Italie, en Allemagne, tout à la fois grand reporter, excellent styliste et humoriste en verve. Immenses "scènes historiques" où il raconte des faits réels de manière romanesque. C'est d'ailleurs à l'occasion de la publication dans un journal de l'une d'elles, *La Comtesse de Salisbury*, qu'il invente le roman-feuilleton, en 1836.

A trente-cinq ans, il se sent prêt à aborder le roman proprement dit. *Pascal Bruno* et *Acté* paraissent en 1837. Le premier, une histoire contemporaine, est une réussite. Le deuxième, historique, l'est moins. Suivent quelques autres, de moyen intérêt. Il songe à l'Académie française. Sa vie scandaleuse est le principal obstacle à son élection. Alors il se range, à sa façon. En 1840, il épouse Ida Ferrier et part avec elle se faire oublier en Italie. Il y séjourne trois ans, avec de fréquents retours à Paris. A Florence, il commence par se séparer à jamais de sa femme. Et il écrit sans trêve. Quand il rentre en France, en 1843, il rapporte son premier chef-d'œuvre, *Georges*, l'histoire d'un mulâtre en butte aux préjugés raciaux.

L'explosion du génie

Une fabuleuse année 1844. De mars à juillet, *Les Trois Mousquetaires* paraissent en feuilleton, un succès extraordinaire, des traductions dans le monde entier. En simultanéité, un deuxième journal publie *Une fille du régent*. A partir d'août, *Le Comte de Monte-Cristo* prend le relais dans un troisième. En décembre, *La Reine Margot* démarre dans un quatrième, heureusement il existe alors plusieurs quotidiens en France. Les années suivantes sont aussi prolifiques en chefs-d'œuvre : *Vingt ans après*, *Le Vicomte de Bragelonne*, *La Dame de Monsoreau*, *Le Chevalier de Maison-Rouge*, impossible de tous les citer.

La gloire et la richesse d'Alexandre suscitent des envieux. Un pamphlet ignoblement raciste sur "le Nègre" circule dans Paris : tous ses romans sont écrits par une armée de "nègres",

A quarante ans, il prépare ses grands romans.

(Musée de Villers-Cotterêts ou Société des Amis de Dumas.)

Dumas se contente de les signer. Une calomnie qui aura la vie dure. De nos jours encore, des littérateurs impuissants, des critiques rancis, des universitaires stériles continuent à la répercuter, sans la moindre preuve.

Certes, Alexandre a dit plaisamment qu'il avait des collaborateurs, comme Napoléon avait des généraux. Ou, peut-on ajouter, comme n'importe quel metteur en scène de cinéma. On parle d'un film de Bergman ou de Fellini parce qu'on reconnaît dans chaque œuvre la patte du Maître, quels que soient le nombre et la qualité de ses scénaristes, dialoguistes, compositeurs de musique, techniciens et machinistes. De la même façon, Alexandre emploie des documentalistes qui travaillent sur ses synopsis originaux, ou qui lui en proposent d'autres, voire lui fournissent des premières moutures. Auguste Maquet, un professeur d'histoire, en est le principal. Mais ensuite Alexandre récrit tout, taille, retranche, développe, insuffle vie, mène à un train d'enfer dialogues, rebondissements, chutes, avec son art d'homme de théâtre qu'il a mis tant d'années à acquérir.

Ainsi pour certaines œuvres, on possède les premières versions de Maquet. C'est plat, appliqué, mortel d'ennui. Là-dessus, tels Michel-Ange, Raphaël ou Rembrandt repassant comme ils avaient coutume de le faire sur les ébauches de leurs élèves, Alexandre intervient. Et c'est la métamorphose qu'imprime le génie. D'ailleurs, qui a jamais lu le moindre livre personnel d'un de ses collaborateurs ? Même de Maquet qui, après sa rup-

ture en 1850 avec celui qui lui a fait gagner tellement d'argent, continuera à produire seul des romans totalement oubliés depuis, à juste titre.

Les maîtresses se succèdent et se ressemblent. Peu importe qu'elles soient médiocres comédiennes aspirant à un premier rôle, ou figurantes désirant cesser de l'être, l'essentiel est qu'elles soient jeunes et s'habillent éventuellement en garçons, le thème de l'androgynie est aussi cher à Alexandre qu'à son maître Shakespeare. Maintenant, elles ne suffisent plus à dilapider la fortune considérable du grand écrivain. C'est pourquoi il se fait construire Monte-Cristo, le château de ses rêves, à Port-Marly (on peut toujours le visiter). Six cents personnes viennent pendre la crémaillère. Alexandre tient table ouverte en permanence. Le plus souvent il ne connaît pas les gens qui s'y invitent, ou empruntent ses chevaux, ou de l'argent, ou quelques menus objets précieux. Le seul inconvénient est le tapage qu'ils mènent. Alexandre se retire donc dans un pavillon à l'écart dans le parc, afin d'y écrire du matin au soir.

La France achève la conquête de l'Algérie. Les

colons ne s'y bousculent pas. Pour susciter des vocations, le ministre de l'Instruction publique a la riche idée d'y envoyer Alexandre. Il en rapportera forcément plusieurs volumes d'impressions de voyage et sur trois millions de lecteurs, il y en aura bien cinquante mille qui éprouveront en conséquence l'envie irrésistible de s'installer en Algérie. Alexandre part avec une suite nombreuse, traverse l'Espagne. À Cadix l'attend un bateau de guerre mis à son entière disposition, périple le long des côtes du Maghreb. Au retour, il publie sous le titre du *Véloce* ses impressions de voyage, lesquelles contiennent notamment une

---

Le château de Monte-Cristo, construit à prix d'or. A peine inauguré et habité, il doit le revendre pour éponger une partie de ses dettes.

(Société des Amis de Dumas.)

féroce satire anticolonialiste, sans doute le premier texte littéraire du genre en France. On ignore le nombre de vocations de colons qu'il suscita...

Alexandre continue à être l'enfant gâté du régime. Louis-Philippe le nomme colonel de la Garde nationale, lui accorde le privilège de bâtir le Théâtre-Historique, une salle de deux mille places avec une scène immense préfigurant celle du Châtelet. Pour l'inauguration, en février 1847, la foule fait la queue depuis la veille au soir. Bien évidemment, tout le monde ne peut assister à l'adaptation tirée de *La Reine Margot*, un spectacle commencé à 18 heures et s'achevant à... 3 heures du matin.

Le Théâtre-Historique fait d'énormes recettes, bientôt taries par la révolution de 1848. Alexandre se tient à l'écart des événements. S'il n'est pas contre le départ de Louis-Philippe, il est en revanche partisan de la régence de la duchesse d'Orléans. Il se résigne à redevenir républicain, très modéré, une expression préférable à "réactionnaire". Le suffrage universel étant enfin rétabli, comme Hugo, Lamartine, Balzac ou Vigny, il se présente à la députation. Son appel "Aux travailleurs" est une rareté électorale : il dit avoir, en 73 000 heures d'écriture, composé 400 volumes et 35 drames qui ont fait vivre 2 150 personnes. Suit le détail des sommes perçues par les différents corps de métier, des imprimeurs aux acteurs et aux pompiers. Hélas, les prolos sont des ingrats, il est battu à plate couture.

Il a fondé un journal, *Le Mois*, un autre gouffre financier depuis que son théâtre ne lui occasionne que des frais. Il vend son château. Cela n'est pas suffisant. Il est mis en faillite par le tribunal de commerce. Il fait appel. Le 2 décembre 1851, Louis Napoléon Bonaparte exécute son coup d'État. Des milliers de républicains sont tués, incarcérés, déportés. Certains parviennent à s'échapper hors de France, dont Victor Hugo. Alexandre le retrouve donc en Belgique, à la différence que lui n'a pas fui une dictature, mais la prison pour dettes.

Le Juif errant

À Bruxelles, il commence par louer une fort belle maison qu'il meuble avec goût, à crédit s'entend. Il y accueille, héberge, nourrit des proscrits républicains. Jusqu'à son expulsion de Belgique vers les

*Photographié par Nadar,
à cinquante-trois ans il est
mondialement connu.*

(Société des Amis de Dumas.)

dre se réfugie dans le travail. Il poursuit son cycle de chefs-d'œuvre romanesques autour de la révolution de 1789. Commencé avec *Joseph Balsamo*, il l'achèvera avec *La Comtesse de Charny*. De surcroît, outre quelques très bons romans et diverses pièces de théâtre, il entreprend la rédaction de ses *Mémoires*, une sorte d'opéra du temps qui, à lui seul, suffirait à la gloire d'un écrivain de la fin du XXe siècle.

Un excellent secrétaire en Belgique, Noël Parfait, le bien-nommé, un homme d'affaires avisé à Paris et, peu à peu, les affaires d'Alexandre se débrouillent. Il signe un concordat de remboursement avec ses 153 créanciers recensés et, après un an et demi d'exil, revient à Paris.

Pour s'entendre signifier par la censure bonapartiste l'interdiction d'*Isaac Laquedem*, ou l'histoire du Juif errant (Alexandre s'est souvent défini comme étant "le Juif errant de la littérature"), pour crime de souillure de

îles anglo-normandes, le millionnaire Hugo ne dédaignera pas de profiter de ce sympathique restaurant du cœur.

Trois ou quatre liaisons simultanées, sa fille Marie les supporte très mal, que de piailleries, à nouveau Alexan-

*Pendant son voyage en Russie
et dans le Caucase. Il a alors
cinquante-six ans.*

(Musée d'Orsay.)

"l'éternelle et adorable vérité"
de la religion catholique. Il en
faut davantage pour l'abattre.
Il crée *Le Mousquetaire*, un
quotidien uniquement littéraire vendu à dix mille exemplaires et qui tiendra plus de
trois ans, un exploit sans doute
unique au monde. Gérard de
Nerval y publie l'immortel *El
Desdichado*, mais Alexandre
fournit l'essentiel de la copie,
avec notamment *Les Mohi-
cans de Paris*, le summum du
roman-feuilleton dont l'am-

pleur, 5 000 pages, décou-
rage les éditeurs actuels de
le republier, hélas !

En simultanéité : amour
absolu avec : 1) Emma
Mannoury-Lacour, une
"vieille" de trente ans.
Elle est enceinte, fait
une fausse couche
spontanée, mourra
bientôt de tuberculose.
2) Isabelle Constant,
une jeunesse de quinze
ans. Elle est enceinte,
son enfant meurt au ber-
ceau, on ignore à quelle
date elle mourra de tuberculose. 3) Marie de Fernand,
un peu plus de vingt ans. Elle
est enceinte, accouche d'une
petite Alexandrine, mourra à
cinquante-deux ans. En attendant, en 1858, Alexandre part
pour un voyage de dix mois
en Russie et dans le Caucase.

Il y a été invité par un
mage anglais qui souhaite
l'avoir pour témoin de son
mariage avec une aristocrate
russe. C'est flatteur, mais ce
qui intéresse davantage
Alexandre, c'est d'être le
témoin direct de cet événement planétaire que constitue
l'abolition du servage pour
cinquante millions de mou-
jiks. Il faut lire son *En Russie*
pour appréhender les sources
d'une révolution qui "ébranla
le monde", donna naissance
aux régimes communistes,
puis aboutit à l'éclatement

d'un empire prédit par Alexandre cent vingt ans avant les politologues de la fin du XXᵉ siècle ! Et il faut lire son *Caucase* pour comprendre les origines des guerres qui ensanglantent cette région de nos jours.

A peine revenu en France en costume kalmouk, bonnet à poil, cartouchière, sabre, Alexandre achète un yacht qu'il baptise *L'Emma*, en hommage à l'une de ses maî-

---

Dès son retour de Russie, il se fait photographier en costume kalmouk à Marseille
(Musée Carnavalet.)

tresses en train de mourir poitrinaire. Et il embarque avec Émilie Cordier, la vingtaine, dite "Monsieur Émile" le jour, vu qu'elle est habillée en officier de marine d'opérette, et "Mlle Émilie" la nuit, ce qui lui permettra de se retrouver enceinte et d'accoucher d'une petite fille qu'aucun des deux parents ne reconnaîtra.

Destination, l'Italie. Alexandre s'est lié d'amitié avec Garibaldi, qui poursuit l'unification de son pays. Épopée des "Mille Chemises rouges", l'auteur des *Mousquetaires* arrive trop tard pour assister à la conquête de la Sicile. Garibaldi songe maintenant à s'emparer de Naples. Sauf que ses hommes manquent d'armes. Qu'à cela ne tienne, Alexandre se fait trafiquant, retourne à Marseille acheter 1 000 fusils rayés, 550 carabines et les munitions correspondantes, se contentant au passage d'une honnête commission de 10 %.

Naples prise, Garibaldi nomme Alexandre directeur des fouilles de Pompéi, une fonction purement honorifique, et directeur de *L'Indépendant*, un journal en italien destiné à soutenir sa politique. Un travail à haut risque. Alexandre s'en prend au pouvoir temporel du pape, il est mis à l'index. Il dénonce la corruption politique et le fléau mafieux de la Camorra, une lutte toujours actuelle. Il en paie le prix. Des manifestations organisées par la centrale criminelle exigent son départ. Garibaldi, qui s'est opposé au roi Victor-Emmanuel, est blessé, emprisonné. Au début de 1864, Alexandre rentre en France. Dans ses bagages il ramène *La San-Felice*, un chef-d'œuvre, et la Gordosa, une cantatrice hystérique.

L'extinction de la faim

Il va vite se séparer de la volcanique, mais tyrannique chanteuse. Après une scène mémorable en public, elle partira en lui raflant tout son argent liquide. Encore une grande passion avec Olympe Audouard, une militante féministe. Puis, à soixante-six ans, ultime amour avec Adah Menken, une écuyère américaine, jeune femme indépendante, n'hésitant pas à se dénuder sur scène. C'est bras et jambes dévoilés qu'elle pose pour des cartes postales, tendrement enlacée à Alexandre. Nouveau scandale dumasien pour l'ordre moral du second Empire, indignation vertueuse des enfants Dumas. Les cartes postales sont rachetées, retirées de la vente. Adah meurt d'une péritonite aiguë. Après elle, Alexandre n'aura plus recours qu'à des prostituées, lesquelles achèveront de le dépouiller.

Les dernières années sont tristes. Les amis disparaissent les uns après les autres. Hugo est loin, là-bas dans son île. Les journaux qu'Alexandre fonde périclitent, il n'est plus de mode à Paris. Par contre, lors de ses conférences en province, les foules accourent. Il écrit toujours, des adaptations théâtrales de ses œuvres, des romans inspirés de l'anglais, tels *Le Prince des voleurs* et *Robin Hood le proscrit*. En 1867 paraît un ultime chef-d'œuvre, *La Terreur prussienne*, ou les aventures de Benedict Turpin, un d'Artagnan ressuscité, qui annonce de façon prémonitoire les conflits franco-allemands à venir.

Sa santé se dégrade, manque d'appétit, laryngite chronique, engourdissement des jambes, hypertrophie du ventre, accès de somnolence incoercible, tremblements des mains. Il ne peut plus tenir la plume. Alors il dicte, *Le Docteur mystérieux*, un excellent roman où il affirme son rejet du christianisme, *Le Grand Dictionnaire de la cuisine* qu'il ne pourra ache-

Le scandale des cartes postales avec Adah Menken

(Société des Amis de Dumas.)

ver et qui le sera par le jeune Anatole France.

La décrépitude physique et la pauvreté matérielle s'amplifient. Les derniers meubles et objets précieux sont mis en gage. Au printemps 1870, il part en voyage dans le sud-ouest de la France en compagnie d'un secrétaire fidèle et honnête, enfin un deuxième après Noël Parfait. Il dicte son testament, *Le Roman de Violette*, une œuvre érotique, un hymne à l'émancipation des femmes qu'il a aimées presque autant que la littérature.

La guerre est déclarée. Alexandre revient à Paris à peu près paralysé, pratiquement inconscient. Sa fille Marie le conduit à Neuville-lès-Dieppe, au lieu-dit Puys, où Dumas fils possède une villa. Il y meurt le 5 décembre 1870.

Victor Hugo, dans *Les Contemplations,* parlait de l'« œuvre éclatante, innombrable» d'Alexandre. L'un et l'autre ignoraient qu'un jour des chercheurs québecois la dénombreraient en recensant dans ses livres 4 056 personnages principaux, 8 872 personnages secondaires, 24 339 figurants. Alexandre a enfanté une ville peuplée de 37 267 héros.

Daniel Zimmermann

L'œuvre d'Alexandre Dumas

"Innombrable", selon l'expression de Victor Hugo :
67 pièces de théâtre, 6 recueils de nouvelles, 11 recueils d'impressions de voyage, plusieurs volumes d'autobiographies, 86 romans, sans compter les milliers de pages de vulgarisation historique, sans compter des centaines de "Causeries" sur les sujets les plus divers, art, gastronomie, chroniques littéraires, dramatiques, politiques... Alors il faut, hélas, choisir :

• Théâtre

- Henri III et sa cour
- Antony
- La Tour de Nesle
- Angèle
- Le Fils de l'émigré
- Kean

• Impressions de voyage

- Le Corricolo
- Le Véloce
- En Russie
- Le Caucase

• Autobiographie

- Mes Mémoires
- Histoire de mes bêtes

• Nouvelles

- Les Mille et un Fantômes
- La Femme au collier de velours
- Le Lièvre de mon grand-père
- La Chasse au chastre et autres nouvelles humoristiques

• Gastronomie

- Le Grand Dictionnaire de la cuisine

• Romans

- Pascal Bruno
- Georges
- Une fille du régent
- Les Trois Mousquetaires
- Vingt Ans après
- Le Vicomte de Bragelonne
- Le Comte de Monte-Cristo
- La Reine Margot
- La Dame de Monsoreau
- Les Quarante-cinq
- Le Bâtard de Mauléon
- Joseph Balsamo
- Le Collier de la reine
- Ange Pitou
- La Comtesse de Charny
- Le Chevalier de Maison-Rouge
- La Tulipe noire
- Olympe de Clèves
- Les Mohicans de Paris
- Isaac Laquedem
- Catherine Blum
- Ingénue
- Les Compagnons de Jéhu
- Le Meneur de loups
- La San-Felice
- Emma Lyonna
- Souvenirs d'une favorite
- La Terreur prussienne
- Le Docteur mystérieux *suivi de* La Fille du marquis
- Le Roman de Violette

Dumas aujourd'hui

Il est actuellement l'auteur le plus lu de la planète, seulement devancé par la Bible.

Ses œuvres ont inspiré des centaines de films et téléfilms. Ainsi *Les Trois Mousquetaires* sont au départ de 73 adaptations audiovisuelles dans le monde, dont un "muet" désopilant : *L'Étroit Mousquetaire,* de Max Linder.

Pour en savoir plus sur Dumas

Dictionnaire Dumas, de Réginald Hamel et Pierrette Méthé (Guérin, Québec)

Alexandre Dumas le Grand, de Daniel Zimmermann (Julliard, Paris)

Citations

"Je n'admets pas, en littérature, de système ; je ne suis pas d'école ; je n'arbore pas de bannière. Amuser et intéresser, voilà les seules règles, je ne veux pas dire que je suive, mais que j'admette." (Préface à *Napoléon Bonaparte*)

"Commencer par l'intérêt, au lieu de commencer par l'ennui ; commencer par l'action, au lieu de commencer par la préparation ; parler des personnages après les avoir fait paraître, au lieu de les faire paraître après avoir parlé d'eux." (*Histoire de mes bêtes*)

"Balzac a fait une grande et belle œuvre à cent faces, intitulée *La Comédie humaine*. Notre œuvre à nous, commencée en même temps que la sienne, mais que nous ne qualifions pas, bien entendu, peut s'intituler *Le Drame de la France*." (*Les Compagnons de Jéhu*)

"Il reste le critique qui se gratte lui-même jusqu'au fiel et qui gratte les autres jusqu'au sang." (*Causeries*)

"Il y a une chose que je ne sais pas bien faire : c'est un livre ou un drame sur des localités que je n'ai pas vues. [...] Et j'ai, certes, perdu plus de temps à étudier Jérusalem et Corinthe à distance que si j'y fusse allé." (*Causeries*)

"Michelet, mon maître, l'homme que j'admire comme historien, et je dirai presque comme poète au-dessus de tous, me disait un jour : « Vous avez plus appris d'Histoire au peuple que tous les historiens réunis. »" (*Le Docteur mystérieux*)

"Chez moi, c'est l'action qui crée, en quelque sorte, les personnages." (Dans le journal *Le Mousquetaire*)

"- Bah ! les hommes comme nous, monsieur le maréchal, dit Aramis, ne meurent que rassasiés de joie et de gloire !
- Ah, répliqua d'Artagnan avec un triste sourire, c'est qu'à présent je ne me sens plus d'appétit, monsieur le Duc." (*Le Vicomte de Bragelonne*)

Vie de Dumas	Événements politiques
1802 Naissance à Villers-Cotterêts	**1802** Bonaparte consul à vie
1806 Mort de son père	**1804** Sacre de Napoléon Iᵉʳ
1816 Saute-ruisseau chez un notaire	**1814** Première Restauration
1823 Copiste à Paris chez le duc d'Orléans, futur Louis-Philippe	**1815** Waterloo et seconde Restauration
1829 Triomphe de *Henri III et sa cour*	**1824** Mort de Louis XVIII. Avènement de Charles X
1830 Participe à la révolution	**1830** Trois Glorieuses
1831 Démissionne de l'administration de Louis-Philippe	Louis-Philippe roi des Français
Triomphe d'*Antony*	**1832** Journées insurrectionnelles
1836 Crée le roman-feuilleton	**1834** Nouvelle insurrection républicaine, aussi durement réprimée que la première
1840-1843 Séjour à Florence	
1844 Début de la publication des *Mousquetaires*, de *Monte-Cristo*, de *La Reine Margot*	**1840** Tentative insurrectionnelle de Louis Napoléon Bonaparte
1848 Se tient à l'écart de la révolution	**1848** Février : révolution. Proclamation de la IIᵉ République
Échec à la députation	Juin : journées insurrectionnelles
1851 S'enfuit à Bruxelles	Décembre : Louis Napoléon Bonaparte président de la République
1853 Crée le journal *Le Mousquetaire*	**1851** Coup d'État de Bonaparte
1859 Voyage en Russie	**1852** Rétablissement de l'Empire
1860-1864 Trafiquant d'armes pour Garibaldi. Crée et dirige à Naples *L'Indépendant*	**1870** Juillet : guerre franco-allemande
1870 Mort à Puys	Septembre : Proclamation de la IIIᵉ République
	1871 Commune de Paris

Littérature	Musique et arts plastiques
1802 Chateaubriand : *Génie du christianisme*	**1802** Beethoven : *Sonate à Kreutzer*
1820 Lamartine : *Méditations poétiques*	**1808** Beethoven : *5ᵉ et 6ᵉ Symphonies*
1822 Stendhal : *De l'amour*	**1816** Rossini : *Le Barbier de Séville*
1827 Hugo : *Cromwell*	**1817** Schubert : *La Jeune Fille et la Mort*
1830 Hugo : *Hernani* Stendhal : *Le Rouge et le Noir*	**1819** Géricault : *Le Radeau de la Méduse*
1831 Balzac : *La Peau de chagrin*	**1824** Delacroix : *Scènes des massacres de Scio*
1833 Balzac : *Le Père Goriot*	**1827** Delacroix : *Mort de Sardanapale*
1836 Musset : *Confession d'un enfant du siècle*	**1829** Rossini : *Guillaume Tell*
1838 Hugo : *Ruy Blas*	**1830** Berlioz : *La Symphonie fantastique*
1839 Stendhal : *La Chartreuse de Parme*	**1831** Meyerbeer : *Robert le Diable* Bellini : *Norma*
1842 George Sand : *Consuelo*	**1834** Daumier : *Rue Transnonain, le 15 avril 1834*
1845 Mérimée : *Carmen*	
1846 Michelet : *Le Peuple*	**1837** Berlioz : *Requiem*
1847 Balzac : *Le Cousin Pons*	**1839** Delacroix : *Hamlet au cimetière*
1852 Dumas fils : *La Dame aux camélias*	**1843** Wagner : *Le Vaisseau fantôme*
1853 Hugo : *Les Châtiments*	**1846** Berlioz : *La Damnation de Faust*
1854 Nerval : *Les Filles du feu*	**1849** Courbet : *L'Enterrement à Ornans*
1857 Baudelaire : *Les Fleurs du mal* Flaubert : *Madame Bovary*	**1850** Millet : *Les Botteleurs*
	1853 Verdi : *La Traviata*
1862 Hugo : *Les Misérables*	**1858** Offenbach : *Orphée aux enfers*
1863 Jules Verne : *Cinq Semaines en ballon*	**1862** Manet : *Le Déjeuner sur l'herbe*
1867 Zola : *Thérèse Raquin*	**1868** Renoir : *Les Canotiers*

Quelques mots d'esprit

Dans un salon, à proximité de Dumas, un quidam se répand en propos racistes. Alexandre ne bronche pas. Le quidam l'interpelle :
"Mais au fait, Maître, vous devez bien vous y connaître en nègres ?
- Très certainement. Mon père était un mulâtre, mon grand-père était un nègre et mon arrière-grand-père était un singe. Vous voyez, Monsieur, ma famille commence là où la vôtre finit."

On demande vingt francs à Dumas, afin de contribuer aux obsèques d'un huissier mort dans la gêne. Il met la main à la poche : "Tenez, voilà quarante francs et enterrez deux huissiers."

"Dans tous vos romans, vous violez l'Histoire.
- Oui, mais je lui fais de si beaux enfants."

"Alors, Dumas, ce dîner chez le ministre ?
- Heureusement que j'étais là, sinon je me serais mortellement ennuyé."

Balzac détestait Dumas, "ce nègre", disait-il. Lors d'une soirée, tous deux s'évitent soigneusement. Au moment de partir, Balzac est obligé de passer devant Alexandre. Venimeux, il lance :
"Quand je serai usé, moi aussi j'écrirai des drames.
- Eh bien, commencez tout de suite", réplique Dumas.

Dumas raconte la bataille de Waterloo, à laquelle, bien sûr, il n'a pas assisté. Il est intarissable. Un général présent parvient enfin à l'interrompre :
"Permettez, cher Monsieur, ça ne s'est pas passé du tout comme ça : j'y étais, moi.
- Allons donc, général, vous n'y avez rien vu."

Le proscrit

1

Aux premières heures d'une belle matinée du mois d'août, Robin Hood, le cœur en joie et la chanson aux lèvres, se promenait solitairement dans un étroit sentier de la forêt de Sherwood.

Tout à coup, une voix forte et dont les intonations capricieuses témoignaient d'une grande ignorance des règles musicales, se mit à répéter l'amoureuse ballade chantée par Robin Hood.

— Par Notre-Dame ! murmura le jeune homme, en prêtant une oreille attentive au chant de l'inconnu, voilà un fait qui me paraît étrange. Les paroles que je viens d'entendre chanter sont de ma composition, datent de mon enfance, et je ne les ai apprises à personne.

Tout en faisant cette réflexion, Robin se glissait derrière le tronc d'un arbre, afin d'y attendre le passage du voyageur.

Celui-ci se montra bientôt. Arrivé en face du chêne au pied duquel Robin s'était assis, il plongea ses regards dans la profondeur du bois.

— Ah ! ah ! dit l'inconnu en apercevant à travers le fourré un magnifique troupeau de daims, voici d'anciennes connaissances ; voyons un peu si j'ai encore l'œil juste et la main prompte. Par saint Paul ! je vais me donner le plaisir d'envoyer une flèche au vigoureux gaillard qui chemine lentement.

Cela dit, l'étranger prit une flèche dans son carquois, l'ajusta à son arc, visa le daim et le frappa de mort.

— Bravo ! cria une voix rieuse ; ce coup est d'une adresse remarquable.

L'étranger, saisi de surprise, s'était brusquement retourné.

— Vous trouvez, messire ? dit-il en examinant Robin de la tête aux pieds.

— Oui, vous êtes fort adroit.

— Vraiment, ajouta l'inconnu d'un ton dédaigneux.

— Sans doute, et surtout pour un homme qui n'est pas habitué à tirer le daim.

— Comment savez-vous que je manque d'habitude dans ce genre d'exercice ?

— Par la manière dont vous tenez votre arc. Je parie tout ce que vous voudrez, sir étranger, que vous êtes plus habile à renverser un homme sur le champ de bataille qu'à étendre un daim dans le fourré.

— Très bien répondu, s'écria l'étranger en riant. Est-il permis de demander son nom à un homme qui a le regard assez pénétrant pour juger sur un simple coup la différence qui existe entre la manière de faire d'un soldat et celle d'un forestier.

— Mon nom est de peu d'importance dans la question qui nous occupe, sir étranger ; mais je puis vous dire mes qualités. Je suis un des premiers gardes de cette forêt, et je n'ai pas l'intention de laisser mes daims exposés sans défense aux attaques de ceux qui, pour essayer leur adresse, s'avisent de les tirer.

— Je me soucie fort peu de vos intentions, mon joli garde, repartit l'inconnu d'un ton délibéré, et je vous mets au défi de m'empêcher d'envoyer mes flèches où bon me semblera ; je tuerai des daims, je tuerai des faons, je tuerai tout ce que je voudrai.

— Cela vous sera facile si je ne m'y oppose, parce que vous êtes un excellent archer, répondit Robin. Aussi vais-je vous faire une proposition. Ecoutez-moi : je suis le chef d'une troupe d'hommes résolus, intelligents et fort habiles dans tous les exercices qu'embrasse leur métier. Vous me paraissez un brave garçon ; si votre cœur est honnête, si vous avez l'esprit tranquille et conciliant, je serai heureux de vous enrôler dans ma bande. Une fois engagé avec nous, il vous sera permis de chasser ; mais si vous refusez de faire partie de notre association, je vous invite à sortir de la forêt.

— En vérité, monsieur le garde, vous parlez d'un ton

tout à fait superbe. Eh bien ! écoutez-moi à votre tour. Si vous ne vous hâtez pas de me tourner les talons, je vous donnerai un conseil qui, sans grandes phrases, vous apprendra à mesurer vos paroles ; ce conseil, bel oiseau, est une volée de coups de bâton très lestement appliquée.

– Toi, me frapper ! s'écria Robin d'un ton dédaigneux.

– Oui, moi.

– Mon garçon, reprit Robin, je ne veux point me mettre en colère, car tu t'en trouverais fort mal ; mais si tu n'obéis pas sur-le-champ à l'ordre que je te donne de quitter la forêt, tu seras d'abord vigoureusement châtié ; puis après, nous essayerons la mesure de ton cou et la force de ton corps à la plus haute branche d'un arbre de cette forêt.

L'étranger se mit à rire.

– Me battre et me faire pendre, dit-il, voilà qui serait curieux si ce n'était impossible. Voyons, mets-toi à l'œuvre, j'attends.

– Je ne me donne pas la peine de bâtonner de mes propres mains tous les fanfarons que je rencontre, mon cher ami, repartit Robin ; j'ai des hommes pour remplir en mon nom cet utile office. Je vais les appeler et tu t'expliqueras avec eux.

Robin Hood porta un cor à ses lèvres, et il allait sonner un vigoureux appel lorsque l'étranger, qui avait rapidement ajusté une flèche à son arc, cria avec violence :

– Arrêtez, ou je vous tue !

Robin laissa tomber son cor, saisit son arc, et, bondissant vers l'étranger avec une légèreté inouïe, il s'écria :

– Insensé ! Tu ne vois donc pas avec quelle force tu veux entrer en lutte ? Avant d'être atteint, je t'aurais déjà frappé, et la mort que tu m'enverrais vers moi te toucherait seul. Montre-toi raisonnable ; nous sommes étrangers l'un à l'autre, et sans cause sérieuse nous nous traitons en ennemis. L'arc est une arme sanguinaire ; remets ta flèche au carquois, et puisque tu désires jouer du bâton, va pour le bâton ! J'accepte le combat.

– Va pour le bâton ! répéta l'étranger, et que celui qui aura l'adresse de frapper à la tête soit non seulement vainqueur, mais libre de disposer du sort de son adversaire.

– Soit, répondit Robin ; fais attention aux conséquences de l'arrangement que tu proposes : si je te fais crier merci, j'aurai le droit de t'enrôler dans ma bande ?

– Oui.

– Très bien, et que le plus habile remporte la victoire.

– *Amen !* dit l'étranger.

La lutte d'adresse commença. Les coups, libéralement donnés des deux parts, accablèrent bientôt l'étranger, qui ne put réussir à toucher Robin une seule fois. Irrité et haletant, le pauvre garçon jeta son arme.

– Arrêtez, dit-il, je suis moulu de fatigue.

– Vous vous avouez vaincu ? demanda Robin.

– Non, mais je reconnais que vous êtes d'une force très supérieure à la mienne ; vous avez l'habitude de manier le bâton, cela vous donne un avantage trop grand, il faut autant que possible égaliser la partie. Savez-vous tirer l'épée ?

– Oui, répondit Robin.

– Voulez-vous continuer le combat avec cette arme ?

– Certainement.

Ils mirent l'épée à la main. Adroits tireurs l'un et l'autre, ils se battirent pendant un quart d'heure sans parvenir à se blesser.

– Arrêtez ! cria tout à coup Robin.

– Vous êtes fatigué ? demanda l'étranger avec un sourire de triomphe.

– Oui, répondit franchement Robin ; puis je trouve qu'un combat à l'épée est une chose fort peu agréable ; parlez-moi du bâton ; ses coups, moins dangereux, offrent quelque intérêt ; l'épée a quelque chose de rude et de cruel. Ma fatigue, toute réelle qu'elle soit, ajouta Robin en examinant le visage de l'inconnu, dont la tête était couverte d'un bonnet qui lui cachait une partie du front, n'est pas tout à fait la cause qui m'a fait demander une suspension d'armes. Depuis que je me trouve en face de toi, il m'est venu à l'esprit des souvenirs d'enfance, le regard de tes grands yeux bleus ne m'est pas inconnu, ta voix me rappelle la voix d'un ami, mon cœur se sent pris pour toi d'un entraînement irrésistible ; dis-moi ton nom ; si tu es celui que j'aime et que j'attends avec toute l'impatience de la plus tendre amitié, sois mille fois le bienvenu. Si tu es un étranger, n'importe, tu seras encore heureusement arrivé. Je t'aimerai pour toi et pour les chers souvenirs que ta vue me rappelle.

— Vous me parlez avec une bonté qui me charme, sir forestier, répondit l'inconnu ; mais, à mon grand regret, je ne puis satisfaire à votre honnête demande. Je ne suis pas libre ; mon nom est un secret que la prudence me conseille de garder avec soin.

— Vous n'avez rien à craindre de moi, reprit Robin ; je suis ce que les hommes appellent un proscrit. Du reste, je me sais incapable de trahir la confiance d'un cœur qui s'est reposé sur la discrétion du mien, et je méprise la bassesse de celui qui ose révéler même un secret involontairement surpris. Dites-moi votre nom ?

L'étranger hésita un instant encore.

— Je serai un ami pour vous, ajouta Robin d'un air franc.

— J'accepte, répondit l'inconnu. Je m'appelle William Gamwell.

Robin jeta un cri.

— Will ! Will ! le gentil Will Ecarlate !

— Oui.

— Et moi, je suis Robin Hood.

— Robin ! s'écria le jeune homme en tombant dans les bras de son ami ; ah ! quel bonheur !

Les deux jeunes gens s'embrassèrent avec transport ; puis, les regards animés par une indicible joie, ils s'examinèrent l'un l'autre avec un sentiment de touchante surprise.

— Et moi qui t'ai menacé ! disait Will.

— Et moi qui ne t'ai pas reconnu ! ajoutait Robin.

— J'ai voulu te tuer ! s'écriait Will.

— Je t'ai battu ! continuait Robin en éclatant de rire.

— Bah ! je n'y pense plus. Donne-moi vite des nouvelles de... Maude.

— Maude se porte très bien.

— Est-elle ?...

— Toujours une charmante fille, qui t'aime, Will, qui

n'aime que toi au monde ; elle t'a gardé son cœur, elle te donnera sa main. Elle a pleuré sur ton absence, la chère créature ; tu as bien souffert, mon pauvre Will ; mais tu seras heureux si tu aimes encore la bonne et jolie Maude.

– Si je l'aime ! comment peux-tu me demander cela, Robin ? Ah ! oui, je l'aime, et que Dieu la bénisse de ne m'avoir point oublié ! Je n'ai jamais cessé un seul instant de penser à elle, son image chérie accompagnait mon cœur et lui donnait des forces : elle était le courage du soldat sur le champ de bataille, la consolation du prisonnier dans le sombre cachot de la prison d'Etat. Maude, cher Robin, a été ma pensée, mon rêve, mon espoir, mon avenir. Grâce à elle j'ai eu l'énergie de supporter les plus cruelles privations, les plus douloureuses fatigues. Dieu avait mis dans mon cœur une inaltérable confiance en l'avenir ; j'étais certain de revoir Maude, de devenir son mari et de passer auprès d'elle les dernières années de mon existence.

– Ce patient espoir est à la veille de se réaliser, cher Will, dit Robin.

– Oui, je l'espère, ou pour mieux dire, j'en ai la douce certitude. Afin de te prouver, ami Robin, combien je pensais à cette chère enfant, je vais te raconter un rêve que j'ai fait en Normandie ; ce rêve est encore présent à ma pensée, et cependant il date de près d'un mois. J'étais au fond d'une prison, les bras liés, le corps entouré de chaînes, et je voyais Maude à quelques pas de moi, pâle comme une morte et couverte de sang. La pauvre fille tendait vers moi des mains suppliantes, et sa bouche, aux lèvres ternies, murmurait des paroles plaintives dont je ne comprenais pas le sens, mais je voyais qu'elle souffrait horriblement et m'appelait à son secours. Comme je viens de te le dire, j'étais enchaîné, je me roulais par terre, et, dans mon impuissance, je mordais les liens de fer qui comprimaient mes bras ; en un mot, je tentais des efforts surhumains pour me traîner jusqu'à Maude. Tout à coup les chaînes qui m'enlaçaient se détendirent doucement, puis elles tombèrent. Je bondis sur mes pieds et je courus à Maude ; je pris sur mon cœur la pauvre fille ensanglantée, je couvris de baisers ardents ses joues d'une pâleur blafarde, et peu à peu, le sang, arrêté dans sa course, se mit à circuler avec lenteur d'abord, puis ensuite avec une régularité naturelle. Les lèvres de Maude se colorèrent ; elle ouvrit ses grands yeux noirs, et enveloppa mon visage d'un regard à la fois si reconnaissant et si tendre que je me sentis ému jusqu'au fond des entrailles ; mon cœur bondit, et je laissai échapper de ma poitrine en feu un sourd gémissement. Je souffrais et à la fois je me trouvais bien heureux. Le réveil suivit de près cette poignante émotion. Je sautai à bas de mon lit avec la ferme résolution de rentrer en Angleterre. Je voulais revoir Maude, Maude qui devait être malheureuse, Maude qui devait avoir besoin de mon secours. Je me rendis sur-le-champ auprès de mon capitaine ; cet homme avait été l'intendant de mon père, et je me croyais en droit d'attendre de lui une efficace protection. Je lui exposai, non la cause du désir que j'avais de rentrer en Angleterre, il aurait ri de mon inquiétude, mais ce désir seulement. Il refusa d'un ton fort dur de m'accorder un congé ; ce premier échec ne me rebuta pas : j'étais pour ainsi dire possédé de la rage de revoir Maude, je suppliai cet homme, auquel j'avais autrefois donné des ordres, je le conjurai de m'accorder ma demande. Vous allez me prendre en pitié, Robin, ajouta Will la rougeur au front ; n'importe, je veux tout vous dire. Je me jetai à deux genoux devant lui ; ma faiblesse le fit sourire, et d'un coup de pied il me renversa en arrière. Alors, Robin, je me relevai ; j'avais mon épée, je l'arrachai du fourreau, et, sans réflexion, sans hésitation, je tuai ce misérable. Depuis cette époque l'on est à ma poursuite ; a-t-on perdu ma trace ? je l'espère. Voilà pourquoi, cher Robin, vous prenant pour un étranger je refusai de vous dire mon nom, et béni soit le ciel de m'avoir conduit vers vous ! Maintenant parlons de Maude ; elle habite toujours au hall de Gamwell ?

– Au hall de Gamwell, cher Will ! répéta Robin. Vous ne savez donc rien du passé ?

– Rien. Mais qu'est-il arrivé ? vous me faites peur.

– Rassurez-vous ; le malheur qui a frappé votre famille est en partie réparé, le temps et la résignation ont effacé toutes les traces d'un fait bien douloureux : le château et le village de Gamwell ont été détruits.

– Détruits ! s'écria Will. Bonne sainte Vierge ! et ma mère, Robin, et mon cher père, et mes pauvres sœurs ?

– Tout le monde se porte bien, tranquillisez-vous ; votre famille habite Barnsdale. Plus tard je vous raconterai en détail ce fatal événement ; qu'il vous suffise de savoir pour aujourd'hui que cette cruelle destruction, qui est l'œuvre des Normands, leur a coûté bien cher. Nous avons tué les deux tiers des troupes envoyées par le roi Henri.

– Par le roi Henri ! exclama William. Puis il ajouta avec une certaine hésitation : Vous êtes, m'avez-vous dit, Robin, le premier garde de cette forêt, et naturellement aux gages du roi ?

– Pas tout à fait, mon blond cousin, repartit le jeune homme en riant. Ce sont les Normands qui payent ma surveillance, c'est-à-dire ceux qui sont riches, car je n'exige rien des pauvres. Je suis en effet gardien de la forêt, mais pour mon propre compte et pour celui de mes joyeux compagnons. En un mot, William, je suis le seigneur de la forêt de Sherwood, et je soutiendrai mes droits et mes privilèges contre tous les prétendants.

– Je ne vous comprends pas, Robin, dit Will d'un air tout surpris.

– Je vais m'expliquer plus clairement.

En disant cela, Robin porta son cor à ses lèvres et en tira trois sons aigus. A peine les profondeurs du bois eurent-elles été traversées par ces notes stridentes que William vit sortir du fourré, de la clairière, à sa droite et à sa gauche, une centaine d'hommes tous également vêtus d'un costume élégant, et dont la couleur verte seyait fort bien à leur martiale figure. Ces hommes, armés de flèches, de boucliers et d'épées courtes, vinrent se ranger en silence autour de leur chef. William ouvrait de grands yeux ébahis et regardait Robin d'un air stupéfait. Le jeune homme s'amusa un instant de la surprise émerveillée que causait à son cousin l'attitude respectueuse des hommes accourus à l'appel du cor ; puis, mettant sa main nerveuse sur l'épaule de Will, il dit en riant :

– Mes garçons, voici un homme qui, dans un combat à l'épée, m'a fait crier merci.

– Lui ! s'écrièrent les hommes en examinant Will avec un visible sentiment de curiosité.

– Oui, il m'a vaincu, et je suis fier de sa victoire, car il possède une main sûre et un brave cœur.

Petit-Jean, qui paraissait moins ravi que ne l'était Robin à l'adresse de William, s'avança au milieu du cercle et dit au jeune homme :

– Etranger, si tu as fait demander grâce au vaillant Robin Hood, tu dois être d'une force supérieure ; mais il ne sera pas dit cependant que tu auras eu la gloire de battre le chef des joyeux hommes de la forêt sans avoir été un peu rossé par son lieutenant. Je suis très fort au bâton, veux-tu en jouer avec moi ? Si tu parviens à me faire crier : assez ! je te proclamerai la meilleure lame de tout le pays.

– Mon cher Petit-Jean, dit Robin, je te parie un carquois de flèches contre un arc d'if que ce brave garçon sera vainqueur une fois encore.

– J'accepte le double enjeu, mon maître, répondit Jean, et si l'étranger remporte le prix, il pourra être nommé non seulement la meilleure lame, mais encore le plus adroit bâtonniste de la joyeuse Angleterre.

En entendant Robin Hood désigner sous le nom de Petit-Jean le grand jeune homme basané qu'il avait sous les yeux, Will ressentit au cœur une véritable commotion ; néanmoins, il n'en laissa rien paraître. Il composa son visage, enfonça jusqu'aux sourcils la toque qui lui couvrait la tête, et, répondant par un sourire aux signaux que lui adressait Robin, il salua gravement son adversaire, et, armé de son bâton, attendit la première attaque.

– Comment, Petit-Jean, s'écria Will au moment où le jeune homme allait commencer le combat, vous voulez vous battre avec Will Ecarlate, avec le gentil William, ainsi que vous aviez l'habitude de le nommer ?

– Ô mon Dieu ! exclama Petit-Jean en laissant tomber son bâton. Cette voix ! ce regard !...

Il fit quelques pas, et, tout chancelant, s'appuya sur l'épaule de Robin.

– Eh bien ! cette voix, c'est la mienne, cousin Jean, cria Will en jetant sa toque sur le gazon, regardez-moi.

Les longs cheveux roux du jeune homme roulèrent

leurs boucles soyeuses autour de ses joues, et Petit-Jean, après avoir regardé avec une muette extase la rieuse figure de son cousin, s'élança vers lui, l'entoura de ses bras et lui dit avec une expression d'indicible tendresse :

– Sois le bienvenu dans la joyeuse Angleterre, Will, mon cher Will, sois le bienvenu dans la demeure de tes pères, toi qui, par ton retour, y apportes la joie, le bonheur et le contentement. Demain les habitants de Barnsdale seront en fête, demain ils presseront dans leurs bras celui qu'ils croyaient à jamais perdu. L'heure qui te ramène parmi nous est une heure bénie du ciel, mon bien-aimé Will ; et je suis heureux de... de... te revoir... Il ne faut pas croire, parce que tu vois quelques larmes sur mon visage, que je sois un cœur faible, Will ; non, non, je ne pleure pas, je suis content, très content.

Le pauvre Jean n'en put dire davantage ; ses bras, enlacés autour de Will, se croisèrent convulsivement, et il se prit à pleurer en silence.

William partageait la satisfaction émue de son cousin, et Robin Hood les laissa un instant dans les bras l'un de l'autre.

Cette première émotion calmée, Petit-Jean raconta à Will, le plus brièvement possible, les péripéties de l'affreuse catastrophe qui avait chassé sa famille du hall de Gamwell. Ce récit achevé, Robin et Jean conduisirent Will aux différentes retraites que la bande s'était construites dans le bois, et, sur la demande du jeune homme, il fut enrôlé dans la troupe avec le titre de lieutenant, ce qui le plaçait au même rang que Petit-Jean.

Le lendemain matin, Will témoigna le désir de se rendre à Barnsdale. Ce désir si naturel fut parfaitement compris de Robin, qui se disposa sur-le-champ à accompagner le jeune homme ainsi que Petit-Jean. Depuis l'avant-veille, les frères de Will étaient à Barnsdale, où l'on préparait une fête pour célébrer l'anniversaire de la naissance de sir Guy. Le retour de William allait faire de cette fête une grande réjouissance.

Après avoir donné des ordres à ses hommes, Robin Hood et ses deux amis prirent le chemin de Mansfeld, où ils devaient trouver des chevaux. La route se fit gaiement. Robin chantait de sa voix juste et harmonieuse ses plus jolies ballades, et Will, ivre de joie, bondissait à ses côtés en répétant à tort et à travers le refrain des chansons. Petit-Jean même hasardait quelquefois une fausse note, et Will riait aux éclats, et Robin partageait l'hilarité de Will. Si un étranger eût aperçu nos amis, bien certainement la pensée lui serait venue qu'il avait sous les yeux les convives rassasiés de quelque hôte généreux, tant il est vrai que l'ivresse du cœur peut ressembler à l'ivresse que donne le vin.

Arrivés à quelque distance de Mansfeld, leur turbulente gaieté fut soudain suspendue. Trois hommes costumés en forestiers s'élancèrent d'un massif et se placèrent, d'un air résolu à leur barrer le passage, sur le chemin qu'ils suivaient.

Robin Hood et ses compagnons s'arrêtèrent un instant, puis le jeune homme examina les étrangers et leur demanda d'un ton impérieux :

– Qui êtes-vous ? et que faites-vous ici ?

– J'allais justement vous adresser les mêmes questions, repartit un des trois hommes, robuste gaillard aux épaules carrées, et qui, armé d'un bâton et d'un cimeterre, paraissait fort en état de résister à une attaque.

– En vérité ? répondit Robin. Eh bien ! je suis très heureux de vous avoir épargné cette peine ; car si vous vous étiez permis de me faire une aussi impertinente demande, il est probable que je vous eusse répondu de manière à vous donner un éternel regret de votre audace.

– Vous parlez fièrement, mon garçon, riposta le forestier d'un ton moqueur.

– Moins fièrement que je n'aurais agi si vous aviez eu l'imprudence de me questionner ; je ne réponds pas, moi, j'interroge. Ainsi, je vous le demande une dernière fois, qui êtes-vous, et que faites-vous ici ? On dirait vraiment à en juger par votre mine altière, que la forêt de Sherwood est votre propriété.

– Dieu merci, mon garçon, tu as une bonne langue. Ah ! tu m'accordes la faveur de me promettre une raclée si je t'adresse à mon tour la question que tu m'as faite. C'est superbe ! Maintenant, jovial étranger, je vais te donner une leçon de courtoisie et répondre à ta demande. Cela fait, je te ferai connaître comment je châtie les sots et les insolents.

— Soit, répondit gaiement Robin ; dis-moi bien vite ton nom et tes qualités, puis ensuite tu me battras si tu le peux, je le veux bien.

— Je suis le gardien de cette partie de la forêt ; mes droits de surveillance s'étendent depuis Mansfeld jusqu'à un large carrefour qui se trouve placé à sept milles d'ici. Ces deux hommes sont mes aides. Je tiens ma commission du roi Henri, et par ses ordres, je protège les daims contre les bandits de votre espèce. Avez-vous compris ?

— Parfaitement ; mais si vous êtes gardien de la forêt, que suis-je, moi, ainsi que mes compagnons ? Jusqu'à présent, je m'étais cru le seul homme qui eût des droits à ce titre. Il est vrai que je ne les tiens pas de la bonté du roi Henri, mais bien de ma propre volonté, qui est très puissante ici, parce qu'elle s'appelle le droit du plus fort.

— Toi le maître surveillant de la forêt de Sherwood ? reprit dédaigneusement le forestier ; tu plaisantes ! tu es un coquin, et rien de plus.

— Mon cher ami, reprit vivement Robin, tu cherches à m'en imposer sur ta valeur personnelle ; tu n'es pas le garde dont tu essayes de prendre les titres vis-à-vis de moi. Je connais l'homme auquel ils appartiennent.

— Ah ! ah ! s'écria le garde en riant. Peux-tu me dire son nom ?

— Certainement. Il s'appelle Jean Cokle ; c'est le gros meunier de Mansfeld.

— Je suis son fils, et je porte le nom de Much.

— Toi, Much ? Je ne te crois pas.

— Il dit la vérité, ajouta Petit-Jean ; je le connais de vue. On m'a parlé de lui comme d'un homme habile à manier le bâton.

— On ne t'a pas menti, forestier, et, si tu me connais, je puis en dire autant de toi. Tu as une taille et une figure qu'il est impossible d'oublier.

— Tu sais mon nom ? demanda le jeune homme.

— Oui, maître Jean.

— Moi, je suis Robin Hood, garde Much.

— Je m'en doutais, mon gaillard, et je suis enchanté

14

de la rencontre. Une forte récompense est promise à celui qui mettra la main sur tes épaules. Je suis très ambitieux de mon naturel, et cette récompense, qui est une grosse somme, ferait parfaitement mon affaire. J'ai aujourd'hui la chance de pouvoir m'emparer de toi, et je ne veux point la laisser échapper.

– Tu auras grandement raison, pourvoyeur de potence, répondit Robin d'un ton de mépris. Allons, habit bas, la main à l'épée ! je suis ton homme.

– Arrêtez ! cria Petit-Jean, Much est plus expert à manier le bâton qu'à tirer l'épée ; battons-nous trois contre trois. Je prends Much, Robin et toi, William ; prenez les autres, la partie sera plus égale.

– J'accepte, répondit le garde, car il ne sera pas dit que Much, le fils du meunier de Mansfeld, a fui devant Hood et ses joyeux hommes.

– Bien répondu ! cria Robin. Allons, Petit-Jean, prenez Much, puisque vous le désirez pour adversaire ; quant à moi, je prends ce robuste gaillard. Es-tu content de te battre avec moi ? demanda Robin à l'homme que le hasard lui avait donné pour partenaire.

– Très content, brave proscrit.

– Alors commençons, et que la sainte mère de Dieu accorde la victoire à ceux qui méritent son appui !

– *Amen !* dit Petit-Jean. La Vierge sainte n'abandonne jamais le faible à l'heure du besoin.

– Elle n'abandonne personne, dit Much.

– Personne, dit Robin en faisant le signe de la croix.

Les préparatifs du combat joyeusement terminés, Petit-Jean cria d'une voix forte :

– Commençons.

– Commençons, répétèrent Will et Robin.

Une vieille ballade, qui a consacré le souvenir de ce mémorable combat, le raconte ainsi :

« C'était pendant une belle journée du beau milieu
[de l'été
« Qu'ils se mirent à l'œuvre courageux et fermes.
« Ils se battirent depuis huit heures du matin jusqu'à
[midi ;
« Ils se battirent sans faiblir et sans s'arrêter.

15

« Robin, Will et Petit-Jean combattirent avec
[vaillance ;
« Ils ne donnèrent point à leurs adversaires la
[possibilité de les blesser. »

— Petit-Jean, dit Much tout haletant et après avoir
demandé quartier, je connaissais depuis longtemps ta
vaillante adresse, et je désirais entrer en lutte avec toi.
Mon désir est accompli, tu m'as vaincu, et ton triomphe
me donne une leçon de modestie qui me sera salutaire.
Je me croyais un bon jouteur, et tu viens de m'apprendre que je n'étais qu'un sot.

— Tu es un excellent jouteur, ami Much, répondit
Petit-Jean en serrant la main que lui tendait le garde,
et tu mérites ta réputation de bravoure.

— Je te remercie du compliment, forestier, repartit
Much ; mais je le crois plus poli que sincère. Tu supposes peut-être que ma vanité souffre d'une défaite inattendue ? détrompe-toi ; je ne suis point mortifié d'avoir
été battu par un homme de ta valeur.

— Bravement dit, vaillant fils de meunier ! cria gaiement Robin. Tu donnes la preuve que tu possèdes la
plus enviable des richesses, un bon cœur et une âme
saxonne. Il n'y a qu'un honnête homme qui puisse
accepter gaiement et sans la moindre rancune un échec
blessant pour son amour-propre. Donne-moi ta main,
Much, et pardonne-moi le nom dont je t'ai qualifié lorsque tu m'as fait le confident de ton ambitieuse convoitise. Je ne te connaissais pas, et mon mépris était
adressé, non à ta personne, mais seulement à tes paroles. Veux-tu accepter un verre de vin du Rhin ? nous le
boirons à notre heureuse rencontre et à notre future
amitié.

— Voici ma main, Robin Hood, je te l'offre de bon
cœur. J'ai entendu parler de toi avec éloge. Je sais que
tu es un noble proscrit, et que tu étends sur les pauvres
une généreuse protection. Tu es aimé même de ceux
qui devraient te haïr, des Normands tes ennemis. Ils
parlent de toi avec estime, et je n'ai jamais entendu
personne porter contre tes actes un blâme sérieux. On
t'a dépouillé de tes biens, on t'a banni ; tu dois être cher

aux honnêtes gens, parce que le malheur s'est fait l'hôte de ta demeure.

— Merci pour ces bonnes paroles, ami Much ; je ne les oublierai pas, et je veux que tu m'accordes le plaisir de ta compagnie jusqu'à Mansfeld.

— Je suis tout à toi, Robin, répondit Much.

— Et moi aussi, dit l'homme qui s'était battu avec Robin.

— Et moi de même, ajouta l'adversaire de Will.

Ils se dirigèrent ensemble vers la ville, causant et riant et les bras enlacés.

— Mon cher Much, demanda Robin Hood en entrant dans Mansfeld, vos amis sont-ils prudents ?

— Pourquoi cette question ?

— Parce que leur silence est nécessaire à ma sécurité. Comme vous devez bien le penser, je viens ici incognito, et si un mot indiscret faisait connaître à quelqu'un ma présence dans une auberge de Mansfeld, le logis de mon hôtelier serait promptement entouré de soldats, et je serais obligé ou de fuir ou de me battre. Ni la fuite ni le combat ne me seraient agréables aujourd'hui ; je suis attendu dans le Yorkshire, et je désire ne point retarder mon départ.

— Je vous réponds de la discrétion de mes camarades. Quant à la mienne, vous ne pouvez la mettre en doute ; mais je crois, mon cher Robin, que vous vous exagérez le danger. La curiosité des citoyens de Mansfeld serait seule à craindre ; ils accourraient sur vos pas, tant ils seraient jaloux de voir de leurs propres yeux le célèbre Robin Hood, le héros de toutes les ballades que chantent les jeunes filles.

— Le pauvre proscrit, voulez-vous dire, maître Much, reprit le jeune homme d'un ton amer ; ne craignez pas de me nommer ainsi ; la honte de ce nom ne retombe pas sur moi, mais bien sur la tête de celui qui a prononcé un arrêt aussi cruel qu'il est injuste.

— Bien, mon ami ; mais quel que soit le nom qui se trouve attaché au vôtre, on l'aime, on le respecte.

Robin Hood serra les mains du brave garçon.

Ils gagnèrent sans attirer l'attention une auberge retirée de la ville et s'installèrent gaiement autour d'une table que l'hôte couvrit bientôt d'une demi-douzaine de bouteilles aux cols allongés, pleines de ce bon vin du Rhin qui délie la langue et ouvre le cœur.

Les bouteilles se succédèrent rapidement, et la conversation devint si expansive et si confiante que Much éprouva le désir de la prolonger indéfiniment. En conséquence, il proposa à Robin Hood d'entrer dans sa bande ; les camarades de Much, ensorcelés par les joyeuses descriptions d'une existence indépendante sous les grands arbres de la forêt de Sherwood, suivirent l'exemple donné par leur chef, et s'engagèrent du cœur et des lèvres à suivre Robin Hood. Celui-ci accepta l'affectueuse proposition qui lui était faite, et Much, qui voulait partir sur-le-champ, demanda à son nouveau chef la permission d'aller faire ses adieux à toute sa famille. Petit-Jean devait attendre son retour, conduire les trois hommes à la retraite de la forêt, les y installer et reprendre le chemin de Barnsdale, où il trouverait William et Robin.

Ces divers arrangements arrêtés, la conversation prit un autre cours.

Quelques minutes avant l'heure de leur départ de l'auberge, deux hommes entrèrent dans la salle où ils étaient installés. Le premier de ces hommes jeta d'abord un coup d'œil rapide sur Robin Hood, regarda Petit-Jean, et arrêta son attention sur Will Ecarlate. Cette attention fut si vive et si tenace que le jeune homme s'en aperçut ; il allait interroger le nouveau venu lorsque celui-ci, s'apercevant qu'il avait soulevé un sentiment d'inquiétude dans l'esprit du jeune homme, détourna les yeux, avala d'un trait le verre de vin qu'il s'était fait servir, et sortit de la salle avec son compagnon.

Trop absorbé par la joie que lui causait l'espérance de voir Maude avant la nuit, Will négligea de communiquer à ses cousins ce qui venait de se passer, et il monta à cheval avec Robin Hood sans songer à lui rien dire. Chemin faisant, les deux amis se tracèrent un plan de conduite pour l'entrée de William au château.

Robin voulait y paraître seul et préparer la famille à la venue de Will ; mais l'impatient garçon ne voulait point accepter cet arrangement.

– Mon cher Robin, disait-il, ne me laissez pas seul ;

mon émotion est si grande qu'il me serait impossible de rester silencieux et tranquille à quelques pas de la maison de mon père. Je suis tellement changé, et mon visage porte des traces si visibles d'une cruelle existence, qu'il n'y a point à craindre que ma mère me reconnaisse au premier coup d'œil. Présentez-moi comme un étranger, comme un ami de Will ; j'aurai ainsi le bonheur de voir mes chers parents plus tôt, et de me faire reconnaître lorsqu'ils auront été préparés à ma venue.

Robin céda au désir de William, et les deux jeunes gens se présentèrent ensemble au château de Barnsdale.

Toute la famille était réunie dans la salle. Robin fut reçu à bras ouverts, et le baronnet adressa à celui qu'il prenait pour un étranger les offres cordiales d'une affectueuse hospitalité.

Winifred et Barbara s'assirent auprès de Robin et l'accablèrent de questions ; car, d'habitude, il était pour les jeunes filles l'écho des nouvelles du dehors.

L'absence de Maude et de Marianne mit Robin à son aise. Aussi, après avoir répondu aux demandes de ses cousines, il se leva et dit en se tournant vers sir Guy :

— Mon oncle, j'ai de bonnes nouvelles à vous donner, des nouvelles qui vous rendront fort joyeux.

— Votre visite est déjà une grande satisfaction pour mon vieux cœur, Robin Hood, répondit le vieillard.

— Robin Hood est un messager du ciel ! cria la jolie Barbara en secouant d'un air mutin les grappes blondes de ses beaux cheveux.

— A ma prochaine visite, Barby, répondit gaiement Robin, je serai un messager de l'amour : je vous apporterai un mari.

— Je le recevrai avec beaucoup de plaisir, Robin, repartit la jeune fille en riant.

— Vous ferez très bien, ma cousine, car il sera digne de ce gracieux accueil. Je ne veux point vous faire son portrait, et je me contenterai de vous dire que, aussitôt que vos beaux yeux se seront reposés sur lui, vous direz à Winifred : Ma sœur, voilà celui qui convient à Barbara Gamwell.

— Etes-vous bien sûr de cela, Robin ?

– Parfaitement sûr, charmante espiègle.

– Ah ! pour en décider, il faut être en pleine connaissance de cause, Robin. Sans le laisser voir, je suis très difficile, moi, et, pour réussir à me plaire, il faut qu'un jeune homme soit très gentil.

– Qu'appelez-vous être très gentil ?

– Vous ressembler, mon cousin.

– Flatteuse !

– Je dis ce que je pense, tant pis si ma réponse vous semble une flatterie. Et je désire non seulement que mon mari soit beau comme vous l'êtes, mais encore qu'il ait votre esprit et votre cœur.

– Je vous plairais donc, Barbara ?

– Certainement, vous êtes tout à fait à mon goût.

– Je suis à la fois très heureux et très peiné d'avoir ce bonheur, ma cousine ; mais, hélas ! si vous nourrissez secrètement l'espoir de ma conquête, permettez-moi de déplorer votre folie. Je suis engagé, Barbara, engagé avec deux personnes.

– Je connais ces deux personnes, Robin.

– Vraiment ? ma cousine.

– Oui, et si je voulais dire leurs noms...

– Ah ! je vous en prie, ne trahissez pas mon secret, miss Barbara.

– Soyez sans crainte, je désire ménager votre modestie ; mais pour en revenir à moi, cher Robin, je consens, s'il vous est agréable de m'octroyer cette faveur, d'être la troisième de vos fiancées et même la quatrième, car je présume qu'il existe pour le moins, trois jeunes filles qui attendent le bonheur de porter votre illustre nom.

– Petite moqueuse ! dit le jeune homme en riant, vous ne méritez pas l'amitié que je vous porte. Néanmoins, je tiendrai ma promesse, et sous peu de jours, je vous amènerai un charmant cavalier.

– Si votre protégé n'est pas jeune, spirituel et beau, je n'en veux pas, Robin ; souvenez-vous bien de cela.

– Il est tout ce que vous désirez qu'il soit.

– Fort bien. Maintenant, dites-nous la nouvelle que vous étiez sur le point d'annoncer à mon père avant de songer à m'offrir un mari.

– Miss Barbara, j'allais apprendre à mon oncle, à ma

tante, à vous également, chère Winifred, que j'avais entendu parler d'une personne bien chère à nos cœurs.

– De mon frère Will ? dit Barbara.

– Oui, ma cousine.

– Ah ! quel bonheur ! Eh bien ?

– Eh bien ! ce jeune homme qui vous regarde d'un air tout embarrassé, tant il est heureux de se trouver en présence d'une aussi charmante fille, a vu William, il y a quelques jours.

– Mon fils est-il en bonne santé ? demanda sir Guy d'une voix tremblante.

– Est-il heureux ? interrogea lady Gamwell en joignant les mains.

– Où est-il ? ajouta Winifred.

– Quelle est la raison qui le retient loin de nous ? dit Barbara en attachant ses yeux pleins de larmes sur le visage du compagnon de Robin Hood. Le pauvre William, la gorge en feu, le cœur gonflé, était incapable de prononcer une seule parole. Une minute de silence succéda aux pressantes questions qui venaient d'être faites. Barbara continuait pensivement de regarder le jeune homme. Tout à coup elle jeta un cri, s'élança vers l'étranger, et, l'entourant de ses bras, dit au milieu de ses sanglots : – C'est Will ! c'est Will ! je le reconnais. Cher Will, combien je suis heureuse de te voir !

Et, la tête appuyée sur l'épaule de son frère, la jeune fille se prit convulsivement à pleurer.

Lady Gamwell, ses fils, Winifred et Barbara entourèrent le jeune homme, et sir Guy, tout en essayant de paraître calme, tomba sur un fauteuil et se laissa aller à pleurer comme un enfant.

Les jeunes frères de Will semblaient ivres de bonheur. Après avoir jeté un hourra formidable, ils enlevèrent William sur leurs robustes bras, et l'embrassèrent en l'étouffant un peu.

Robin profita de l'inattention générale pour sortir du salon et se rendre à l'appartement de Maude. La santé de miss Lindsay, qui était fort délicate, demandait de grands ménagements, et il eût été peut-être dangereux de lui annoncer à l'improviste le retour de William.

En traversant une pièce qui avoisinait la chambre de Maude, Robin rencontra Marianne.

– Que se passe-t-il au château, cher Robin ? demanda la jeune fille après avoir reçu les tendres compliments de son fiancé. Je viens d'entendre des cris qui me semblent bien joyeux.

– Et qui le sont en effet, chère Marianne, car ils célèbrent un retour ardemment désiré.

– Quel retour ? demanda la jeune fille d'une voix tremblante. Est-ce celui de mon frère ?

– Hélas ! non, chère Marianne, répondit Robin en prenant les mains de la jeune fille, ce n'est pas encore Allan que Dieu nous envoie, mais Will ; vous vous rappelez bien Will Écarlate, le gentil William ?

– Certainement, et je suis très heureuse de le savoir revenu en bonne santé. Où est-il ?

– Dans les bras de sa mère ; je suis sorti de la salle au moment où ses frères se disputaient ses caresses. Je vais à la recherche de Maude.

– Elle est dans sa chambre. Voulez-vous que je lui fasse dire de descendre ?

– Non, je vais monter auprès d'elle, car il faut préparer cette pauvre enfant à recevoir la visite de William. La mission dont je me charge est fort difficile à remplir, ajouta Robin en riant ; car je connais beaucoup mieux les labyrinthes de la forêt de Sherwood que les replis mystérieux du cœur des femmes.

– Ne faites pas le modeste, messire Robin, répondit Marianne avec gaieté ; vous connaissez mieux que personne comment il faut s'y prendre pour pénétrer dans le cœur d'une femme.

– En vérité, Marianne, je crois que mes cousines, Maude et vous, avez fait un pacte pour tâcher de me rendre orgueilleux ; vous me comblez à l'envi de compliments flatteurs.

– Sans nul doute, sir Robin, dit Marianne en faisant au jeune homme un signe de menace, vous attirez à plaisir les amabilités de Winifred et de Barbara. Ah ! vous êtes en coquetterie avec vos cousines ; c'est fort bien, je suis enchantée de l'apprendre, et je vais à mon tour essayer sur le cœur du beau Will Écarlate le pouvoir de mes yeux.

– J'y consens, chère Marianne ; mais je dois vous avertir que vous aurez à combattre une rivale dangereuse. Maude est ardemment aimée ; elle défendra son bonheur, et le pauvre Will rougira d'être placé ainsi entre deux charmantes femmes.

— Si William ne sait pas mieux rougir que vous, Robin, je n'ai pas à craindre de lui faire éprouver cette embarrassante émotion.

— Ah ! ah ! dit Robin en riant, vous prétendez, miss Marianne, que je ne sais pas rougir ?

— Du moins, vous ne savez plus, ce qui est bien différent ; une fois, je m'en souviens encore, un pourpre éclatant a nuancé vos joues.

— A quelle époque ce mémorable événement a-t-il eu lieu ?

— Le premier jour de notre rencontre dans la forêt de Sherwood.

— Voulez-vous me permettre de vous dire pourquoi j'ai rougi, Marianne ?

— Je crains de vous répondre affirmativement, Robin, car je vois poindre dans vos yeux une expression de raillerie, et vos lèvres ébauchent un méchant sourire.

— Vous redoutez ma réponse, et cependant vous l'attendez avec impatience, miss Marianne.

— Pas le moins du monde.

— Tant pis, alors, car je croyais vous être agréable en vous révélant le secret de ma première... et de ma dernière rougeur...

— Vous m'êtes toujours agréable en me parlant de choses qui vous concernent, Robin, dit Marianne en souriant.

— Le jour où j'eus le bonheur de vous conduire à la maison de mon père, j'éprouvai un très vif désir de voir votre visage, qui, enveloppé dans les plis d'un large capuchon, ne me laissait voir que la limpide clarté de vos yeux. Je me disais en moi-même, tout en marchant à vos côtés d'un air fort modeste : « Si cette jeune fille a les traits aussi beaux que son regard, je lui ferai la cour. »

— Comment, Robin, à seize ans vous songiez à vous faire aimer d'une femme !

— Mon Dieu ! oui, et au moment où je projetais de vous consacrer ma vie tout entière, votre adorable visage, dégagé du sombre voile qui le dérobait à mes yeux, apparut dans toute sa radieuse splendeur. Mon regard était si ardemment suspendu au vôtre qu'une nuance de pourpre envahit vos joues. Une voix intérieure me cria : « Cette jeune fille sera ta femme. » Le sang qui avait reflué vers mon cœur monta jusqu'à ma figure, et je sentis que j'allais vous aimer. Voilà, chère Marianne, l'histoire de ma première et de ma dernière rougeur. Depuis ce jour-là, continua Robin après un moment de silence ému, cet espoir, tombé du ciel comme la promesse d'un heureux avenir, s'est fait le consolateur et l'appui de mon existence. J'espère et je crois.

Une clameur joyeuse monta du salon jusqu'à la pièce où, les mains enlacées et causant tout bas, les deux jeunes gens continuaient d'échanger les plus tendres paroles.

— Vite, cher Robin, dit Marianne en présentant son beau front aux lèvres du jeune homme, montez à l'appartement de Maude ; moi je vais embrasser Will et lui dire que vous êtes auprès de sa chère fiancée.

Robin gagna rapidement la chambre de Maude et y trouva la jeune fille.

— J'étais presque certaine d'avoir entendu les cris de joie qui annoncent votre arrivée, cher Robin, dit-elle en faisant asseoir le jeune homme ; excusez-moi si je ne suis pas descendue au salon, mais je me sens gênée et presque importune au milieu de la satisfaction générale.

— Pourquoi cela, Maude ?

— Parce que je suis toujours la seule à qui vous n'ayez jamais à apprendre une heureuse nouvelle.

— Votre tour viendra, chère Maude.

— J'ai perdu le courage d'espérer, Robin, et je me sens d'une tristesse mortelle. Je vous aime de tout mon cœur, je suis heureuse de vous voir, et cependant je ne vous donne point de preuves de cette affection, et cependant je ne vous témoigne pas combien votre présence ici m'est agréable ; quelquefois même, cher Robin, je cherche à vous fuir.

— A me fuir ! s'écria le jeune homme d'un ton surpris.

— Oui, Robin, car en vous écoutant donner à sir Guy des nouvelles de ses fils, complimenter Winifred de la part de Petit-Jean, donner à Barbara un message de ses frères, je me dis : « Je suis toujours oubliée ; il n'y a qu'à la pauvre Maude que Robin n'a jamais rien à remettre. »

– Jamais rien, Maude !

– Ah ! je ne parle pas des charmants cadeaux que vous apportez. Vous en faites toujours à votre sœur Maude une très large part, croyant compenser ainsi le manque de nouvelles. Votre excellent cœur essaye de toutes les consolations, cher Robin ; hélas, je ne puis être consolée.

– Vous êtes une méchante petite fille, miss Maude, dit Robin d'un ton railleur. Comment, mademoiselle, vous vous plaignez de ne jamais recevoir de la part de personne des témoignages d'amitié, des preuves de bon souvenir ! Comment, vilaine ingrate, je ne vous donne pas à chacune de mes visites des nouvelles de Nottingham ! Quel est celui qui, au risque de perdre sa tête, va rendre de fréquentes visites à votre frère Hal ? Quel est celui qui, au risque bien grand encore d'engager une partie de son cœur, s'expose courageusement au feu meurtrier de deux beaux yeux ? Afin de vous être agréable, Maude, je brave le danger du tête-à-tête avec la ravissante Grâce, je subis le charme de son gracieux sourire, je supporte le contact de sa jolie main, j'embrasse même son beau front ; et pour qui, je vous le demande, vais-je exposer ainsi le repos de mon cœur ? Pour vous, Maude, rien que pour vous !

Maude se mit à rire.

– Il faut en vérité que je sois bien peu reconnaissante de mon naturel, dit-elle, car la satisfaction que j'éprouve en vous entendant parler d'Halbert et de sa femme ne suffit point aux désirs de mon cœur.

– Très bien, mademoiselle ; alors je ne vous dirai pas que j'ai vu Hal la semaine dernière, qu'il m'a chargé de vous embrasser sur les deux joues ; je ne vous dirai pas non plus que Grâce vous aime de toute son âme, que sa petite fille Maude, un ange de bonté, souhaite le bonjour à sa jolie marraine.

– Mille fois merci, cher Robin, pour votre charmante manière de ne me rien dire. Je suis très satisfaite de rester ainsi dans l'ignorance de ce qui se passe à Nottingham ; mais, à propos, avez-vous fait part à Marianne de l'attention que vous accordez à la charmante femme d'Halbert ?

– Voilà, par exemple, une malicieuse question, miss Maude. Eh bien ! pour vous donner la preuve que ma conscience n'a point de reproches à se faire, je vous dirai que j'ai confié à Marianne une petite part de mon admiration pour les charmes de la belle Grâce. Cependant, comme j'ai un faible pour ses yeux, je me suis bien gardé d'être trop expansif sur un sujet aussi délicat.

– Eh ! quoi ! vous trompez Marianne ! vous méritez que j'aille lui révéler à l'instant même toute l'étendue de votre crime.

– Nous irons ensemble tout à l'heure, je vous offrirai mon bras ; mais avant de nous rendre de compagnie auprès de Marianne, je désire causer avec vous.

– Qu'avez-vous à me dire, Robin ?

– Des choses charmantes, et qui, j'en suis certain, vous donneront un vif plaisir.

– Alors vous avez reçu des nouvelles de... de...

Et la jeune fille, l'œil interrogateur, les joues subitement colorées, regardait Robin avec une expression mêlée de doute, d'espérance et de joie.

– De qui, Maude ?

– Ah ! vous vous moquez de moi, dit tristement la pauvre fille.

– Non, chère petite amie, j'ai vraiment à vous apprendre quelque chose de très heureux.

– Dites-le-moi bien vite, alors.

– Que pensez-vous d'un mari ? demanda Robin.

– Un mari ! Voilà une étrange question.

– Pas du tout, si ce mari était...

– Will ! Will ! vous avez entendu parler de Will ? De grâce, Robin, ne jouez pas avec mon cœur. Tenez, il bat avec tant de violence qu'il me fait souffrir. Je vous écoute, Robin ; ce cher Will est-il bien portant ?

– Sans doute, puisqu'il songe à vous nommer le plus tôt possible sa chère petite femme.

– Vous l'avez vu ? où est-il ? quand viendra-t-il ici ?

– Je l'ai vu, il viendra bientôt.

– Ô sainte mère de Dieu, je te remercie ! s'écria Maude les mains jointes et en levant vers le ciel ses yeux remplis de larmes. Combien je serai heureuse de le voir ! ajouta la jeune fille ; mais... continua Maude, l'œil magiquement attiré vers la porte sur le seuil de laquelle un jeune homme se tenait debout, c'est lui, c'est lui !

Maude jeta un cri de suprême joie, s'élança dans les bras de William et perdit connaissance.

— Pauvre chère fille ! murmura le jeune homme d'une voix tremblante, l'émotion a été trop vive, trop inattendue ; elle s'est évanouie. Robin, soutiens-la un peu, je me sens aussi faible qu'un enfant, il m'est impossible de rester debout. (Robin enleva doucement Maude d'entre les bras de Will et la porta sur un siège. Quant au pauvre William, la tête cachée entre les mains, il versait d'abondantes larmes. Maude revint à elle ; sa première pensée fut pour Will, son premier regard chercha le jeune homme. Celui-ci s'agenouilla tout en pleurs aux pieds de Maude ; il entoura de ses bras la taille de son amie, et, d'une voix expressive et tendre, il murmura son nom bien-aimé :) Maude ! Maude !

— William ! cher William !

— J'ai besoin de parler à Marianne, dit Robin en riant. Adieu, je vous laisse en tête à tête ; n'oubliez pas trop ceux qui vous aiment.

Maude tendit la main au jeune homme, et William lui envoya un regard plein de reconnaissance.

— Enfin me voilà revenu, chère Maude, dit Will ; êtes-vous contente de me revoir ?

— Comment pouvez-vous m'adresser une pareille question, William ? Oh ! oui, je suis contente, mieux que cela, je suis heureuse, très heureuse.

— Vous ne désirez plus m'éloigner de vous ?

— L'ai-je jamais désiré ?

— Non ; mais il dépend de vous seule que ma présence ici soit un séjour définitif ou une simple visite.

— Que voulez-vous dire ?

— Vous souvient-il de la dernière conversation que nous avons eue ensemble ?

— Oui, cher William.

— Je vous quittai le cœur bien gros ce jour-là, chère Maude, j'étais au désespoir. Robin s'aperçut de ma tristesse, et, pressé par ses questions, je lui en avouai la cause. J'appris ainsi le nom de celui que vous aviez aimé...

— Ne parlons pas de mes folies de jeune fille, interrompit Maude en nouant ses mains autour du cou de William ; le passé appartient à Dieu.

— Oui, chère Maude, à Dieu seul, et le présent à nous, n'est-ce pas ?

— Oui, à nous et à Dieu. Il serait peut-être nécessaire pour votre tranquillité, cher William, ajouta la jeune fille, que vous eussiez de mes relations avec Robin Hood une idée bien claire, bien franche et bien arrêtée.

— Je sais tout ce que je désire savoir, chère Maude ; Robin m'a fait part de ce qui s'était passé entre vous et lui.

Une légère rougeur monta au front de la jeune fille.

— Si votre départ eût été moins prompt, reprit Maude en appuyant sur l'épaule du jeune homme son visage empourpré, vous eussiez appris que, profondément touchée de la patiente tendresse de votre amour, je voulais y répondre. Pendant votre absence, je me suis habituée à regarder Robin avec les yeux d'une sœur, et aujourd'hui je me demande, Will, si mon cœur a jamais battu pour un autre que pour vous.

— Alors il est bien vrai que vous m'aimez un peu, Maude ? dit William les mains jointes et les yeux humides.

— Un peu ! non ; mais beaucoup.

— Oh ! Maude, Maude, combien vous me rendez heureux !... Vous le voyez, j'avais raison d'espérer, d'attendre, de me montrer patient, de me dire : Il viendra un jour où je serai aimé... Nous allons nous marier, n'est-ce pas ?

— Cher Will !

— Dites oui, dites mieux encore, dites : Je veux épouser mon bon William.

— Je veux épouser mon bon William, répéta docilement la jeune fille.

— Donnez-moi votre main, chère Maude.

— La voici.

William baisa passionnément la main de sa fiancée.

— A quand notre mariage, Maude ? demanda-t-il.

— Je ne sais, mon ami, un de ces jours.

– Sans doute, mais il faut le préciser ; si nous disions demain ?

– Demain, Will, vous n'y pensez pas ; c'est impossible !

– Impossible ! pourquoi cela ?

– Parce que c'est trop subit, trop rapide.

– Le bonheur n'arrive jamais trop vite, chère Maude, et si nous pouvions nous marier à l'instant même, je serais le plus heureux des hommes. Puisqu'il faut attendre jusqu'à demain, je m'y résigne. C'est convenu, n'est-ce pas, demain vous serez ma femme ?

– Demain ! s'écria la jeune fille.

– Oui, et pour deux raisons : la première, c'est que nous fêtons l'anniversaire de mon père qui vient d'entrer dans sa soixante-seizième année ; la seconde, c'est que ma mère désire célébrer mon retour par de grandes réjouissances. La fête sera bien plus complète si elle est encore égayée par l'accomplissement de nos mutuels désirs.

– Votre famille, cher William, n'est point préparée à me recevoir au nombre des siens, et votre père dira peut-être...

– Mon père, interrompit Will, mon père dira que vous êtes un ange, qu'il vous aime, et que depuis longtemps déjà vous êtes sa fille. Ah ! Maude, vous ne connaissez pas ce bon et tendre vieillard, puisque vous doutez qu'il soit très heureux du bonheur de son fils.

– Vous possédez un si grand talent de persuasion, mon cher Will, que je me range entièrement à votre avis.

– Ainsi vous consentez, Maude ?

– Il le faut, je présume, cher Will.

– Vous n'y êtes pas contrainte, miss.

– En vérité, William, vous êtes bien difficile à satisfaire ; sans doute vous préférez m'entendre vous répondre : Je consens de tout mon cœur...

– A vous épouser demain, ajouta Will.

– A vous épouser demain, répéta Maude en riant.

– Très bien, je suis content. Venez, chère petite femme ; allons annoncer à nos amis notre prochain mariage.

William prit le bras de Maude, le glissa sous le sien

et, tout en embrassant la jeune fille, il l'entraîna vers la salle, où toute la famille était encore réunie.

Lady Gamwell et son mari donnèrent leur bénédiction à Maude, Winifred et Barbara saluèrent la jeune fille du doux nom de sœur, et les frères de Will l'embrassèrent avec enthousiasme.

Les préparatifs de la noce occupèrent les dames, qui, toutes animées d'un même désir, celui de contribuer au bonheur de Will et à la beauté de Maude, se mirent sur-le-champ à composer pour la jeune fille une charmante toilette.

Le lendemain arriva comme arrivent tous les lendemains lorsqu'ils sont impatiemment attendus, avec une grande lenteur. Dès le matin la cour du château avait été garnie d'une fabuleuse quantité de tonneaux d'ale, qui, enguirlandés de feuillage, devaient attendre patiemment que l'on daignât s'apercevoir de leur présence. Un festin splendide se préparait, les fleurs cueillies par brassées jonchaient les salles, les musiciens accordaient leurs instruments et les convives attendus arrivaient en foule.

L'heure fixée pour la célébration du mariage de miss Lindsay avec William Gamwell était près de sonner ; Maude, parée avec un goût exquis, attendait dans la salle la venue de William, et William ne venait pas.

Sir Guy envoya un serviteur à la recherche de son fils.

Le serviteur parcourut le parc, visita le château, appela le jeune homme, et n'entendit d'autre réponse que l'écho de sa propre voix.

Robin Hood et les fils de Guy montèrent à cheval et fouillèrent les environs ; ils n'aperçurent aucune trace du jeune homme, ils ne purent recueillir sur lui aucun renseignement.

Les convives, divisés en bandes, allèrent d'un autre côté explorer la campagne ; mais leur recherche fut aussi inutile.

A minuit, toute la famille en pleurs se pressait autour de Maude, plongée depuis une heure dans un profond évanouissement.

William avait disparu.

2

Comme nous l'avons dit, le baron Fitz-Alwine avait ramené au château de Nottingham sa belle et gracieuse fille lady Christabel.

Quelques jours avant la disparition du pauvre Will, le baron se trouvait assis dans une chambre de son appartement particulier, en face d'un petit vieillard splendidement vêtu d'un habit tout chamarré de broderies d'or.

S'il pouvait y avoir de la richesse dans la laideur, nous dirions que l'hôte du seigneur Fitz-Alwine était immensément riche.

A en juger par son visage, ce coquet vieillard devait être beaucoup plus âgé que le baron ; mais il semblait ne point se souvenir de l'ancienneté de son acte de naissance.

Ridés et grimaçants comme le sont de vieux singes, nos deux personnages causaient à demi-voix, et il était évident qu'ils cherchaient à obtenir l'un de l'autre, à force de ruse et de flatterie, la solution définitive d'une affaire importante.

— Vous êtes trop dur avec moi, baron, dit le très laid vieillard en branlant la tête.

— Ma foi ! non, répondit lestement lord Fitz-Alwine, j'assure le bonheur de ma fille, voilà tout, et je vous mets au défi de me trouver une arrière-pensée, mon cher sir Tristram.

— Je sais que vous êtes un bon père, Fitz-Alwine, et que le bonheur de lady Christabel est votre unique préoccupation... Et que comptez-vous lui donner pour dot, à cette chère enfant ?

— Je vous l'ai déjà dit, cinq mille pièces d'or le jour de son mariage, et la même somme plus tard.

— Il faut préciser la date, baron, il faut préciser la date, grommela le vieillard.

— Mettons dans cinq ans.

— Ce délai est long, puis la dot que vous donnez à votre fille est bien modeste.

— Sir Tristram, dit le baron d'une voix sèche, vous soumettez ma patience à une trop longue épreuve.

Rappelez-vous donc, je vous prie, que ma fille est jeune et belle, et que vous n'avez plus les avantages physiques que vous pouviez posséder il y a cinquante ans.

— Allons, allons, ne vous fâchez pas, Fitz-Alwine, mes intentions sont bonnes ; je puis placer un million à côté de vos dix mille pièces d'or, que dis-je ? un million, peut-être deux.

— Je sais que vous êtes riche, interrompit le baron ; malheureusement je ne suis pas à votre niveau, et néanmoins je veux placer ma fille au rang des plus grandes dames de l'Europe. Je veux que la position de lady Christabel soit égale à celle d'une reine. Vous connaissez ce paternel désir, et cependant vous refusez de me confier la somme qui doit venir en aide à sa réalisation.

— Je ne comprends pas, mon cher Fitz-Alwine, quelle différence il peut y avoir pour le bonheur de votre fille à ce que je garde entre mes mains l'argent qui représente la moitié de ma fortune. Je place le revenu d'un million, de deux millions sur la tête de lady Christabel, mais je garde la propriété du capital. Ne vous tourmentez donc pas, je ferai à ma femme une existence de reine.

— Tout cela est fort bien... en paroles, mon cher Tristram ; mais permettez-moi de vous dire que, lorsqu'il y a une très grande disproportion d'âge entre deux époux, la mésintelligence se fait l'hôte de leur maison. Il peut arriver que les caprices d'une jeune femme vous deviennent insupportables et que vous repreniez ce que vous aurez donné. Si je tiens entre mes mains la moitié de votre fortune, je serai tranquille sur le bonheur de ma fille ; elle n'aura rien à craindre, et vous pourrez vous quereller avec elle tant qu'il vous plaira.

— Nous quereller ! vous plaisantez, mon cher baron ; jamais de la vie il n'arrivera un malheur semblable. J'aime trop tendrement la belle petite colombe pour ne pas craindre de lui déplaire. J'aspire depuis douze ans à la possession de sa main, et vous pensez que je puis être capable de blâmer ses caprices ! Elle en aura tant qu'elle voudra, elle sera riche et pourra les satisfaire.

— Permettez-moi de vous dire, sir Tristram, que si vous refusez une fois encore d'accéder à ma demande, je vous retirerai très nettement la parole que je vous ai donnée.

— Vous êtes trop vif, baron, beaucoup trop vif, grommela le vieillard ; causons encore un peu de cette affaire.

— Je vous ai dit là-dessus tout ce qu'il y avait à dire ; ma décision est prise.

— Ne vous entêtez pas, Fitz-Alwine. Voyons, si je plaçais cinquante mille pièces d'or en votre possession ?

— Je vous demanderais si vous avez l'intention de m'insulter.

— Vous insulter ! Fitz-Alwine, quelle opinion avezvous donc de moi ?... Si je disais deux cent mille pièces d'or ?...

— Sir Tristram, restons-en là. Je connais votre immense fortune, et l'offre que vous me faites est une véritable moquerie. Que voulez-vous que je fasse de vos deux cent mille pièces d'or ?

— Ai-je dit deux cent mille, baron ? je voulais dire cinq cent mille... cinq cent, entendez-vous ? Voilà, n'est-il pas vrai, une noble somme, une bien noble somme ?

— C'est vrai, répondit le baron ; mais vous m'avez dit tout à l'heure que vous pouviez placer deux millions à côté des modestes dix mille pièces d'or de ma fille. Donnez-moi un million, et ma Christabel sera votre femme dès demain, si vous le désirez, mon bon Tristram.

— Un million ! vous voulez, Fitz-Alwine, que je vous confie un million ! En vérité, votre demande est absurde ; je ne puis en conscience placer entre vos mains la moitié de ma fortune.

— Mettez-vous en doute mon honneur et ma délicatesse ? s'écria le baron d'une voix irritée.

— Pas le moins du monde, mon cher ami.

— Me supposez-vous un autre intérêt que celui qui se rattache au bonheur de ma fille ?

— Je sais que vous aimez lady Christabel ; mais...

— Mais quoi ? interrompit vivement le baron ; décidez-vous sur-le-champ, ou j'annule à jamais les engagements que j'ai pris.

— Vous ne donnez même pas le temps de réfléchir.

En ce moment un coup discrètement frappé à la porte annonça l'arrivée d'un serviteur.

– Entrez, dit le baron.

– Milord, dit le valet, un messager du roi apporte de pressantes nouvelles ; il attend pour les communiquer le bon plaisir de Votre Seigneurie.

– Faites-le monter, répondit le baron. Maintenant, sir Tristram, un dernier mot : si vous n'adhérez pas à mes désirs avant l'entrée du courrier qui se présentera ici dans deux minutes, vous n'aurez pas lady Christabel.

– Ecoutez-moi, Fitz-Alwine, de grâce, écoutez-moi.

– Je n'écouterai pas : ma fille vaut un million ; puis vous m'avez dit que vous l'aimiez.

– Tendrement, très tendrement, marmotta le hideux vieillard.

– Eh bien ! sir Tristram, vous serez très malheureux, car vous allez être à jamais séparé d'elle. Je connais un jeune seigneur, noble comme un roi, riche, très riche, et d'une agréable figure, qui n'attend que ma permission pour mettre son nom et sa fortune aux pieds de ma fille. Si vous hésitez encore pendant la durée d'une seconde, demain, entendez-vous bien, demain celle que vous aimez, ma fille, la belle et charmante Christabel, sera la femme de votre heureux rival.

– Vous êtes impitoyable, Fitz-Alwine !

– J'entends les pas du courrier, répondez oui ou non.

– Mais... Fitz-Alwine !

– Oui ou non ?

– Oui, oui, balbutia le vieillard.

– Sir Tristram, mon cher ami, songez à votre bonheur ; ma fille est un trésor de grâce et de beauté.

– Il est vrai qu'elle est bien belle, dit l'amoureux vieillard.

– Et qu'elle vaut un million de pièces d'or, ajouta le baron en ricanant. Sir Tristram, ma fille est à vous.

Ce fut ainsi que le baron Fitz-Alwine vendit sa fille, la belle Christabel, à sir Tristram de Goldsborough pour un million de pièces d'or.

Aussitôt qu'il eut été introduit, le courrier annonça au baron qu'un soldat qui avait tué le capitaine de son régiment avait été suivi jusqu'en Nottinghamshire. Le roi donnait ordre au baron Fitz-Alwine de faire saisir ce soldat par ses agents, et de le faire pendre sans miséricorde.

Le courrier congédié, lord Fitz-Alwine serra à deux mains les mains tremblantes du futur époux de sa fille, en s'excusant de le quitter dans un moment aussi heureux ; mais les ordres du roi étaient précis, il fallait y obéir sans le moindre retard.

Trois jours après la conclusion de l'honorable marché contracté entre le baron et sir Tristram, le soldat poursuivi fut fait prisonnier et enfermé dans un donjon du château de Nottingham.

Robin Hood continuait activement la recherche de William, qui était hélas ! le pauvre soldat saisi par les estafiers du baron.

Désespéré de l'inutilité de ses investigations dans tout le comté du Yorkshire, Robin Hood regagna la forêt, espérant obtenir quelques renseignements par ses hommes, qui, sans cesse apostés sur les routes qui vont de Mansfeld à Nottingham, auraient peut-être découvert quelque trace du jeune homme.

A un mille de Mansfeld, Robin Hood rencontra Much, le fils du meunier ; celui-ci, monté ainsi que le jeune homme sur un vigoureux cheval, galopait à toute bride vers la direction que Robin venait de quitter.

En apercevant son jeune chef, Much jeta un cri de joie et arrêta sa monture.

– Combien je suis heureux de vous rencontrer, mon cher ami, dit-il ; j'allais à Barnsdale ; j'ai des nouvelles du jeune garçon qui était avec vous à notre rencontre.

– L'avez-vous vu ? Nous sommes à sa recherche depuis trois jours.

– Je l'ai vu.

– Quand ?

– Hier au soir.

– Où ?

– A Mansfeld, où je rentrais après avoir passé quarante-huit heures avec mes nouveaux compagnons. En approchant de la maison de mon père, j'aperçus devant la porte une troupe de chevaux, et sur l'un d'eux se trouvait un homme, les mains étroitement liées. Je reconnus votre ami. Les soldats, occupés à se rafraîchir, laissaient le prisonnier à la garde des liens qui l'attachaient sur le cheval. Sans attirer leurs regards, je réussis à faire comprendre à ce pauvre garçon que j'allais sur-le-champ courir à Barnsdale, et vous annoncer le malheur qui lui était arrivé. Cette promesse ranima le courage de votre ami, qui me remercia d'un coup d'œil expressif. Sans perdre une minute, je demandai un cheval, et, tout en me mettant en selle, j'adressai à un soldat quelques questions sur le sort qui était réservé à leur prisonnier. Il me répondit que, par ordre du baron Fitz-Alwine, on conduisait ce jeune homme au château de Nottingham.

– Je vous remercie de l'empressement que vous avez mis à me rendre service, mon cher Much, répondit Robin. Vous venez de m'apprendre tout ce que je voulais savoir, et il faudra véritablement jouer de malheur si nous ne réussissons pas à prévenir les cruelles intentions de Sa Seigneurie normande. En selle, mon cher Much, gagnons en toute hâte le centre de la forêt ; là, je prendrai les mesures nécessaires à une prudente expédition.

– Où est Petit-Jean ? demanda Much.

– Il se rend à notre retraite par un chemin opposé à celui-ci. En nous séparant nous avions l'espoir de recueillir des nouvelles chacun de notre côté. Le sort s'est déclaré en ma faveur, puisque j'ai eu la joie de vous rencontrer, mon brave Much.

– Toute la satisfaction est pour moi, mon capitaine, répondit gaiement Much ; votre volonté est la loi qui sert de guide à toutes mes actions.

Robin sourit, inclina la tête et partit ventre à terre, suivi de près par son compagnon.

En arrivant au rendez-vous général, Robin et Much y trouvèrent Petit-Jean. Après avoir communiqué à ce dernier les nouvelles apportées par Much, Robin lui ordonna de réunir les hommes disséminés dans la forêt, de les former en une seule troupe et de les conduire sur la lisière du bois qui avoisinait le château de Nottingham. Là, cachés sous l'ombrage des arbres, ils devaient attendre un appel de Robin et se tenir prêts au combat. Ces dispositions achevées, Robin et Much remontèrent à cheval et prirent au triple galop le chemin de Nottingham.

– Mon cher ami, dit Robin lorsqu'ils eurent atteint les limites de la forêt, nous voici arrivés au but de la course ; je ne dois pas entrer à Nottingham, ma présence dans la ville serait promptement connue, et on lui trouverait une raison que je désire tenir cachée. Vous me comprenez, n'est-ce pas ? Si les ennemis de William avaient connaissance de mon apparition soudaine, ils se tiendraient sur leurs gardes, et par conséquent il nous deviendrait fort difficile de mettre notre compagnon en liberté. Vous allez pénétrer seul dans la ville, et vous vous rendrez dans une petite maison qui se trouve à peu de distance de Nottingham. Vous y trouverez un bon garçon de mes amis, nommé Halbert Lindsay ; en cas d'absence de ce dernier, une gentille femme qui porte à ravir le doux nom de Grâce vous dira où est son mari, vous irez à sa recherche et vous me l'amènerez. Avez-vous compris ?

– Parfaitement.

– Eh bien ! allez, je vais m'asseoir ici, et je vous attendrai en surveillant les environs.

Resté seul, Robin cacha son cheval dans le fourré, s'étendit sous l'ombrage d'un chêne, et se mit à combiner un plan de conduite pour tenter de secourir efficacement le pauvre Will. Tout en faisant appel aux ressources de son esprit inventif, le jeune homme surveillait la route avec une prudente attention. Bientôt il vit poindre à l'extrémité de Nottingham vers la forêt un jeune cavalier fort richement vêtu. – Par ma foi ! se dit mentalement Robin, si cet élégant promeneur est de race normande, bien lui en a pris de choisir cet endroit pour respirer l'air parfumé de la campagne. Il me paraît si bien traité par dame Fortune qu'il y aura plaisir à prendre dans ses poches le prix des flèches et des arcs qui vont être brisés demain en l'honneur de William. Son costume est somptueux, son allure hautaine ; bien certainement ce gentil monsieur est de bonne rencontre. Avance, avance, joli damoiseau, tu seras encore plus léger lorsque nous aurons fait connaissance. Robin quitta prestement la position horizontale qu'il avait prise, et se plaça sur le chemin du voyageur. Celui-ci, qui sans doute attendait de Robin un témoignage de politesse, s'arrêta courtoisement.

– Soyez le bienvenu, charmant cavalier, dit Robin en portant la main à sa toque ; le temps est si obscur que j'ai pris votre gracieuse apparition pour un messager du soleil. Votre souriante physionomie éclaire le paysage, et, si vous restez quelques minutes encore sur la lisière du vieux bois, les fleurs enveloppées d'ombre vont vous prendre pour un rayon de chaude lumière.

L'étranger se mit joyeusement à rire.

– Appartenez-vous à la bande de Robin Hood ? demanda-t-il.

– Vous jugez sur l'apparence, messire, répondit le jeune homme, et, parce que vous me voyez revêtu du costume des forestiers, vous présumez que je dois appartenir à la bande de Robin Hood. Vous êtes dans l'erreur, tous les habitants de la forêt ne sont point attachés au sort du chef proscrit.

– C'est possible, repartit l'étranger d'un ton de visible impatience ; j'ai cru rencontrer un membre de l'association des joyeux hommes, je me suis trompé, voilà tout.

La réponse du voyageur excita la curiosité de Robin.

– Messire, dit-il, votre visage respire une si franche cordialité que, en dépit de la haine profonde que plusieurs années mon cœur a vouée aux Normands...

– Je ne suis pas normand, sir forestier, interrompit le voyageur ; et je puis à votre exemple me permettre de dire que vous jugez sur l'apparence : mon costume et l'accent de mon langage vous induisent en erreur. Je suis saxon, quoiqu'il y ait dans mes veines quelques gouttes de sang normand.

– Un Saxon est un frère pour moi, messire, et je suis heureux de pouvoir vous témoigner ma sympathique confiance. J'appartiens à la bande de Robin Hood. Comme vous le savez sans doute, nous employons une manière un peu moins désintéressée pour nous faire connaître aux voyageurs normands.

– Je connais cette manière à la fois courtoise et productive, répondit l'étranger en riant, j'en ai fort entendu parler, et je me rendais à Sherwood uniquement pour avoir le plaisir d'y rencontrer votre chef.

– Et si je vous disais, messire, que vous êtes en présence de Robin Hood ?

– Je lui tendrais la main, répliqua vivement l'étranger en accompagnant ces paroles d'un geste amical, et je lui dirais : Ami Robin, avez-vous oublié le frère de Marianne ?

– Allan Clare ! vous êtes Allan Clare ! s'écria joyeusement Robin.

– Oui, je suis Allan Clare, et le souvenir de votre expressive physionomie, mon cher Robin, était si bien gravé dans mon cœur qu'au premier regard je vous ai reconnu.

– Combien je suis heureux de vous voir, cher Allan ! reprit Robin Hood en serrant à deux mains la main du jeune homme. Marianne ne s'attend pas au bonheur que lui apporte votre venue en Angleterre.

– Ma pauvre et chère sœur ! dit Allan avec une expression de profonde tendresse. Est-elle bien portante ? est-elle un peu heureuse ?

– Sa santé est parfaite, cher Allan, et elle n'a d'autre chagrin que celui d'être séparée de vous.

– Je reviens, et je reviens pour ne plus repartir ; ma bonne sœur sera ainsi tout à fait heureuse. Avez-vous appris, cher Robin, que j'étais entré au service du roi de France ?

– Oui, un homme appartenant au baron, et le baron lui-même, dans un élan de franchise soulevé par la peur, nous ont fait connaître votre situation auprès du roi Louis.

– Une circonstance favorable m'a permis de rendre un grand service au roi de France, reprit le chevalier, et dans sa gratitude, il daigna s'informer de mes désirs et me témoigner un vif intérêt. La bonté du roi m'enhardit : je lui fis connaître la douloureuse situation de mon cœur, je lui appris que mes biens avaient été confisqués, et je le suppliai de me permettre de rentrer en Angleterre. Le roi eut la bienveillance d'exaucer ma requête ; il me donna sur-le-champ une lettre pour Henri II, et, sans perdre une minute, je me rendis à Londres. A la prière du roi de France, Henri II m'a rendu les biens de mon père, et la trésorerie doit me remettre en beaux écus d'or le revenu produit par mes propriétés depuis l'époque de leur confiscation. Outre cela, j'ai réalisé une forte somme qui, remise entre les mains du baron Fitz-

Alwine, doit me faire obtenir la main de ma chère Christabel.

– Je connais ce contrat, dit Robin ; les sept années accordées par le baron sont à la veille d'expirer, n'est-ce pas ?

– Oui, demain est mon dernier jour de grâce.

– Eh bien ! il faut vous hâter de rendre visite au baron, une heure de retard serait votre perte.

– Comment avez-vous appris l'existence de ce contrat et les conditions qu'il renferme ?

– Par mon cousin Petit-Jean.

– Le gigantesque neveu de sir Guy de Gamwell ? demanda Allan.

– Lui-même, vous vous souvenez donc de ce digne garçon ?

– Sans aucun doute.

– Eh bien, il est aujourd'hui plus grand que jamais et d'une force supérieure encore à sa taille. Ce fut donc par lui que j'eus connaissance de vos engagements avec le baron.

– Lord Fitz-Alwine lui en avait fait la confidence ? dit Allan avec un sourire.

– Oui, Petit-Jean interrogeait Sa Seigneurie un poignard entre les mains et la menace aux lèvres.

– Je comprends alors l'expansion du baron.

– Mon cher ami, reprit sérieusement Robin, méfiez-vous de lord Fitz-Alwine ; il ne vous aime pas, et, s'il peut parvenir à violer le serment qui engage sa parole, il n'hésitera pas à le faire.

– S'il tentait de me disputer la main de lady Christabel, je vous jure, Robin, que je l'en ferais cruellement repentir.

– Avez-vous un moyen quelconque pour inspirer au baron la crainte de vos menaces ?

– Oui, et, du reste, n'en aurais-je pas que je parviendrais à obtenir l'exécution de sa promesse ; j'assiégerais le château de Nottingham plutôt que de renoncer à ma bien-aimée Christabel.

– Si vous avez besoin d'assistance, je suis entièrement à vos ordres, mon cher Allan ; je puis mettre sur-le-champ à votre disposition deux cents gaillards qui ont le pied vif et la main ferme. Ils manient avec une égale adresse l'arc, l'épée, la lance et le bouclier ; dites un mot, et ils viendront, à mon commandement, se ranger autour de vous.

— Merci mille fois, cher Robin, je n'attendais pas moins de votre bonne amitié.

— Et vous aviez raison ; maintenant, permettez-moi de vous demander comment vous avez appris que j'habitais la forêt de Sherwood ?

— Après avoir terminé mes affaires à Londres, répondit le chevalier, je vins à Nottingham. Là, je fus instruit du retour du baron et de la présence de Christabel au château. Mon cœur tranquillisé sur l'existence de celle que j'aime, je me rendis à Gamwell. Jugez de ma stupéfaction en entrant au village de ne trouver que les vestiges de la demeure du baronnet. Je gagnai Mansfeld en toute hâte, et un habitant de cette dernière ville me fit part des événements qui s'étaient passés. Il me parla de vous avec éloge ; il me dit que la famille Gamwell s'était secrètement retirée dans ses propriétés du Yorkshire. Parlez-moi de ma sœur Marianne, Robin Hood ; est-elle bien changée ?

— Oui, cher Allan, elle est bien changée.

— Pauvre sœur !

— Elle est d'une beauté accomplie, ajouta Robin en riant, car chaque printemps lui a apporté une grâce nouvelle.

— Est-elle mariée ? demanda Allan.

— Non, pas encore.

— Tant mieux. Savez-vous si elle a donné son cœur, si elle a promis sa main ?

— Marianne répondra à cette question, dit Robin en rougissant légèrement. Comme il fait chaud aujourd'hui ! ajouta-t-il en passant une main sur son front empourpré. Mettons-nous, je vous prie, sous l'ombrage des arbres ; j'attends un de mes hommes, et il me semble que son absence se prolonge au-delà du terme fixé. A propos, Allan, vous rappelez-vous un des fils de sir Guy, William, surnommé l'Ecarlate à cause de la couleur un peu trop ardente de sa chevelure ?

— Un beau jeune homme aux grands yeux bleus ?

— Oui ; ce pauvre garçon, envoyé à Londres par le baron Fitz-Alwine, avait été incorporé dans un régiment qui faisait partie du corps d'armée qui occupe encore la Normandie. Un beau jour William fut pris de l'invincible désir de revoir sa famille ; il demanda un congé qu'il ne put obtenir, et, mis hors de lui par le persistant refus de son capitaine, il le tua. Will réussit à gagner l'Angleterre, un heureux hasard nous mit en présence, et je conduisis ce cher garçon à Barnsdale où habite sa famille. Le lendemain de son arrivée, toute la maison était en fête, car on y célébrait non seulement le retour de l'exilé, mais encore son mariage et l'anniversaire de sir Guy.

— Will va se marier ? avec qui ?

— Avec une charmante fille que vous avez connue, miss Lindsay.

— Je ne me rappelle pas cette jeune fille.

— Comment, vous avez oublié l'existence de la compagne, de l'amie, de la suivante dévouée de lady Christabel ?

— J'y suis, j'y suis, repartit Allan Clare, vous me parlez de la joyeuse fille du gardien de Nottingham, de l'espiègle Maude ?

— C'est cela ; Maude et William s'aimaient depuis longtemps.

— Maude aimait Will l'Ecarlate ! Que me dites-vous là, Robin ? C'était vous, mon ami, qui aviez gagné le cœur de cette jeune fille.

— Non, non, vous êtes dans l'erreur.

— Du tout, du tout, je me souviens maintenant que, si elle ne vous aimait pas, ce dont je doute, du moins vous lui portiez un grand et tendre intérêt.

— J'avais alors et j'ai encore aujourd'hui pour elle une affection de frère.

— Vraiment ? interrogea malicieusement le chevalier.

— Sur mon honneur, oui, répondit Robin ; mais pour vous finir l'histoire de William, voici ce qui est arrivé. Une heure avant la célébration du mariage, il disparut, et je viens d'apprendre qu'il a été enlevé par les soldats du baron. J'ai réuni mes hommes, ils seront dans quelques instants à portée de ma voix, et je compte sur mon adresse appuyée de leur secours pour délivrer William.

— Où se trouve-t-il ?

— Sans nul doute au château de Nottingham ; je vais bientôt en avoir la certitude.

— Ne prenez pas une décision trop rapide, mon cher Robin, attendez jusqu'à demain ; je verrai le baron, et je mettrai en œuvre toute l'influence que peut avoir sur lui la prière ou la menace pour obtenir la mise en liberté de votre cousin.

— Mais si le vieux coquin agit sommairement, n'aurai-je pas à regretter toute ma vie d'avoir perdu quelques heures ?

— Avez-vous une raison de le craindre ?

— Comment pouvez-vous, cher Allan, m'adresser une question dont vous connaissez mieux que moi la cruelle réponse ? Vous savez bien, n'est-ce pas, que lord Fitz-Alwine est sans cœur, sans pitié et sans âme. S'il osait pendre Will de ses propres mains, soyez bien assuré qu'il le ferait. Je dois me hâter d'arracher William de ses griffes de lion si je ne veux pas le perdre à jamais.

— Vous avez peut-être raison, mon cher Robin, et mes conseils de prudence seraient dans ce cas dangereux à suivre. Je vais me présenter au château aujourd'hui même, et, une fois dans la place, il me sera possible de vous être de quelque secours. J'interrogerai le baron ; s'il ne répond pas à mes questions, je m'adresserai aux soldats ; ils seront accessibles à la tentation d'une riche récompense, je l'espère ; comptez sur moi, et si mes efforts restent sans résultat, je vous ferai savoir que vous devez agir avec la plus grande promptitude.

— C'est entendu, chevalier. Tenez, voici mon homme qui revient ; il est accompagné d'Halbert, le frère de lait de Maude. Nous allons apprendre quelque chose sur le sort de mon pauvre Will.

— Eh bien ? demanda Robin après avoir embrassé son jeune ami.

— J'ai peu de chose à vous dire, répondit Halbert ; je sais seulement qu'un prisonnier a été conduit au château de Nottingham, et Much m'a appris que ce malheureux était notre pauvre ami Will Écarlate. Si vous voulez tenter de le sauver, Robin, il faut s'en occuper sur-le-champ. Un moine pèlerin de passage à Nottingham a été appelé au château pour confesser le prisonnier.

– Sainte mère de Dieu, ayez pitié de nous ! s'écria Robin d'une voix tremblante. Will, mon pauvre Will, est en danger de mort ! Il faut l'enlever du château, il le faut à tout prix ! Vous ne savez rien de plus, Halbert ? ajouta Robin.

– Rien qui soit relatif à Will ; mais j'ai appris que lady Christabel allait se marier à la fin de la semaine.

– Lady Christabel se marier ! répéta Allan.

– Oui, messire, répondit Halbert en regardant le chevalier d'un air surpris ; elle va épouser le plus riche Normand de toute l'Angleterre.

– Impossible ! impossible ! exclama Allan Clare.

– C'est parfaitement vrai, reprit Halbert, et l'on fait au château de grands préparatifs pour célébrer ce joyeux événement.

– Ce joyeux événement ! répéta le chevalier d'un ton amer. Quel est le nom du misérable qui prétend épouser lady Christabel ?

– Vous êtes donc étranger au pays, messire, continua Halbert, que vous ignorez la joie immense de Sa Seigneurie Fitz-Alwine ? Milord baron a si bien manœuvré qu'il a réussi à conquérir une colossale fortune en la personne de sir Tristram de Goldsborough.

– Lady Christabel devenir la femme de ce hideux vieillard ! s'écria le chevalier au comble de la surprise ; mais cet homme est à demi mort ! mais cet homme est un monstre de laideur et de sordide avarice ! La fille du baron Fitz-Alwine est ma fiancée, et tant qu'un souffle de vie s'échappera de mes lèvres, nul autre que moi n'aura des droits sur son cœur.

– Votre fiancée, messire ! Qui donc êtes-vous ?

– Le chevalier Allan Clare, dit Robin.

– Le frère de lady Marianne ! celui qui est si tendrement aimé de lady Christabel ?

– Oui, mon cher Hal, dit Allan.

– Hourra ! cria Halbert en faisant voler sa toque par-dessus sa tête ; voilà une heureuse arrivée. Soyez le bienvenu en Angleterre, monsieur ; votre présence changera en sourire les larmes de votre belle fiancée. Les cérémonies de cet odieux mariage devaient avoir lieu à la fin de la semaine ; si vous désirez y mettre obstacle, vous n'avez pas de temps à perdre.

– Je vais à l'instant même rendre une visite au baron, dit Allan ; s'il croit qu'il lui est encore possible aujourd'hui de se jouer de moi, il se trompe.

– Comptez sur mon aide, chevalier, dit Robin ; je m'engage à mettre à l'accomplissement de votre malheur un obstacle tout-puissant, celui de la force unie à la ruse. Nous enlèverons lady Christabel. Je suis d'avis que nous nous rendions tous les quatre au château, vous y pénétrerez seul, et j'attendrai votre retour en compagnie de Much et d'Halbert.

Les jeunes gens atteignirent bientôt les abords de la demeure seigneuriale. Au moment où le chevalier allait prendre le chemin qui mène au pont-levis, un bruit de chaînes se fit entendre, le pont s'abaissa et un vieillard revêtu du costume des pèlerins sortit de la poterne du château.

– Voici le confesseur appelé par le baron pour le pauvre William, dit Halbert ; questionnez-le, Robin, il vous apprendra peut-être à quel sort est destiné notre ami.

– J'avais la même pensée que vous, mon cher Halbert, et je considère la rencontre de ce saint homme comme un secours envoyé par la divine Providence. Que la sainte Vierge te protège, mon bon père ! dit Robin en s'inclinant avec respect devant le vieillard.

– Ainsi soit-il à ta bonne prière, mon fils ! répondit le pèlerin.

– Vous venez de bien loin, mon père ?

– De la Terre sainte, où je suis allé faire un long et douloureux pèlerinage pour expier les péchés de ma jeunesse ; aujourd'hui, épuisé de fatigue, je reviens mourir sous le ciel qui m'a vu naître.

– Dieu vous a accordé de longues années, bon père.

– Oui, mon fils, je vais avoir bientôt quatre-vingt-dix ans, et ma vie ne semble plus être qu'un songe.

– Je prie la Vierge de donner à vos dernières heures le calme du repos, mon père.

– Ainsi soit-il, cher enfant, à l'âme douce et pieuse. A mon tour, je demande au ciel de répandre toutes les bénédictions sur ta jeune tête. Tu es croyant et bon, montre-toi charitable, et donne une pensée à ceux qui souffrent, à ceux qui vont mourir.

– Expliquez-vous, mon père, je ne vous comprends pas, dit Robin d'une voix tremblante.

– Hélas ! hélas ! reprit le vieillard, une âme est près de remonter au ciel, sa souveraine demeure ; le corps qu'elle anime de son souffle divin compte à peine trente ans. Un homme de ton âge peut-être va mourir d'une mort bien cruelle ; prie pour lui, mon fils.

– Cet homme vous a fait sa dernière confession, mon père ?

– Oui, dans quelques heures il sera violemment enlevé de ce monde.

– Où se trouve cet infortuné ?

– Dans un des sombres cachots de cette vaste demeure.

– Il y est seul ?

– Oui, mon fils, seul.

– Et ce malheureux doit mourir ? interrogea le jeune homme.

– Demain matin au lever du soleil.

– Vous êtes bien assuré, mon père, que l'exécution du condamné n'aura pas lieu avant les premières heures du jour ?

– J'en suis certain. Hélas ! n'est-ce pas encore assez tôt ? Tes paroles me font mal, enfant ; désirerais-tu la mort de ton frère ?

– Non, saint vieillard, non, mille fois non ! je donnerais ma vie pour sauver la sienne. Je connais ce pauvre garçon, mon père, je le connais et je l'aime. Savez-vous à quel supplice il est condamné ? savez-vous encore s'il doit mourir à l'intérieur du château ?

– J'ai appris par le geôlier de la prison que ce malheureux jeune homme devait être conduit à la potence par le bourreau de Nottingham. Les ordres sont donnés pour une exécution publique sur la place de la ville.

– Que Dieu nous protège, murmura Robin. Cher et bon père, ajouta-t-il en prenant la main du vieillard, voulez-vous me rendre un service ?

– Que désires-tu de moi, mon enfant ?

– Je désire, je demande, mon père, que vous veuilliez bien rentrer au château et prier le baron de vous accorder la faveur d'accompagner le prisonnier au pied de la potence.

— J'ai déjà obtenu cette grâce, mon fils ; je serai demain matin auprès de votre ami.

— Soyez béni, saint père, soyez béni. J'ai un mot suprême à dire à celui qui va mourir, et je voudrais vous charger, bon vieillard, de le lui répéter pour moi. Demain matin je serai ici près de ce groupe d'arbres ; daignez avoir la bonté, avant d'entrer au château, de venir entendre ma confidence.

— Je serai exact au rendez-vous que tu me donnes, mon cher fils.

— Merci, bon père ; à demain.

— A demain, et que la paix du Seigneur soit avec toi !

Robin s'inclina respectueusement, et le pèlerin, les mains croisées sur sa poitrine, s'éloigna en priant.

— Oui, à demain, répéta le jeune homme, nous verrons demain si Will sera pendu !

— Il faudrait, dit Hal, qui avait prêté l'oreille à la conversation de Robin avec le confesseur du pauvre prisonnier, que vos hommes fussent placés à une courte distance du lieu de l'exécution.

— Ils seront à portée d'un appel, dit Robin.

— Comment ferez-vous pour les soustraire à la vue des soldats ?

— Soyez sans inquiétude, mon cher Halbert, répondit Robin, mes joyeux hommes possèdent depuis long-temps l'art de se rendre invisibles, même sur les grands chemins, et croyez-moi, ils n'iront pas frôler de leur pourpoint la poitrine des soldats du baron, et ils ne feront leur entrée en scène qu'à un signal indiqué à l'avance.

— Vous me paraissez si certain d'obtenir un succès, mon cher Robin, dit Allan, que j'en viens à souhaiter pour mes propres affaires une partie de la confiance qui vous anime en ce moment.

— Chevalier, répondit le jeune homme, permettez-moi de mettre William en liberté, de le conduire à Barns-dale, de le voir entre les mains de sa chère petite femme, et ensuite nous nous occuperons de lady Christabel. Le mariage projeté ne doit point avoir lieu avant quelques jours, nous avons le temps de nous préparer à une lutte sérieuse avec lord Fitz-Alwine.

— Je vais entrer au château, dit Allan, et j'y apprendrai d'une manière ou d'une autre le secret de cette comédie. Si le baron a jugé à propos de rompre un engagement que l'honneur et la délicatesse devaient lui rendre sacré, je me trouverai en droit de mettre en oubli tout témoignage de respect, et il arrivera que, bon gré, mal gré, lady Christabel sera ma femme.

– Vous avez raison, mon cher ami, présentez-vous sur-le-champ devant le baron ; il ne s'attend pas à votre visite, ce qui est très probable, la surprise vous le livrera pieds et poings liés. Parlez-lui hardiment, et faites-lui comprendre que vous êtes dans l'intention d'employer la force pour obtenir lady Christabel. Pendant que vous allez faire auprès de lord Fitz-Alwine cette importante démarche, je vais aller retrouver mes hommes et les préparer à accomplir avec prudence l'expédition que je médite. Si vous avez besoin de moi, envoyez un exprès à l'endroit où nous nous sommes rencontrés il y a quelques instants, vous êtes certain d'y trouver, à toute heure du jour ou de la nuit, un de mes braves compagnons ; s'il est nécessaire pour vous d'avoir un entretien avec votre fidèle allié, vous vous ferez conduire à ma retraite. Maintenant, ne craignez-vous pas que, une fois entré au château, il vous devienne impossible d'en sortir ?

– Lord Fitz-Alwine n'oserait agir de violence avec un homme comme moi, répondit Allan, il s'exposerait à un trop grand danger ; du reste, s'il a réellement le projet de donner Christabel à cet abominable Tristram, il sera tellement pressé de se débarrasser de moi que j'ai plutôt à craindre qu'il refuse de me recevoir qu'à appréhender qu'il me retienne auprès de lui. Ainsi, adieu, ou plutôt au revoir, mon cher Robin ; j'irai vous retrouver bien certainement avant la fin du jour.

– Je vous attendrai.

Tandis qu'Allan Clare se dirigeait vers la poterne du château, Robin, Halbert et Much gagnaient rapidement la ville.

Introduit sans la moindre difficulté dans l'appartement de lord Fitz-Alwine, le chevalier se trouva bientôt en présence du terrible châtelain.

Si un spectre se fût levé de son tombeau, il eût causé moins d'effroi et de terreur au baron que ne lui en fit éprouver la vue du beau jeune homme qui, dans une attitude digne et fière, se tenait debout devant lui.

Le baron lança à son valet un regard si foudroyant que celui-ci s'échappa de la chambre de toute la vitesse de ses jambes.

— Je ne m'attendais pas à vous voir, dit Sa Seigneurie en ramenant ses yeux enflammés de colère sur le chevalier.

— C'est possible, milord ; mais me voilà.

— Je le vois bien. Heureusement pour moi que vous avez manqué à votre parole : le terme que je vous avais fixé est échu depuis hier.

— Votre Seigneurie fait erreur, je suis exact au gracieux rendez-vous qu'elle m'a donné.

— Il m'est difficile de vous croire sur parole.

— J'en suis fâché, parce que vous allez me mettre dans l'obligation de vous y contraindre. Nous avons pris de plein gré des deux parts un engagement formel, et je suis en droit d'exiger la réalisation de vos promesses.

— Avez-vous rempli toutes les conditions du traité ?

— Je les ai remplies. Il y en avait trois : je devais être remis en possession de mes biens, je devais posséder cent mille pièces d'or, je devais venir au bout de sept ans vous demander la main de lady Christabel.

— Vous possédez vraiment cent mille pièces d'or ? demanda le baron d'un air d'envie.

— Oui, milord. Le roi Henri m'a rendu mes propriétés, et j'ai reçu le revenu produit par mon patrimoine depuis le jour de la confiscation. Je suis riche, et j'exige que dès demain vous me donniez lady Christabel.

— Demain ! s'écria le baron, demain ! et si vous n'étiez pas ici demain, ajouta-t-il d'un air sombre, le contrat serait nul ?

— Oui ; mais écoutez-moi, lord Fitz-Alwine : je vous engage à éloigner de votre esprit le projet diabolique que vous méditez en ce moment ; je suis dans mon droit, je me trouve devant vous à l'heure fixée pour y paraître, et rien au monde (il ne faut pas songer à employer la force), rien au monde ne pourra me contraindre à renoncer à celle que j'aime. Si vous agissez de ruse, en désespoir de cause, je prendrai, soyez-en certain, une revanche cruelle. Je connais une mystérieuse particularité de votre vie, je la révélerai. J'ai vécu à la cour du roi de France, j'ai été initié aux secrets d'une affaire qui vous concerne personnellement.

– Quelle affaire ? interrogea le baron avec inquiétude.

– Il est inutile pour le moment que j'entre avec vous dans de longues explications ; qu'il vous suffise de savoir que j'ai appris et garde en note le nom des misérables Anglais qui ont offert de livrer leur patrie au joug étranger. (Lord Fitz-Alwine devint livide.) Tenez la promesse que vous m'avez faite, milord, et j'oublierai que vous avez été lâche et félon envers votre roi.

– Chevalier, vous insultez un vieillard, dit le baron en prenant une attitude indignée.

– Je dis la vérité, et rien de plus ; encore un refus, milord, encore un mensonge, encore un subterfuge, et les preuves de votre patriotisme seront envoyées au roi d'Angleterre.

– Il est bien heureux pour vous, Allan Clare, dit le baron d'un ton doucereux, que le ciel m'ait donné un caractère calme et patient ; si j'étais d'une nature irritable et emportée, vous expieriez cruellement votre audace, je vous ferais jeter dans les fossés du château.

– Cette action serait une grande folie, milord, car elle ne vous sauverait pas de la vengeance royale.

– Votre jeunesse est une excuse à l'impétuosité de vos paroles, chevalier ; je veux bien me montrer indulgent alors qu'il me serait facile de punir. Pourquoi parler la menace aux lèvres avant de savoir si j'ai réellement l'intention de vous refuser la main de ma fille ?

– Parce que j'ai acquis la certitude que vous avez promis lady Christabel à un misérable et sordide vieillard, à sir Tristram de Goldsborough.

– En vérité, en vérité ! et quel est, je vous prie, le bavard imbécile qui vous a raconté cette sotte histoire ?

– Ceci importe peu, toute la ville de Nottingham est en rumeur à propos des préparatifs de ce riche et ridicule mariage.

– Je ne puis être responsable, chevalier, des stupides mensonges qui circulent autour de moi.

– Alors vous n'avez pas promis à sir Tristram la main de votre fille ?

– Permettez-moi de ne point répondre à cette question. Jusqu'à demain je suis libre de penser et de vouloir à ma guise ; demain est à vous : venez, je donnerai à vos désirs une entière satisfaction. Adieu, chevalier Clare, ajouta le vieillard en se levant, je vous souhaite bien le bonjour, et je vous prie de me laisser seul.

– Au plaisir de vous revoir, baron Fitz-Alwine. Souvenez-vous qu'un gentilhomme n'a qu'une parole.

– Très bien, très bien, grommela le vieillard en tournant le dos à son visiteur.

Allan sortit de l'appartement du baron le cœur rempli d'inquiétude. Il n'y avait point à se le dissimuler, le vieux seigneur méditait quelque perfidie. Son regard plein de menace avait accompagné le jeune homme jusqu'au seuil de la chambre ; puis il s'était retiré dans l'embrasure d'une fenêtre, dédaignant de répondre au dernier salut du chevalier.

Aussitôt qu'Allan eut disparu (le jeune homme se rendait auprès de Robin Hood), le baron agita avec violence une sonnette placée sur la table.

– Envoyez-moi Pierre le Noir, dit brusquement le baron.

– A l'instant, milord.

Quelques minutes après, le soldat demandé par lord Fitz-Alwine paraissait devant lui.

– Pierre, dit le baron, vous avez sous vos ordres de braves et discrets garçons qui exécutent, sans les commenter, les ordres qu'on leur donne ?

– Oui, milord.

– Ils sont courageux et savent oublier les services qu'ils sont à même de rendre ?

– Oui, milord.

– C'est bien. Un cavalier, élégamment vêtu d'un habit rouge, vient de sortir d'ici ; suivez-le avec deux bons garçons, et faites en sorte qu'il ne gêne plus personne. Vous comprenez ?

– Parfaitement, milord, répondit Pierre le Noir avec un affreux sourire et en tirant à moitié de son fourreau un gigantesque poignard.

– Vous serez récompensé, brave Pierre. Allez sans crainte, mais agissez secrètement et avec prudence ; si ce papillon suit le chemin du bois, laissez-le pénétrer sous les arbres, et là vous aurez le champ libre. Une fois expédié dans l'autre monde, enterrez-le au pied de quelque vieux chêne, couvrez la place de feuillage et de ronces ; personne ne pourra ainsi découvrir son cadavre.

– Vos ordres seront fidèlement exécutés, milord, et lorsque vous me reverrez, ce cavalier dormira sous un tapis de vert gazon.

– Je vous attends ; suivez sans retard cet impertinent damoiseau.

Accompagné de deux hommes, Pierre le Noir sortit du château et se trouva bientôt sur les traces du chevalier.

Celui-ci, le front pensif, l'esprit absorbé et le cœur gonflé de tristesse, marchait lentement du côté de la forêt de Sherwood. En voyant le jeune homme sous l'ombrage des arbres, les assassins qui étaient sur sa piste tressaillirent d'une sinistre joie. Ils hâtèrent le pas et se tinrent cachés derrière un buisson prêts à s'élancer sur le jeune homme au moment opportun.

Allan Clare chercha des yeux le conducteur promis par Robin, et, tout en explorant les environs, il réfléchissait aux moyens qu'il fallait prendre pour arracher Christabel d'entre les mains de son indigne père.

Un bruit de pas rapides vint arracher le chevalier à sa douloureuse rêverie ; il tourna la tête et aperçut trois hommes aux visages sinistres qui, l'épée à la main, s'avançaient vers lui.

Allan s'adossa contre un arbre, tira son épée du fourreau, et dit d'un ton ferme :

– Misérables ! que me voulez-vous ?

– Nous voulons ta vie, élégant papillon ! cria Pierre le Noir en s'élançant sur le jeune homme.

– Arrière, coquin ! dit Allan en frappant son agresseur au visage. Arrière tous ! continua-t-il en désarmant avec une adresse incomparable le second de ses adversaires.

Pierre le Noir redoubla d'efforts, mais il ne put réussir à frapper son adversaire, qui avait mis non seulement un des assassins hors de combat en envoyant son épée sur les branches d'un arbre, mais qui avait encore fendu le crâne au troisième.

Désarmé et ivre de rage, Pierre le Noir arracha un jeune arbuste et revint sur Allan. Il frappa le chevalier sur la tête avec tant de violence que celui-ci laissa échapper son arme et tomba sans connaissance.

– La proie est abattue ! cria joyeusement Pierre en aidant ses compagnons blessés à se remettre sur leurs jambes ; traînez-vous jusqu'au château et laissez-moi seul, j'achèverai ce garçon. Votre présence ici est un danger et vos plaintes me fatiguent. Allez-vous-en, je creuserai moi-même le trou où je dois enfouir le corps de ce jeune seigneur. Donnez-moi la bêche que vous avez apportée.

– La voici, dit un des hommes. Pierre, ajouta le misérable, je suis à demi mort, il me sera impossible de marcher.

– Décampe ou je t'achève, répliqua brutalement Pierre.

Les deux hommes, transis de douleur et d'épouvante, se traînèrent péniblement hors du fourré.

Resté seul, Pierre se mit à l'œuvre ; il avait en partie achevé sa terrible besogne lorsqu'il reçut sur l'épaule un coup de bâton si énergiquement appliqué, qu'il tomba de tout son long sur le bord de la fosse.

Lorsque la violence de la douleur se fut un peu apaisée, le misérable tourna les yeux vers celui qui venait de le gratifier d'une aussi juste récompense. Il aperçut alors le visage rubicond d'un robuste gaillard vêtu du costume des frères dominicains.

– Comment, profane coquin au museau noir ! cria le frère d'une voix de stentor, tu frappes un gentilhomme à la tête, et afin de cacher ton infamie, tu enterres ta malheureuse victime ! Réponds à ma question, brigand ; qui es-tu ?

– Mon épée va parler pour moi, dit Pierre en bondissant sur ses pieds ; elle va t'envoyer dans l'autre monde, et là il te sera loisible de demander à Satan le nom que tu désires savoir.

– Je n'aurais pas besoin de me donner cette peine si j'avais le malheur de mourir avant toi, insolent coquin ; je lis sur ton visage ta parenté avec l'enfer. Maintenant, permets-moi de donner à ton épée le conseil de se taire, car si elle tente de remuer la langue, mon bâton lui imposera un éternel silence. Va-t'en d'ici, c'est ce que tu as de mieux à faire.

– Pas avant de t'avoir montré que je suis un habile tireur, dit Pierre en frappant le moine de son épée.

Le coup fut si rapide, si violent, si adroitement dirigé, qu'il atteignit le frère à la main gauche et lui coupa trois doigts jusqu'à l'os.

Le moine jeta un cri, tomba sur Pierre comme la foudre, le courba sous sa puissante étreinte, et lui appliqua une volée de coups de bâton.

Alors une sensation étrange s'empara du misérable assassin ; il perdit son épée, ses yeux se troublèrent, le sens des choses lui échappa, il devint fou et perdit la force de se défendre.

Lorsque le frère cessa de frapper, Pierre était mort.

– Le fripon ! murmura le moine épuisé de douleur et de fatigue, le damné fripon ! Croyait-il que les doigts du pauvre Tuck fussent faits pour être coupés par un chien normand ? Je lui ai donné, je crois, une bonne leçon ; malheureusement il lui sera difficile de la mettre à profit, puisqu'il a rendu le dernier souffle ; tant pis, c'est sa faute et non la mienne ; pourquoi a-t-il tué ce joli garçon ? Ah ! mon Dieu ! s'écria le bon frère en portant sa main restée intacte sur le corps du chevalier, il respire encore, son corps est chaud et son cœur bat, faiblement, il est vrai, mais assez pour révéler un reste de vie. Je vais le prendre sur mes épaules et le porter à la retraite. Pauvre jeune homme, il n'est pas lourd ! Quant à toi, vil assassin, ajouta Tuck en repoussant du pied le corps de Pierre, reste là, et si les loups n'ont pas encore dîné, tu leur serviras de pâture.

Cela dit, le moine se dirigea d'un pas ferme et rapide dans la direction de la demeure des joyeux hommes.

Quelques mots suffiront pour expliquer la capture de Will Ecarlate.

L'homme qui avait rencontré Will en compagnie de Robin Hood et de Petit-Jean dans une auberge de Mansfeld était, par ordre supérieur, à la recherche du fugitif. Voyant le jeune homme en compagnie de cinq robustes gaillards qui pouvaient lui prêter main-forte, le prudent batteur d'estrade avait retardé le moment de sa capture. Il était sorti de l'auberge, avait envoyé à Nottingham la demande d'une troupe de soldats, et ceux-ci, guidés par l'espion, s'étaient rendus à Barnsdale au milieu de la nuit.

Le lendemain, une étrange fatalité conduisit Will hors du château ; le pauvre garçon tomba entre les mains des soldats, et il fut enlevé sans pouvoir opposer la moindre résistance.

William se livra d'abord à un violent désespoir ; puis la rencontre de Much lui rendit quelque espérance. Il comprit vite qu'une fois instruit de sa malheureuse situation, Robin Hood ferait tout au monde pour lui venir en aide, et que, s'il ne pouvait réussir à le sauver, du moins ne reculerait-il devant aucun obstacle pour venger sa mort. Il savait aussi, et c'était là une grande consolation pour son pauvre cœur, que bien des larmes seraient répandues sur sa cruelle destinée ; il savait encore que Maude, si heureuse de son retour, pleurerait amèrement la perte de leur mutuel bonheur.

Renfermé dans un sombre cachot, Will attendait dans les angoisses de la crainte l'heure fixée pour son exécution, et chaque heure lui apportait à la fois une espérance et une douleur. Le pauvre prisonnier prêtait anxieusement l'oreille à tous les bruits venus du dehors, espérant percevoir l'écho lointain du cor de Robin Hood.

Les premières lueurs du jour trouvèrent William en prière ; il s'était pieusement confessé au bon pèlerin, et, l'âme recueillie, le cœur confiant en celui dont il attendait la secourable présence, Will se prépara à suivre les gardes du baron qui devaient venir le chercher au lever du soleil.

Les soldats placèrent William au milieu d'eux, et ils prirent le chemin de Nottingham.

En pénétrant dans la ville, l'escorte se trouva bientôt entourée d'une grande partie des habitants qui, depuis le matin, étaient dans l'attente de l'arrivée du funèbre cortège.

Quelque grand que fût l'espoir du malheureux jeune homme, il le sentit chanceler en ne voyant autour de lui aucun visage de connaissance. Le cœur de William se gonfla, des larmes, violemment contenues, mouillèrent sa paupière ; néanmoins il espéra encore, car une voix secrète lui disait : Robin Hood n'est pas loin, Robin Hood va venir.

En arrivant au pied de la hideuse potence qui avait été dressée par les ordres du baron, William devint livide ; il ne s'attendait pas à mourir d'une mort aussi infamante.

– Je désire parler à lord Fitz-Alwine, dit-il.

En sa qualité de shérif, ce dernier était tenu d'assister à l'exécution.

– Que voulez-vous de moi, malheureux ? demanda le baron.

– Milord, ne puis-je espérer d'obtenir grâce ?

– Non, répondit froidement le vieillard.

– Alors, reprit William d'un ton calme, j'implore une faveur qu'il est impossible à une âme généreuse de me refuser.

– Quelle faveur ?

– Milord, j'appartiens à une noble famille saxonne, son nom est le synonyme d'honneur, et jamais aucun de ses membres n'a encouru le mépris de ses concitoyens. Je suis soldat et gentilhomme, je dois mourir de la mort d'un soldat.

– Vous serez pendu, dit brutalement le baron.

– Milord, j'ai risqué ma vie sur les champs de bataille, et je ne mérite pas d'être pendu comme l'est un voleur.

– Ah ! ah ! vraiment, ricana le vieillard, et de quelle façon désirez-vous expier votre crime ?

– Donnez-moi une épée, et ordonnez à vos soldats de me frapper de leur lance ; je voudrais mourir comme meurt un honnête homme, les bras libres et le visage tourné vers le ciel.

– Me croyez-vous assez imbécile pour risquer l'existence d'un de mes hommes afin de satisfaire votre dernier caprice ? Du tout, du tout, vous allez être pendu.

– Milord, je vous en conjure, je vous en supplie, ayez pitié de moi ; je ne demande même pas d'épée, je ne me défendrai pas, je laisse vos hommes me tailler en morceaux.

– Misérable ! dit le baron, tu as tué un Normand et tu implores la pitié d'un Normand ! tu es fou ! Arrière ! tu mourras sur la potence, et bientôt, je l'espère, tu auras pour compagnon le bandit qui infeste la forêt de Sherwood de son entourage de fripons.

– Si celui dont vous parlez avec tant de mépris était à portée de ma voix, je rirais de vos bravades, lâche poltron que vous êtes ! Souvenez-vous de ceci, baron Fitz-Alwine : si je meurs, Robin Hood me vengera. Prenez garde à Robin Hood ; avant que la semaine soit écoulée, il sera au château de Nottingham.

– Qu'il y vienne en compagnie de toute sa bande, je ferai dresser deux cents potences. Bourreau, faites votre devoir, ajouta le baron.

Le bourreau mit la main sur l'épaule de William. Le pauvre garçon jeta autour de lui un regard désespéré, et, ne voyant qu'une foule silencieuse et attendrie, il recommanda son âme à Dieu.

– Arrêtez ! dit la voix tremblante du vieux pèlerin, arrêtez ! j'ai une dernière bénédiction à donner à mon malheureux pénitent.

– Vous avez accompli tous vos devoirs auprès de ce misérable, cria le baron d'un ton furieux ; il est inutile de retarder davantage son exécution.

– Impie ! s'écria le pèlerin ; voudriez-vous priver ce jeune homme des secours de la religion ?

– Hâtez-vous, répondit lord Fitz-Alwine avec impatience, je suis fatigué de toutes ces lenteurs.

– Soldats, éloignez-vous un peu, dit le vieillard ; les prières d'un moribond ne doivent point tomber dans les oreilles profanes.

Sur un signe du baron, les soldats mirent une certaine distance entre eux et le prisonnier.

William et le pèlerin se trouvèrent seuls au pied de la potence.

Le bourreau écoutait respectueusement les ordres du baron.

– Ne bougez pas, Will, dit le pèlerin courbé devant le jeune homme, je suis Robin Hood ; je vais couper les liens qui entravent vos mouvements, nous nous élancerons au milieu des soldats, la surprise leur fera perdre la tête.

– Soyez béni. Ah ! mon cher Robin, soyez béni ! murmura le pauvre Will suffoqué de bonheur.

– Baissez-vous, William, feignez de me parler ; bon !

voici vos liens coupés, prenez l'épée qui est suspendue sous ma robe ; la tenez-vous ?

– Oui, murmura Will.

– Très bien ; maintenant appuyez votre dos contre le mien, nous allons montrer à lord Fitz-Alwine que vous n'êtes point venu au monde pour être pendu. Par un geste plus rapide que la pensée, Robin Hood fit tomber sa robe de pèlerin et montra aux regards ébahis de l'assemblée le costume bien connu du célèbre forestier. – Milord ! cria Robin d'une voix ferme et vibrante, William Gamwell fait partie de la bande des joyeux hommes. Vous me l'aviez enlevé, je suis venu le reprendre ; en échange, je vais vous envoyer le cadavre du coquin qui avait reçu de vous la mission de tuer lâchement le chevalier Allan Clare.

– Cinq cents pièces d'or au brave qui arrêtera ce bandit ! hurla le baron ; cinq cents pièces d'or au vaillant soldat qui lui mettra la main sur l'épaule !

Robin Hood promena sur la foule, immobile de stupeur, un regard étincelant.

– Je n'engage personne à risquer sa vie, dit-il, je vais être entouré de mes compagnons.

En achevant ces mots, Robin sonna du cor, et au même instant une nombreuse troupe de forestiers sortit du bois les mains armées de leur arc tendu.

– Aux armes ! cria le baron, aux armes ! Fidèles Normands, exterminez tous ces bandits !

Une volée de flèches enveloppa la troupe. Le baron, saisi d'effroi, se jeta sur son cheval et le dirigea, en jetant de grands cris, dans la direction du château. Les citoyens de Nottingham, éperdus d'épouvante, s'élancèrent sur les traces de leur seigneur, et les soldats, entraînés par la terreur de cette panique générale, se sauvèrent au triple galop.

– La forêt et Robin Hood ! criaient les joyeux hommes en chassant leurs ennemis devant eux avec de grands éclats de rire.

Citoyens, forestiers et soldats traversèrent la ville pêle-mêle, les uns muets d'effroi, les autres riant, les derniers la rage dans le cœur. Le baron pénétra le premier dans l'intérieur du château : tout le monde l'y suivit, à part les joyeux hommes, qui, arrivés là, saluèrent par des acclamations dérisoires leurs pusillanimes adversaires.

Lorsque Robin Hood, accompagné de sa troupe, eut repris le chemin de la forêt, les citoyens qui n'étaient point blessés et qui n'avaient rien perdu dans cette étrange algarade proclamèrent le courage du jeune chef et sa fidélité au malheur.

Les jeunes filles mêlèrent leur douce voix à ce concert d'éloges, et il arriva même que l'une d'elles en vînt à déclarer que les forestiers lui paraissaient si aimables et si bienveillants qu'elle ne craindrait plus désormais de traverser la forêt toute seule.

3

Après s'être assuré que Robin Hood n'avait pas l'intention d'assiéger le château, lord Fitz-Alwine, brisé de corps et l'esprit assailli par mille projets plus irréalisables les uns que les autres, se retira dans son appartement.

Là, le baron se prit à réfléchir sur l'étrange audace de Robin Hood, qui, en plein jour, sans autre arme qu'une épée inoffensive, puisqu'il ne l'avait tirée du fourreau que pour couper les liens du prisonnier, avait eu l'admirable présence d'esprit de tenir en respect une nombreuse troupe d'hommes. La fuite honteuse des soldats se présenta devant les yeux du baron, et, oubliant qu'il avait été le premier à donner l'exemple de cette retraite, il maudit leur lâcheté.

– Quelle terreur grossière ! s'écriait-il, quelle épouvante ridicule ! Que vont penser les citoyens de Nottingham ? La fuite leur était permise à eux, ils n'avaient aucun moyen de défense ; mais des soldats armés jusqu'aux dents, bien disciplinés ! Ma réputation de vaillance et de bravoure se trouve, par ce fait inouï, à jamais perdue.

De cette réflexion désolante pour son amour-propre, le baron passa à un autre ordre d'idées. Il exagéra tellement la honte de sa défaite qu'il finit par en rendre ses soldats tout à fait responsables ; il s'imagina que, au lieu d'avoir ouvert devant eux le chemin de la désertion, il avait protégé leur fuite insensée, et que, sans autre protection que son propre courage, il s'était frayé un chemin au milieu des proscrits. En faisant prendre au baron l'idée pour le fait, cette bizarre conclusion porta au comble de la fureur sa colère intérieure : il s'élança hors de sa chambre et se précipita dans la cour, où ses hommes, réunis en différents groupes, parlaient avec mécontentement de leur pitoyable défaite et en accusaient leur noble seigneur. Le baron tomba comme une bombe au milieu de sa troupe, lui ordonna de se ranger en cercle, et lui débita un long discours sur son infâme poltronnerie. Après cela, il cita aux soldats des exemples imaginaires de paniques insensées, tout en ajoutant que jamais de mémoire d'homme on n'avait entendu parler d'une lâcheté comparable à celle qu'ils avaient à se reprocher. Le baron parla avec tant de véhémence et d'indignation, il prit un air de courage à la fois si invincible et si méconnu, que les soldats, dominés par le sentiment de respect dont ils entouraient leur suzerain, finirent par croire qu'ils étaient véritablement les seuls coupables. La rage du baron leur parut une noble fureur ; ils baissèrent la tête et en arrivèrent à penser qu'ils n'étaient autre chose que des poltrons effrayés de leur ombre. Lorsque le baron eut terminé son pompeux discours, un des hommes proposa de poursuivre les proscrits jusque dans leur retraite de la forêt. Cette proposition fut accueillie avec des cris de joie par la troupe entière, et le soldat qui avait émis cette belliqueuse idée supplia le vaillant discoureur de se mettre à leur tête. Mais celui-ci, fort peu disposé à répondre à cette intempestive demande, répliqua qu'il était bien reconnaissant d'un pareil témoignage de haute estime, mais que pour le moment il lui paraissait infiniment plus agréable de rester chez lui.

— Mes braves, ajouta le baron, la prudence nous fait un devoir d'attendre une occasion favorable pour nous emparer de Robin Hood ; je crois très sage de nous abstenir, pour le moment du moins, de toute tentative inconsidérée. Patience aujourd'hui, courage à l'heure de la lutte, je ne vous demande rien de plus.

Cela dit, le baron, qui redoutait une insistance trop vive de la part de ses hommes, s'empressa de les abandonner à leurs projets de victoire. L'esprit tranquillisé au sujet de sa réputation de vaillant homme de guerre, le baron oublia Robin Hood, pour ne s'occuper que de ses intérêts personnels et des prétendants à la main de sa fille. Il va sans dire que lord Fitz-Alwine appuyait entièrement la réalisation de ses plus chers désirs sur l'adresse éprouvée de Pierre le Noir, et qu'à ses yeux Allan Clare n'existait plus. Robin Hood, il est vrai, lui avait annoncé la mort de son sanglant émissaire ; mais il importait peu au baron que Pierre eût payé de sa vie le service qu'il avait rendu à son seigneur et maître. Débarrassé d'Allan Clare, nul obstacle ne pouvait se mettre entre Christabel et sir Tristram, et l'existence de ce dernier était si voisine de la tombe que la jeune épousée échangerait pour ainsi dire du jour au lendemain ses vêtements de noce contre le sombre voile des veuves. Jeune et belle à miracle, dégagée de tout lien, riche à faire envie, lady Christabel ferait alors un mariage digne de sa beauté et de son immense fortune. Mais quel mariage ? se demandait le baron. Et, l'œil illuminé par une ardente ambition, il cherchait un époux qui se trouvât à la hauteur de ses espérances. L'orgueilleux vieillard entrevit bientôt les splendeurs de la cour, et il songea aux fils de Henri II. A cette époque de lutte incessante entre les différents partis qui s'étaient partagé le royaume d'Angleterre, la nécessité avait fait de l'argent une grande puissance, et l'élévation de lady Christabel au rang de princesse royale n'était point une chose impossible à réaliser. L'enivrant espoir conçu par lord Fitz-Alwine prenait déjà dans son esprit les formes d'un projet à la veille d'être mis à exécution. Déjà il se voyait l'aïeul d'un roi d'Angleterre, et il se demandait à quelle nation il serait avantageux d'unir ses petits-fils et ses arrière-petits-fils, lorsque les paroles de Robin lui revinrent en mémoire et renversèrent cet échafaudage aérien. Peut-être Allan Clare existait-il encore !

— Il faut s'en assurer sur-le-champ, cria le baron, mis hors de lui par cette seule supposition.

Il agita violemment une sonnette placée nuit et jour à portée de sa main, et un serviteur se présenta.

– Pierre le Noir est-il au château ?

– Non, milord ; il est sorti hier en compagnie de deux hommes, et ces derniers sont revenus seuls, l'un grièvement blessé, l'autre à demi mort.

– Envoyez-moi celui qui est encore debout.

– Oui, milord.

L'homme demandé se montra bientôt ; il avait la tête enveloppée de bandages et le bras gauche soutenu par une écharpe.

– Où est Pierre le Noir ? interrogea le baron sans accorder au misérable le moindre regard de pitié.

– Je l'ignore, milord ; j'ai laissé Pierre dans la forêt ; il y creusait une fosse pour cacher le corps du jeune seigneur que nous avons tué.

Un nuage de pourpre traversa la figure du baron. Il essaya de parler, et des mots confus se heurtèrent sur ses lèvres, il détourna la tête et fit signe à l'assassin de sortir de l'appartement.

Celui-ci, qui ne demandait pas mieux, s'éloigna en s'appuyant aux murs.

– Mort ! murmura le baron avec un sentiment indéfinissable ; mort ! répéta-t-il. Et, pâle à faire douter de son existence, il balbutiait d'une voix faible : Mort ! mort !

Laissons Fitz-Alwine en proie aux secrètes angoisses d'une conscience en révolte, et allons à la recherche de l'époux qu'il destine à sa fille.

Sir Tristram n'avait point quitté le château, et son séjour devait s'y prolonger jusqu'à la fin de la semaine.

Le baron désirait que le mariage de sa fille fût célébré dans la chapelle du château, et sir Tristram, qui redoutait quelque exploit sinistre contre sa personne, voulait absolument se marier au grand jour, à l'abbaye de Linton, qui se trouve située à un mille environ de la ville de Nottingham.

– Mon cher ami, dit lord Fitz-Alwine d'un ton péremptoire, lorsque cette question fut soulevée, vous êtes un sot et un entêté, car vous ne comprenez ni mes bonnes intentions ni vos intérêts. Il ne faut pas vous mettre dans l'esprit que ma fille soit très heureuse de vous appartenir et qu'elle marchera joyeusement à l'autel. Je ne saurais vous en dire la raison, mais j'ai le pressentiment qu'à l'abbaye de Linton il se présentera quelque circonstance fort désastreuse pour nos mutuels projets. Nous sommes dans le voisinage d'une troupe de bandits qui, commandée par un chef audacieux, est parfaitement capable de nous cerner et de nous dépouiller.

— Je me ferai escorter par mes serviteurs, répondit sir Tristram ; ils sont nombreux et d'un courage à toute épreuve.

— Comme il vous plaira, dit le baron. S'il arrive malheur, vous n'aurez pas le droit de vous en plaindre.

— Soyez sans inquiétude, je prends sur moi la responsabilité de ma faute, si je commets une faute en choisissant le lieu où doit s'accomplir la célébration nuptiale.

— A propos, reprit le baron, n'oubliez pas, je vous prie, que la veille de ce grand jour vous devez me remettre un million de pièces d'or.

— La caisse qui contient cette grosse somme est dans ma chambre, Fitz-Alwine, dit sir Tristram en laissant échapper un douloureux soupir ; on la transportera dans votre appartement le jour du mariage.

— La veille, dit le baron ; la veille, c'est convenu.

— La veille, soit.

Sur ce, les deux vieillards se séparèrent. L'un alla faire sa cour à lady Christabel, l'autre retomba dans l'illusion de ses rêves de grandeur.

Au château de Barnsdale, la tristesse était grande : le vieux sir Guy, sa femme et les pauvres sœurs de William passaient les heures du jour à se conseiller mutuellement la résignation, et les nuits à pleurer la perte du malheureux Will.

Le lendemain de la miraculeuse délivrance du jeune garçon, la famille Gamwell, réunie dans la salle, causait tristement de l'étrange disparition de Will, lorsque le joyeux son d'un cornet de chasse retentit à la porte du château.

— C'est Robin ! cria Marianne en s'élançant vers une fenêtre.

— Il apporte bien certainement d'heureuses nouvelles, dit Barbara. Allons, chère Maude, espoir et courage, William va revenir.

– Hélas ! que ne dites-vous vrai, ma sœur ! dit Maude en pleurant.

– Je dis vrai, je dis vrai ! s'écria Barbara ; c'est Will, c'est Robin, puis un jeune homme de leurs amis, sans doute.

Maude se jeta vers la porte ; Marianne, qui avait reconnu son frère (Allan Clare, que la douleur avait seulement privé de ses sens pendant quelques heures, se portait à merveille), tomba avec Maude dans les bras tendus des jeunes gens.

Maude, éperdue, répétait follement :

– Will ! Will ! cher Will !

Et Marianne, les mains nouées autour du cou de son frère, était incapable de prononcer une seule parole.

Nous n'essayerons pas de dépeindre la joie de cette heureuse famille. Une fois encore Dieu lui avait rendu sain et sauf celui qu'elle avait pleuré en désespérant de jamais le revoir.

Les rires effacèrent jusqu'au souvenir des larmes, les baisers et les tendres pressions de mains réunirent sous une même caresse et dans une même étreinte ces enfants aimés, sur le sein maternel. Sir Guy donna sa bénédiction à Will et au sauveur de son fils, et lady Gamwell, souriante et joyeuse, pressa sur son cœur la charmante Maude.

– N'avais-je pas raison de vous assurer que Robin apportait de bonnes nouvelles ? dit Barbara en embrassant Will.

– Oui, certainement, vous aviez raison, chère Barbara, répondit Marianne en pressant les mains de son frère.

– J'ai envie, reprit l'espiègle Barbara, de faire semblant de prendre Robin pour Will et de l'embrasser de toutes mes forces.

– Cette manière d'exprimer votre reconnaissance serait d'un mauvais exemple, chère Baby, s'écria Marianne en riant ; nous serions obligées de faire comme vous, et Robin succomberait sous le poids d'un trop grand bonheur.

– Ma mort serait alors bien douce ; ne le pensez-vous pas, lady Marianne ?

La jeune fille rougit.

Un imperceptible sourire effleura les lèvres d'Allan Clare.

— Chevalier, dit Will en s'avançant vers le jeune homme, vous voyez quelle affection Robin a inspirée à mes sœurs, et cette affection, il la mérite. En vous racontant nos malheurs, Robin ne vous a pas dit qu'il avait arraché à la mort mon père et ma mère ; il ne vous a point parlé de son infatigable dévouement pour Winifred et Barbara ; il ne vous a point appris qu'il avait eu pour Maude, ma future petite femme, les soins affectueux du meilleur des amis. En vous donnant des nouvelles de lady Marianne, votre bien-aimée, Robin n'a pas ajouté : J'ai veillé sur le bonheur de celle qui se trouvait loin de vous ; elle a eu en moi un ami fidèle, un frère constamment dévoué ; il ne...

— William, je vous en prie, interrompit Robin, ménagez ma modestie, et quoique lady Marianne dise que je ne sais plus rougir, je sens une chaleur brûlante me monter au front.

— Mon cher Robin, dit le chevalier en serrant avec une visible émotion les mains du jeune homme, je vous suis depuis longtemps redevable d'une bien grande reconnaissance, et je me trouve heureux de pouvoir enfin vous la témoigner. Je n'avais pas besoin d'être assuré, par les paroles de Will, que vous aviez noblement rempli la délicate mission confiée à votre honneur, la loyauté de toutes vos actions m'en était un sûr garant.

— Ô mon frère, dit Marianne, si vous pouviez savoir combien il a été bon et généreux pour nous tous ! si vous pouviez savoir combien sa conduite envers moi est digne d'éloges, vous l'honoreriez, mon frère, et vous l'aimeriez comme... comme...

— Comme tu l'aimes, n'est-ce pas ? dit Allan avec un doux sourire.

— Oui, comme je l'aime, reprit Marianne, la figure éclairée par un sentiment d'orgueil indicible, tandis que sa voix mélodieuse tremblait d'émotion. Je ne crains pas d'avouer ma tendresse pour l'homme généreux qui a pris part au deuil de mon cœur. Robin m'aime, cher Allan ; il m'aime d'une affection égale en force et en durée à celle que je lui porte moi-même. J'ai promis ma main à Robin Hood, et nous attendions ta présence pour demander à Dieu sa sainte bénédiction.

– Je rougis de mon égoïsme, Marianne, dit Allan, et cette honte me fait doublement apprécier l'honorable conduite de Robin. Ton protecteur naturel était loin de toi, il t'oubliait, et, fidèle à son souvenir, chère sœur, tu attendais son retour pour te croire le droit d'être heureuse. Pardonnez-moi tous les deux ce cruel abandon ; Christabel plaidera ma cause auprès de vos tendres cœurs. Merci, cher Robin, ajouta le chevalier, merci ; nulle parole ne saurait vous exprimer ma sincère gratitude... Vous aimez Marianne et Marianne vous aime, je vous donne sa main avec un orgueilleux bonheur.

En achevant ces paroles, le chevalier prit la main de sa sœur et la plaça en souriant entre les mains du jeune homme.

Celui-ci, le cœur gonflé de joie, attira Marianne sur sa poitrine palpitante et l'embrassa passionnément.

William semblait fou de l'ivresse répandue autour de lui, et, dans le sincère désir de calmer un peu cette violente émotion, il prit Maude par la taille, baisa son cou à plusieurs reprises, articula quelques paroles confuses, et réussit enfin à pousser un triomphant hourra.

– Nous nous marierons le même jour, n'est-ce pas, Robin ? cria Will d'une voix joyeuse ; ou, pour mieux dire, nous nous marierons demain. Oh ! non, pas demain, cela porte malheur de remettre une chose qui peut se faire à l'heure même. Nous nous marierons aujourd'hui ? hein, qu'en dites-vous, Maude ?

La jeune fille se mit à rire.

– Vous êtes trop pressé, William, s'écria le chevalier.

– Trop pressé ! il vous est facile, Allan, de juger ainsi mon désir ; mais si, comme moi, vous aviez été enlevé des bras de celle qui vous aime au moment de lui donner votre nom, vous ne diriez pas que je suis trop pressé. N'ai-je pas raison, Maude ?

– Oui, William, vous avez raison ; mais cependant notre mariage ne peut être célébré aujourd'hui.

– Pourquoi ? je demande pourquoi ? répéta l'impatient garçon.

— Parce qu'il est nécessaire que je m'éloigne de Barnsdale dans quelques heures, ami Will, répondit le chevalier, et qu'il me serait fort agréable d'assister à vos
noces et à celles de ma sœur. J'espère de mon côté avoir
le bonheur d'épouser lady Christabel, et nos trois
mariages pourront être célébrés le même jour. Attendez
encore, William ; dans une semaine d'ici tout sera
arrangé à notre mutuelle satisfaction.

— Attendre une semaine ! cria Will ; c'est impossible !

— Mais, William, dit Robin, une semaine est bientôt
passée, et votre cœur a mille raisons pour l'aider à
prendre patience.

— Allons, je me résigne, dit le jeune homme d'un ton
découragé ; vous êtes tous contre moi, et je suis seul
pour me défendre. Maude, qui devrait me prêter l'éloquence de sa douce voix, reste muette. Je me tais.
Voyons, Maude, il me semble que nous avons à causer
de notre futur ménage ; venez faire un tour dans le
jardin ; cette promenade prendra au moins deux heures, et ce sera toujours autant de conquis sur l'éternité
d'une semaine.

Sans attendre le consentement de la jeune fille, Will
lui prit la main et l'entraîna en riant sous les verts
ombrages du parc.

Sept jours après l'entrevue qui avait mis en présence
Allan Clare et lord Fitz-Alwine, lady Christabel était
seule dans sa chambre, assise ou plutôt à demi renver-
sée sur un siège.

Une splendide robe de satin blanc drapait ses plis
soyeux autour du corps affaissé de la jeune fille, et un
voile de point d'Angleterre retenu aux blondes tresses
de ses cheveux la couvrait entièrement. Les traits si
purs et si idéals de Christabel étaient voilés par une
pâleur profonde, ses lèvres incolores étaient fermées, et
ses grands yeux, au regard sans chaleur, s'attachaient
avec égarement sur une porte qui leur faisait face.

De temps à autre une larme brûlante roulait sur les
joues de Christabel, et cette larme, perle de douleur,
était le seul témoignage d'existence que révélât ce corps
affaissé.

Deux heures s'écoulèrent dans une mortelle attente.
Christabel ne vivait pas ; son âme, suspendue aux sou-

venirs enivrants d'un passé sans retour, voyait approcher avec une indicible terreur le moment du sacrifice.

– Il m'a oubliée ! s'écria tout à coup la jeune fille en pressant l'une contre l'autre ses mains plus blanches que ne l'était le satin de sa robe : il a oublié celle qu'il disait aimer, celle qui l'aimait uniquement ; il a violé ses promesses, il s'est marié. Ô mon Dieu ! ayez pitié de moi, les forces m'abandonnent, car mon cœur est brisé. J'ai déjà tant souffert ! pour lui j'ai supporté les paroles amères, les regards sans amour de celui que je dois aimer et respecter ! Pour lui j'ai supporté sans me plaindre de cruels traitements, la sombre solitude du cloître ! j'ai espéré en lui et il m'a trompée ! Un sanglot convulsif souleva la poitrine de lady Christabel, et d'abondantes larmes jaillirent de ses yeux. Un léger coup frappé à sa porte vint arracher Christabel à sa douloureuse rêverie. – Entrez, dit-elle d'une voix mourante.

La porte s'ouvrit, et le visage ridé de sir Tristram se montra devant les yeux de la pauvre désolée.

– Chère lady, dit le vieillard avec un ricanement qu'il croyait être un joli sourire, l'heure du départ vient de sonner ; permettez-moi, je vous prie, de vous offrir ma main ; l'escorte nous attend, et nous serons les plus heureux époux de toute l'Angleterre.

– Milord, balbutia Christabel, je suis incapable de descendre.

– Comment dites-vous, mon cher amour, vous êtes incapable de descendre ? Je n'y comprends rien ; vous voilà tout habillée, on nous attend. Allons, donnez-moi votre belle petite main.

– Sir Tristram, répondit Christabel en se levant l'œil en feu et les lèvres frémissantes, écoutez-moi, je vous en conjure, et si vous avez dans l'âme une étincelle de pitié, vous épargnerez à une pauvre fille qui vous implore cette terrible cérémonie.

– Terrible cérémonie ! répéta sir Tristram d'un air fort étonné. Qu'est-ce à dire, milady ? je ne vous comprends pas.

– Epargnez-moi la douleur de vous donner une explication, répondit Christabel en sanglotant, et je vous bénirai, milord, et je prierai Dieu pour vous.

– Vous me semblez bien agitée, ma jolie colombe, dit le vieillard d'un ton doucereux. Calmez-vous, mon amour, et ce soir, demain, si vous l'aimez mieux, vous me ferez vos petites confidences. Dans ce moment-ci, nous avons peu de temps à perdre ; mais quand nous serons mariés, il n'en sera pas de même, nous aurons de grands loisirs, et je vous écouterai depuis le matin jusqu'au soir.

– De grâce, milord, écoutez-moi maintenant : si mon père vous trompe, je ne veux pas vous donner, moi, des espérances vaines. Milord, je ne vous aime pas, mon cœur appartient à un jeune seigneur qui a été le premier ami de mon enfance ; je pense à lui au moment de vous donner ma main : je l'aime, milord, je l'aime, et mon âme entière lui est ardemment attachée.

– Vous oublierez ce jeune homme, milady, et lorsque vous serez ma femme, croyez-moi, vous ne penserez plus du tout à lui.

– Je ne l'oublierai jamais ; son souvenir s'est gravé dans mon cœur d'une manière ineffaçable.

– A votre âge, on croit toujours aimer pour l'éternité, mon cher amour ; puis le temps marche, et il efface sous ses pas l'image si tendrement chérie. Allons, venez, nous causerons de tout cela plus tard, et je vous aiderai à mettre entre le passé et le présent l'espérance de l'avenir.

– Vous êtes sans pitié, milord !

– Je vous aime, Christabel.

– Mon Dieu ! ayez pitié de moi ! soupira la pauvre fille.

– Bien certainement Dieu aura pitié, dit le vieillard en prenant la main de Christabel ; il vous enverra la résignation et l'oubli. Sir Tristram baisa avec un respect mêlé de tendresse et de sympathique commisération la main froide qu'il tenait entre les siennes. – Vous serez heureuse, milady, dit-il.

Christabel sourit tristement.

– Je mourrai, pensa-t-elle.

On faisait de grands préparatifs à l'abbaye de Linton pour célébrer le mariage de lady Christabel avec le vieux sir Tristram.

Dès le matin, la chapelle avait été décorée de magnifiques draperies, et des fleurs odoriférantes répandaient dans le sanctuaire les plus suaves parfums. L'évêque d'Hereford, qui devait unir les deux époux, entouré de moines revêtus de blancs surplis, attendait au seuil de l'église l'arrivée du cortège. Quelques minutes avant la venue de sir Tristram et de lady Christabel, un homme, tenant à la main une petite harpe, se présenta devant l'évêque.

– Monseigneur, dit le nouveau venu en s'inclinant avec respect, vous allez dire une grand'messe en l'honneur des futurs époux, n'est-ce pas ?

– Oui, mon ami, répondit l'évêque, et pour quelle raison me fais-tu cette demande ?

– Monseigneur, répondit l'étranger, je suis le meilleur harpiste de France et d'Angleterre, et d'habitude on utilise mon savoir dans les fêtes qui se célèbrent avec éclat. J'ai entendu parler du mariage de sir Tristram le riche avec la fille unique du baron Fitz-Alwine, et je viens offrir mes services à Sa Haute Seigneurie.

– Si tu as autant de talent que tu me parais avoir d'assurance et de vanité, sois le bienvenu.

– Merci, monseigneur.

– J'aime beaucoup le son de la harpe, reprit l'évêque, et tu me serais agréable en me jouant quelque chose avant l'arrivée de la noce.

– Monseigneur, répondit l'étranger d'un ton fier et en se drapant avec majesté dans les plis de sa longue robe, si j'étais un racleur vagabond comme ceux que vous avez l'habitude d'entendre, je me rendrais à vos désirs ; mais je ne joue qu'à heure fixe et dans des endroits convenables ; tout à l'heure je satisferai complètement votre légitime demande.

– Tu es un insolent, répondit l'évêque d'une voix irritée ; je t'ordonne de jouer à l'instant même !

– Je ne toucherai pas une corde avant l'arrivée de l'escorte, dit l'étranger avec un sang-froid imperturbable ; mais, à ce moment-là, monseigneur, je vous ferai entendre un son qui vous étonnera, soyez-en certain.

– Nous allons être bientôt à même de juger de ton mérite, reprit l'évêque, car voici les mariés.

L'étranger s'éloigna de quelques pas, et l'évêque s'avança au-devant du cortège.

Au moment de pénétrer dans l'église, lady Christabel, à demi évanouie, se tourna vers le baron Fitz-Alwine.

– Mon père, dit-elle d'une voix défaillante, ayez pitié de moi ; ce mariage sera ma mort. Un regard sévère du baron imposa silence à la pauvre fille. – Milord, ajouta Christabel en posant sa main crispée sur le bras de sir Tristram, ne soyez pas impitoyable ; vous pouvez encore me rendre à la vie, prenez compassion de moi.

– Nous parlerons de cela plus tard, répondit sir Tristram. Et, faisant signe à l'évêque, il l'engagea à entrer dans l'église.

Le baron prit la main de sa fille ; il allait la conduire au pied de l'autel, lorsqu'une voix forte cria tout à coup :

– Arrêtez !

Lord Fitz-Alwine jeta un cri, sir Tristram s'appuya en défaillant contre le grand portail de l'église. L'étranger tenait dans la sienne la main de lady Christabel.

– Présomptueux misérable ! dit l'évêque en reconnaissant le harpiste, qui t'a permis de porter tes mains de mercenaire sur cette noble demoiselle ?

– La Providence, qui m'envoie au secours de sa faiblesse, répondit fièrement l'étranger.

Le baron s'élança sur le harpiste.

– Qui êtes-vous ? lui demanda-t-il, et pourquoi venez-vous troubler une sainte cérémonie ?

– Malheureux ! s'écria l'étranger, vous nommez une sainte cérémonie l'odieuse union d'une jeune fille avec un vieillard ! Milady, ajouta l'inconnu en s'inclinant avec respect devant Christabel à demi morte d'angoisse, vous êtes venue dans la maison du Seigneur pour y recevoir le nom d'un honnête homme ; ce nom, vous le recevrez... Reprenez courage, la divine bonté du Seigneur veillait sur votre innocence.

Le harpiste dénoua d'une main la cordelière qui retenait sa robe et de l'autre porta à ses lèvres un cornet de chasse.

– Robin Hood ! cria le baron.

– Robin Hood, l'ami d'Allan Clare ! murmura lady Christabel.

– Oui, Robin Hood et ses joyeux hommes, répondit notre héros en montrant du regard une nombreuse troupe de forestiers qui s'était glissée sans bruit autour de l'escorte.

Au même moment un jeune cavalier élégamment vêtu vint tomber aux genoux de lady Christabel.

– Allan Clare ! mon cher Allan Clare ! s'écria la jeune fille en joignant les mains. Soyez béni, vous qui ne m'avez point oubliée !

– Monseigneur, dit Robin Hood en s'approchant de l'évêque tête nue et l'air respectueux, vous alliez, contre toutes les lois humaines et sociales, unir l'un à l'autre deux êtres qui n'étaient point destinés par le ciel à vivre sous le même toit. Voyez cette jeune fille, regardez l'époux que voulait lui donner l'insatiable avarice de son père. Lady Christabel est fiancée depuis sa plus tendre enfance au chevalier Allan Clare. Comme elle il est jeune, riche et noble. Il l'aime, et nous venons humblement vous demander de consacrer entre eux une légitime union.

– Je m'oppose formellement à ce mariage ! cria le baron en cherchant à se dégager de l'étreinte de Petit-Jean, à qui était échu le soin de garder le vieillard.

– Paix, homme inhumain ! répondit Robin Hood ; oses-tu élever la voix au seuil d'une sainte église, et venir y donner un démenti aux promesses que tu as faites.

– Je n'ai fait aucune promesse ! rugit lord Fitz-Alwine.

– Monseigneur, reprit Robin Hood, voulez-vous unir ces deux jeunes gens ?

– Je ne le puis sans le consentement de lord Fitz-Alwine, répondit l'évêque d'Hereford.

– Je ne donnerai jamais ce consentement ! cria le baron.

– Monseigneur, continua Robin sans prendre garde aux vociférations du vieillard, j'attends votre décision dernière.

– Je ne puis prendre sur moi de satisfaire à votre demande, répondit l'évêque ; les bans n'ont pas été publiés, et la loi exige...

– Nous allons obéir à la loi, dit Robin. Ami Petit-Jean, confiez Sa Gracieuse Seigneurie à un de nos hommes, et publiez les bans. Petit-Jean obéit. Il annonça trois fois le mariage d'Allan Clare avec lady Christabel Fitz-Alwine. Mais l'évêque refusa une fois encore la bénédiction nuptiale aux deux jeunes gens. – Votre résolution est définitive, monseigneur ? demanda Robin.

– Oui, répondit l'évêque.

– Soit. J'avais prévu le cas, et je me suis fait accompagner d'un saint homme qui a le droit d'officier. Mon père, continua Robin en s'adressant à un vieillard qui était resté inaperçu, veuillez entrer dans la chapelle, les époux vont vous y suivre.

Le pèlerin qui avait prêté son concours à la délivrance de Will s'avança lentement.

– Me voici, mon fils, dit-il ; je vais prier pour ceux qui souffrent et demander à Dieu le pardon des méchants.

Maintenue par la présence des joyeux hommes, l'escorte pénétra sans tumulte dans le sanctuaire de l'église, et bientôt la cérémonie commença. L'évêque s'était retiré ; sir Tristram gémissait d'une façon lamentable, et lord Fitz-Alwine grommelait de sourdes menaces.

– Qui donne cette jeune fille à son époux ? demanda le vieillard en étendant ses mains tremblantes sur la tête de Christabel agenouillée devant lui.

– Daignez répondre, milord, dit Robin Hood.

– Mon père, de grâce ! supplia la jeune fille.

– Non, non, mille fois non ! cria le baron hors de lui.

– Puisque le père de cette noble enfant refuse de tenir la promesse sacrée qu'il a faite, dit Robin, je prends sa place. Moi, Robin Hood, je donne pour femme au chevalier Allan Clare lady Christabel Fitz-Alwine.

Les cérémonies du mariage s'accomplirent sans aucun obstacle.

A peine Allan Clare et Christabel furent-ils unis que la famille Gamwell apparut au seuil de l'église.

Robin Hood s'avança à la rencontre de Marianne et la conduisit au pied de l'autel ; William et Maude suivirent le jeune homme.

En passant auprès de Robin, pieusement agenouillé aux côtés de Marianne, Will murmura :

– Enfin, Rob, mon ami, le jour heureux est arrivé.

Regardez Maude comme elle est belle ! son cher petit cœur bat bien fort, je vous assure.

– Silence, Will ; priez, Dieu nous écoute en ce moment.

– Oui, je vais prier, et de toute mon âme, répondit le joyeux garçon. Le pèlerin bénit les nouveaux couples, et élevant vers le ciel ses tremblantes mains, il implora pour eux la miséricorde divine. – Maude, chère Maude, dit Will aussitôt qu'il put entraîner la jeune fille hors de l'église, tu es enfin ma femme, ma chère femme. Je me trouvais si malheureux de tous les retards que les circonstances ont mis à notre bonheur qu'il m'est presque difficile d'en comprendre toute l'étendue. Je suis fou de joie ; tu es à moi ! à moi tout seul ! As-tu bien prié, Maude, ma chérie ? as-tu demandé à la bonne sainte Vierge de nous accorder pour toujours la radieuse joie qu'elle nous donne aujourd'hui ?

Maude souriait et pleurait à la fois, tant son cœur était plein d'amour et de reconnaissance pour le tendre William.

Le mariage de Robin jeta des transports d'allégresse dans la troupe des joyeux hommes, qui, en sortant de l'église, poussèrent de formidables hourras.

– Les braillards coquins ! gronda lord Fitz-Alwine en suivant à contrecœur le gigantesque Petit-Jean, qui l'avait poliment invité à sortir de la chapelle.

Quelques instants plus tard l'église était déserte. Lord Fitz-Alwine et sir Tristram, privés de leurs chevaux, mélancoliquement appuyés au bras l'un de l'autre, et dans une situation d'esprit impossible à décrire, prenaient à pas lents le chemin du château.

– Fitz-Alwine, dit le vieillard tout en trébuchant, vous allez me rendre le million de pièces d'or que je vous ai confié.

– Ma foi non ! sir Tristram ; car je ne suis pour rien dans la mésaventure qui vous arrive. Si vous aviez écouté mes conseils, ce désastre ne serait point survenu. En vous mariant dans la chapelle de Nottingham, j'assurais votre mutuel bonheur ; mais vous avez préféré l'éclat au mystère, le grand jour à l'obscurité, et en voilà le résultat. Regardez, ce grand misérable emmène ma fille ; il me faut un dédommagement : je garde le million.

Renvoyés à Nottingham dans un équipage aussi piètre que l'était celui de leurs maîtres, les serviteurs des deux lords les suivaient à distance en riant tout bas de l'étrange événement.

Le personnel de la noce, escorté par les joyeux hommes, gagna rapidement les profondeurs de la forêt. Le vieux bois s'était mis en frais pour recevoir les heureux couples, et les arbres, rafraîchis par la rosée du matin, courbaient leurs verts rameaux sur le front de ces visiteurs. De longues guirlandes entremêlées de fleurs et de feuillage s'enlaçaient les unes aux autres, et reliaient ensemble les chênes séculaires, les ormeaux trapus, les peupliers aux tailles sveltes. De loin en loin on voyait apparaître un cerf couronné de fleurs comme un dieu mythologique, un faon enrubanné bondissait sur la route, et parfois un daim, portant aussi son collier de fête, traversait comme une flèche une verdoyante pelouse. Au centre d'un vaste carrefour on avait dressé un couvert, préparé une salle de danse, disposé des jeux ; enfin, tous les plaisirs qui pouvaient ajouter à la satisfaction générale des convives se trouvaient réunis autour d'eux.

Une grande partie des jeunes filles de Nottingham étaient venues embellir de leur aimable présence la fête donnée par Robin Hood, et la plus franche cordialité présidait en souveraine la joyeuse réunion.

Maude et William, les bras enlacés, le sourire aux lèvres et le cœur plein de joie, se promenaient solitairement dans une allée voisine de la salle de danse, lorsque le moine Tuck se présenta à leurs regards.

– Eh bien ! brave Tuck, joyeux Gilles, mon gros frère, cria Will en riant, viens-tu par ici dans la bonne intention de partager notre promenade ? Sois le bienvenu, Gilles, mon très cher ami, et fais-moi la grâce de regarder le trésor de mon âme, ma femme chérie, mon bien le plus précieux. Regarde cet ange, Gilles, et dis-moi s'il existe sous le ciel un être plus charmant que ma jolie Maude ? Mais il me semble, ami Tuck, ajouta le jeune homme en regardant d'un air d'intérêt le visage soucieux du moine, il me semble que tu es triste ; qu'as-tu ? Viens nous confier tes chagrins, j'essayerai de te consoler. Maude, ma mignonne, parlons-lui avec amitié ; viens avec nous, Gilles, j'écouterai d'abord ta confidence, puis je te parlerai de ma femme, et ton vieux cœur se sentira rajeuni au contact de mon cœur.

— Je n'ai point de confidence à te faire, Will, répondit le moine d'une voix quelque peu entrecoupée, et je suis heureux de te savoir au comble de tes désirs.

— Cela ne m'empêche point, ami Tuck, de remarquer avec un véritable chagrin la sombre expression de ta physionomie. Qu'as-tu, voyons ?

— Rien, répondit le moine, rien, si ce n'est pourtant une idée qui me traverse l'esprit, un feu follet qui incendie ma pauvre cervelle, un lutin qui me tiraille le cœur. Eh bien ! Will, je ne sais vraiment si je devrais te dire cela : il y a quelques années, j'avais l'espoir que la petite sorcière qui se serre si tendrement contre toi serait mon rayon de soleil, la joie de mon existence, mon bijou le plus cher et le plus précieux.

— Comment, mon pauvre Tuck, tu as aimé à ce point ma jolie Maude ?

— Oui, William.

— Tu l'as connue avant Robin, si je me trompe ?

— Avant Robin, oui.

— Et tu l'as aimée ?

— Hélas ! soupira le moine.

— Pouvait-il en être autrement ? reprit Will d'une voix tendre et en baisant les mains de sa femme. Robin l'a aimée au premier regard, moi, je l'ai adorée à première vue ; et maintenant, oh ! Maude, maintenant tu es à moi. Un silence suivit l'exclamation passionnée de Will, le moine avait baissé la tête, et Maude, le front empourpré, souriait à son mari. — J'espère bien, ami Tuck, continua William d'un ton affectueux, que mon bonheur n'est pas une souffrance pour toi. Si je suis heureux aujourd'hui, j'ai conquis par de grandes peines le droit de nommer Maude ma bien-aimée compagne. Tu n'as pas connu le désespoir d'un amour repoussé, tu n'as pas connu l'exil, tu n'as pas langui loin de celle que tu aimais, tu n'as pas perdu tes forces, ta santé, ton repos.

En faisant cette dernière énumération de ses douleurs, Will porta les yeux sur le visage rubicond du moine, et alors un fou rire s'empara de lui.

Le moine Tuck pesait pour le moins deux cent dix livres, et sa figure épanouie ressemblait à une pleine lune.

Maude, qui avait compris la cause du rire convulsif de William, partagea son hilarité, et Tuck se mit naïvement à éclater de rire.

— Je me porte bien, dit-il avec une charmante bonhomie ; mais cela n'empêche pas... enfin, je m'entends. Par la grâce de Notre-Dame ! mes bons amis, ajouta-t-il en prenant dans ses larges mains les mains unies des deux jeunes gens, je vous souhaite à l'un et à l'autre un parfait bonheur. Mais vraiment, douce Maude, vos yeux de gazelle m'ont depuis longtemps bouleversé la tête. Enfin, il n'y faut plus penser ; je me suis fait une sage morale sur ce chapitre-là, j'ai cherché une consolation à mon cruel souci, et je l'ai trouvée.

— Vous l'avez trouvée ! s'écrièrent ensemble William et Maude.

— Oui, répondit Tuck en souriant.

— Une jeune fille aux yeux noirs ? demanda la coquette Maude, une jeune fille qui a su apprécier vos bonnes qualités, maître Gilles ?

Le moine se mit à rire.

— Oui, en vérité, répondit-il, ma consolation est une dame aux yeux brillants, aux lèvres vermeilles. Vous me demandez, douce Maude, si elle a su apprécier mon mérite ? Ceci est une question difficile à résoudre ; ma chère consolation est une véritable étourdie, et je ne suis pas le seul à qui elle rende baiser pour baiser.

— Et vous l'aimez ! dit Will d'un ton rempli à la fois de pitié et de blâme.

— Oui, je l'aime, répondit le moine, et cependant comme je viens de vous le dire, elle accorde très libéralement ses faveurs.

— Mais c'est une femme indigne ! s'écria Maude en rougissant.

— Comment, Tuck, ajouta Will, un brave cœur, un homme honnête comme toi a-t-il pu se laisser prendre dans les liens d'une affection aussi banale ? Quant à moi, plutôt que d'aimer une semblable personne, je...

– Chut ! chut ! interrompit doucement le moine Tuck, sois prudent, Will.

– Prudent ! pourquoi ?

– Parce qu'il ne te sied pas de dire du mal d'une personne que tu as souvent embrassée.

– Vous avez embrassé cette femme ! s'écria Maude d'une voix pleine de reproche.

– Maude ! Maude ! c'est un mensonge ! dit Will.

– Ce n'est pas un mensonge, reprit tranquillement le moine, vous l'avez embrassée, non pas une fois, mais dix fois, mais vingt fois.

– Oh ! Will ! Will !

– Ne l'écoutez pas, Maude, il vous trompe. Voyons, Tuck, dites la vérité. J'ai embrassé celle que vous aimez ?

– Oui, et je puis vous en donner la preuve.

– Vous l'entendez, Will ? dit Maude près de pleurer.

– Je l'entends, mais je ne le comprends pas, répondit le jeune homme. Gilles, au nom de notre bonne amitié, je vous adjure de me mettre en présence de cette jeune fille, nous verrons si elle aura l'effronterie de soutenir votre imposture.

– Je ne demande pas mieux, Will, et, je le parie avec toi, non seulement tu seras obligé de reconnaître l'affection que tu lui portes, mais encore tu lui en donneras de nouveaux témoignages, tu l'embrasseras.

– Je ne le veux pas, dit Maude en nouant ses deux mains autour du bras de Will ; je ne veux pas qu'il parle à cette femme.

– Il lui parlera et il l'embrassera, repartit le moine avec une étrange obstination.

– C'est impossible, dit Will.

– Matériellement impossible, ajouta Maude.

– Montrez-moi votre bien-aimée, maître Gilles ; où est-elle ?

– Que vous importe, Will ? dit Maude. Vous ne pouvez désirer sa présence ; et puis... et puis, William, il me semble que la personne dont il est question ne saurait être une connaissance convenable pour ta femme, mon ami.

– Tu as raison, ma chère petite femme, dit Will en embrassant Maude sur le front ; elle n'est pas digne de te voir un seul instant. Mon cher Tuck, reprit William, tu m'obligeras en cessant une plaisanterie qui est désagréable à Maude ; je n'ai ni le désir ni même la curiosité de voir celle que tu aimes, ainsi n'en parlons plus.

– Il est cependant nécessaire, pour l'honneur de ma parole, Will, que tu sois confronté avec elle.

– Du tout, du tout ! dit Maude. William ne tient pas à cette rencontre, et elle me serait trop pénible.

– Je veux vous la faire voir, reprit l'obstiné Gilles, et la voici. En achevant ces mots, Tuck retira de dessous sa robe un flacon d'argent, et, le levant à la hauteur des yeux de William, il lui dit : Regarde ma jolie bouteille, ma chère consolation, et ose dire une fois encore que tu ne l'as pas embrassée ?

Les deux jeunes gens se mirent joyeusement à rire.

– Je confesse mon péché, bon Tuck, s'écria Will en prenant la bouteille, et je demande à ma chère femme la permission de donner un amical baiser aux lèvres rouges de cette vieille amie.

– Je te le permets, Will ; bois à notre bonheur et à la prospérité du joyeux moine.

Will effleura la vermeille liqueur et rendit le flacon à Tuck, qui, dans son enthousiasme, le vida entièrement.

Nos trois amis, les bras entrelacés, se promenèrent quelques instants ; puis, appelés par Robin, ils rejoignirent l'assemblée.

Robin avait présenté Much à Barbara en lui disant que ce beau jeune homme était le mari depuis longtemps annoncé ; mais Barbara avait agité d'un air mutin les grappes blondes de ses cheveux, en disant qu'elle ne voulait pas encore se marier.

Petit-Jean qui n'était pas d'une nature très expansive, fut tout à fait aimable ce jour-là. Il combla de soins sa cousine Winifred, et il fut facile de s'apercevoir que les deux jeunes gens avaient des choses fort secrètes à se confier, car ils causaient à voix basse, dansaient toujours ensemble et semblaient ne rien voir de ce qui se passait autour d'eux.

Quant à Christabel, son doux visage rayonnait de bonheur ; mais elle était encore si émue de sa brusque séparation d'avec son père, si affaiblie par ses souffrances passées, qu'il lui était impossible de se mêler aux jeux. Assise auprès d'Allan Clare sur un tertre entouré de draperies et pavoisé de fleurs, elle ressemblait à une jeune reine qui préside une fête royale donnée à ses sujets.

Marianne, tendrement appuyée au bras de son mari, parcourait avec lui la salle du bal.

– Je viendrai vivre auprès de vous, Robin, disait la jeune femme, et jusqu'au moment heureux de votre rentrée en grâce, je partagerai les fatigues et l'isolement de votre existence.

– Il serait plus sage, mon amie, d'habiter Barnsdale.

– Non, Robin, mon cœur est avec vous, je ne veux pas quitter mon cœur.

– J'accepte avec orgueil ton courageux dévouement, ma chère femme, mon doux amour, répondit le jeune homme avec émotion, et je ferai tout ce qui dépendra de moi pour que tu sois satisfaite et heureuse dans ta nouvelle existence.

En vérité, ce fut un jour de bonheur et de joie que le jour du mariage de Robin Hood.

4

Marianne tint parole, et, en dépit de la douce résistance de Robin, elle établit sa demeure sous les grands arbres de la forêt de Sherwood. Allan Clare, qui, nous l'avons dit, possédait une magnifique résidence dans la vallée de Mansfeld, ne put décider sa sœur à venir s'y fixer avec Christabel, Marianne étant fermement résolue à ne point quitter son mari.

Aussitôt après son mariage, le chevalier avait fait offrir à Henri II de lui vendre ses propriétés du Huntingdonshire aux deux tiers de leur valeur, à la condition qu'il confirmerait par des lettres patentes son union avec lady Christabel Fitz-Alwine. Henri II, qui recherchait avidement toutes les occasions de réunir à la couronne les plus riches domaines de l'Angleterre, accepta cette proposition, et, par un acte spécial, il confirma le mariage des deux jeunes gens. Allan Clare avait mis dans sa démarche tant d'adresse et de promptitude, le roi s'était montré si heureux de pouvoir conclure la négociation d'une manière définitive, que tout était terminé lorsque l'évêque d'Hereford et le baron Fitz-Alwine arrivèrent à la cour.

Il va sans dire que le prélat et le seigneur normand excitèrent contre Robin Hood toute la colère du roi. A leur instante demande, Henri II accorda à l'évêque le droit d'appréhender au corps le hardi outlaw et de lui infliger sans retard ni miséricorde la suprême punition.

Tandis que les deux Normands conspiraient contre le bonheur de Robin Hood, celui-ci, au comble de ses désirs, vivait insouciant et tranquille sous les verts ombrages de la forêt de Sherwood.

Will Ecarlate, en possession de sa bien-aimée Maude, était l'homme le plus heureux du monde. Doué par le ciel d'une ardente imagination, William s'était figuré que le bonheur suprême était une femme comme Maude, et il l'avait naïvement parée de tous les charmes d'un ange. Maude connaissait toute l'étendue de cette flatteuse affection, et elle s'efforçait de ne pas descendre du piédestal que lui avait élevé l'amour de son mari. A l'exemple de Robin Hood et de Marianne, Will et sa femme avaient établi leur demeure dans la forêt, et ils y vivaient ensemble dans la plus joyeuse harmonie.

Robin Hood aimait le beau sexe, d'abord par inclination naturelle, puis ensuite en l'honneur de la charmante créature qui portait son nom. Les compagnons de Robin Hood partageaient les sentiments de respect et de sympathie que lui inspiraient les femmes ; aussi les jeunes filles du voisinage pouvaient-elles traverser, sans crainte d'une fâcheuse rencontre, les sentiers de la forêt. Si le hasard mettait en présence de ces jolies promeneuses un des hommes de la bande, elles étaient gracieusement engagées à prendre part à une collation ; puis, le repas terminé, on leur donnait une escorte pour traverser le bois, et il n'y a jamais eu d'exemple qu'une jeune fille se soit plainte de la conduite de ceux qui lui avaient servi de guides. Dès que la bienveillante courtoisie des forestiers fut connue, la renommée la promulgua au loin, et un grand nombre de fillettes aux yeux brillants, aux pas presque aussi légers que leurs cœurs, s'aventurèrent à travers les vallées et les ombrages de Sherwood.

Le jour des noces de Robin, il y eut un grand nombre de jeunes misses au doux visage dont le cœur s'enflamma au contact du beau couple. Tout en dansant, les blondes filles d'Eve jetèrent de furtifs regards sur leurs aimables cavaliers, et parurent fort surprises d'avoir pu les redouter un seul instant, se disant tout bas qu'il devait être bien agréable de partager l'existence aventureuse des hardis compagnons. Dans toute l'innocence de leurs jeunes cœurs, elles laissèrent pénétrer ce secret désir, et les forestiers ravis songèrent aussitôt à tirer le meilleur parti possible de la situation. Alors, les belles filles de Nottingham s'aperçurent que le langage des hommes de Robin Hood était, ainsi que leurs regards, d'une irrésistible éloquence.

Le résultat de cette découverte fut que le frère Tuck se vit accablé de besogne, occupé qu'il était du matin jusqu'au soir à bénir des mariages. Tout naturellement le bon moine manifesta le désir de savoir si ces multiples unions n'étaient point une épidémie d'un caractère particulier, et combien de personnes devaient encore y succomber. Mais sa question resta sans réponse. Après être arrivée à son apogée, la rage des mariages s'abattit, les cas devinrent plus rares ; néanmoins il est curieux d'observer que les symptômes se montrèrent toujours aussi violents, et qu'ils se maintiennent encore de nos jours.

La petite colonie de la forêt vivait donc joyeusement. La cave dont nous avons parlé avait été divisée en cellules et en appartements qui ne servaient guère que de chambres à coucher. Les vastes clairières servaient de salon et de salle à manger, et pendant l'hiver seulement on avait recours à l'asile souterrain. Il est difficile de s'imaginer combien l'existence de ces hommes était douce et tranquille. Presque tous d'origine saxonne, et attachés les uns aux autres comme le sont les membres d'une même famille, la plupart avaient eu à souffrir de la cruelle oppression des envahisseurs normands.

Deux classes de la société étaient particulièrement tributaires de la bande de Robin Hood : les riches seigneurs normands et les gens d'Eglise ; les premiers, parce qu'ils avaient enlevé aux Saxons leurs titres de noblesse et l'héritage de leurs pères ; les seconds, parce qu'ils augmentaient sans cesse, aux dépens du peuple, leurs richesses déjà si considérables. Robin Hood imposait des contributions aux Normands, mais ces contributions, très onéreuses, il est vrai, se prélevaient sans combat ni effusion de sang. Les ordres du jeune chef étaient strictement observés, car la désobéissance entraînait la peine de mort. La sévérité de cette discipline avait donné une excellente réputation à la troupe de Robin Hood, dont on connaissait le caractère loyal et chevaleresque. Plusieurs expéditions furent vainement tentées pour contraindre la bande des joyeux hommes à abandonner leur retraite ; puis les autorités, lasses d'une lutte sans résultat, cessèrent leur poursuite, et l'indifférence de Henri II finit par obliger les Normands à supporter le dangereux voisinage de leurs ennemis.

Marianne trouvait l'existence de la forêt beaucoup plus agréable qu'elle n'avait osé l'espérer ; elle était faite (la jeune femme le disait en riant) pour être la reine bien-aimée de cette joyeuse tribu. Les hommages de respect, d'affection et de dévouement qui entouraient Robin flattaient singulièrement l'amour-propre de Marianne, qui se montrait fière d'appuyer sa faiblesse au bras protecteur du vaillant jeune homme. Si Robin Hood avait su conquérir et garder l'affection de sa troupe en témoignant à tous une tendresse constante, une amitié sincère, il avait su également se ménager sur eux une autorité absolue.

La belle forêt de Sherwood offrait à Marianne de charmantes distractions : tantôt elle parcourait avec son mari les pittoresques sinuosités du bois, tantôt elle s'amusait à apprendre les jeux alors en usage. Grâce aux soins de Robin, elle possédait une rare et précieuse collection de faucons, et elle apprit à les faire voler d'une main sûre et expérimentée. Mais le jeu préféré de Marianne était celui de l'arc. Avec une infatigable patience, Robin initiait la jeune femme à tous les mystères de la science des archers ; Marianne suivait exactement les leçons qui lui étaient données, et jamais élève ne se montra plus docile ni plus attentive ; aussi devint-elle en peu de temps un archer de première force. C'était pour Robin et pour les joyeux hommes un charmant spectacle que de voir Marianne, vêtue d'un justaucorps vert de Lincoln, tendre son arc ; sa taille majestueuse et souple se cambrait légèrement, sa main gauche retenait l'arc tandis que la droite, gracieusement recourbée, ramenait la flèche vers son oreille. Lorsque Marianne eut compris tous les secrets d'un art qui avait rendu Robin si célèbre, elle acquit également une immense renommée. L'inimitable adresse de la jeune femme excitait au plus haut point l'admiration et le respect des habitants de la forêt, et les alliés de la troupe, citoyens de la ville de Mansfeld et de celle de Nottingham, accouraient en foule pour être témoins de la merveilleuse habileté de Marianne.

Une année s'écoula, année de joie, de bonheur et de fête. Allan du Val (nous désignerons maintenant le chevalier sous le nom de sa propriété) était devenu père : il avait reçu du ciel la bénédiction d'une fille ; Robin et William possédaient chacun un superbe garçon, et une série de bals et de réjouissances célébrèrent ces joyeux événements.

Un matin, Robin Hood, Will Ecarlate et Petit-Jean se trouvaient réunis sous un arbre, appelé l'arbre du Rendez-Vous parce qu'il servait en toute occasion de point de ralliement à la troupe, lorsqu'un léger bruit se fit entendre.

— Ecoutez ! dit vivement Robin ; le pas d'un cheval résonne dans la clairière ; allez voir si un convive nous arrive ; vous me comprenez, Petit-Jean ?

— Sans doute, et je vous amènerai le cavalier s'il mérite l'honneur de partager votre repas.

— Il sera deux fois le bienvenu, reprit Robin en riant ; car je commence à ressentir les atteintes de la faim.

Petit-Jean et Will se glissèrent à travers le fourré dans la direction du chemin suivi par le voyageur, et bientôt ils furent placés de façon à l'apercevoir.

— Par la sainte messe ! le pauvre diable a une triste tournure, dit William avec un fin sourire, et je gage que sa fortune lui cause peu d'embarras.

— J'avoue en effet que ce cavalier a l'air bien misérable et bien accablé, répondit Petit-Jean ; mais peut-être la pauvreté de cet extérieur n'est-elle qu'une habile mise en scène. Grâce à son apparente misère, ce voyageur croit pouvoir traverser impunément la forêt de Sherwood. Nous allons lui apprendre que, s'il est enclin à la dissimulation, nous sommes aussi rusés que lui.

Quoique revêtu d'un costume de chevalier, le voyageur inspirait au premier regard un sentiment de commisération. Ses vêtements flottaient à l'aventure, comme si le chagrin l'eût rendu peu soucieux de conserver les apparences d'une mise convenable ; le capuchon de sa robe tombait derrière son cou, et sa tête, inclinée dans l'attitude de la réflexion, attestait une profonde douleur. L'étranger fut soudain arraché à sa rêverie par la voix de basse-taille du gigantesque Petit-Jean.

– Bonjour, sir étranger, cria notre ami en s'avançant à la rencontre du voyageur ; soyez le bienvenu dans la verte forêt ; on vous attend avec impatience.

– On m'attend ? interrogea l'inconnu en arrêtant sur le visage épanoui de Jean son regard plein de tristesse.

– Oui, seigneur, reprit Will Écarlate, notre maître vous a fait chercher partout, et voilà bien près de trois heures qu'il désire votre arrivée afin de pouvoir se mettre à table.

– Personne ne peut m'attendre, répondit l'étranger d'un air soucieux ; vous vous méprenez, ce n'est pas moi qui suis le convive attendu par votre maître.

– Je vous demande pardon, messire, c'est bien vous ; il avait appris que vous deviez traverser aujourd'hui la forêt de Sherwood.

– Impossible, impossible, répéta l'étranger.

– Nous disons la vérité, reprit Will.

– Quel est le nom de celui qui se montre si courtois envers un pauvre voyageur ?

– Robin Hood, répondit Petit-Jean en dissimulant un sourire.

– Robin Hood, le célèbre forestier ? demanda l'étranger d'un ton de visible surprise.

– Lui-même, messire.

– Depuis longtemps on me parle de lui, ajouta le voyageur, et sa noble conduite m'inspire une véritable sympathie. Je suis très heureux de rencontrer l'occasion de me trouver avec Robin Hood ; c'est un cœur loyal et fidèle. J'accepte donc avec joie sa bienveillante invitation, bien que je ne puisse comprendre qu'il ait été averti de mon passage sur ses domaines.

– Il se fera un plaisir de vous l'apprendre lui-même, répondit Petit-Jean.

– Alors, que votre volonté soit faite, brave forestier ; montrez-moi le chemin, j'y marcherai sur vos traces.

Petit-Jean prit le cheval du voyageur par la bride et l'engagea dans le sentier qui devait aboutir au carrefour où se tenait Robin. Will forma l'arrière-garde.

Petit-Jean n'avait pas douté un seul instant que cette apparence de chagrin et de pauvreté ne fût un masque pour servir de passeport au cas d'une fâcheuse rencontre, tandis que William pensait, plus justement peut-être, que le voyageur était un pauvre dont on n'obtiendrait d'autre satisfaction que celle de lui voir manger un excellent dîner.

L'étranger et ses guides arrivèrent bientôt auprès de Robin Hood. Celui-ci salua le nouveau venu et, frappé de son extérieur misérable, il se prit à l'examiner tandis qu'il rajustait tant bien que mal ses pauvres vêtements. Un air de suprême distinction accompagnait les gestes de l'inconnu, et Robin en arriva bientôt à la même conclusion que Petit-Jean : c'est-à-dire que le voyageur affectait cette soucieuse mélancolie et ce délabrement de toilette dans la prudente intention de protéger sa bourse.

Néanmoins le jeune chef accueillit avec une grande bienveillance le triste inconnu ; il lui offrit un siège, et donna l'ordre à un de ses hommes de prendre soin du cheval de son hôte.

Un repas délicieux fut servi sur le gazon, et, comme le dit une vieille ballade :

« Le pain, le vin et les cuissots de chevreuil
« Y étaient servis à profusion ;
« Il n'y manquait aucun des hôtes du bois,
« Pas même les petits oiseaux des haies. »

Comme on le voit, malgré la triste apparence de son convive, Robin n'avait pas failli à sa réputation de généreuse hospitalité. Si le chagrin aiguise l'appétit, nous devons reconnaître que l'étranger avait beaucoup de chagrin. Il attaquait les plats avec l'ardeur d'un estomac qui vient de subir un jeûne de vingt-quatre heures, et il faisait descendre les mets avec des gorgées de vin qui donnaient la preuve de l'excellence du liquide, ou bien encore que le chagrin a pour effet de profondément altérer.

Après le repas, Robin et son hôte s'étendirent sous le majestueux ombrage des grands arbres et parlèrent à cœur ouvert. Les opinions que le chevalier professait sur les hommes et sur les choses donnaient bonne opinion de lui à Robin, et, en dépit de la pauvre mine de son convive, le jeune chef ne pouvait croire à la sincérité de son apparente misère. De tous les vices, celui que Robin détestait le plus était la dissimulation ; sa nature franche et ouverte n'aimait pas à rencontrer la ruse. Aussi, malgré l'estime réelle que lui inspirait le chevalier, résolut-il de lui faire largement payer les frais du repas. L'occasion de mettre son désir en œuvre se présenta bientôt ; car, après avoir déblatéré contre l'ingratitude humaine, l'étranger ajouta :

– J'éprouve un si profond mépris pour ce vice, qu'il ne m'étonne plus ; mais je puis affirmer que de ma vie je ne m'en rendrai coupable. Permettez-moi, Robin Hood, de vous remercier de tout mon cœur de votre amicale réception, et si jamais une circonstance heureuse pour moi vous conduit dans le voisinage de l'abbaye de Sainte-Marie, n'oubliez pas que vous trouverez au château de la Plaine une affectueuse et cordiale hospitalité.

– Seigneur chevalier, répondit le jeune homme, les personnes que je reçois dans la verte forêt ne subissent jamais l'ennui de ma visite. A ceux qui ont réellement besoin de la charité d'un bon repas, je donne avec plaisir une place à ma table ; mais je me montre moins généreux envers les voyageurs qui peuvent payer mon hospitalité. Je craindrais de blesser l'orgueil d'un homme favorisé des dons de la fortune si je lui donnais gratuitement mes venaisons et mon vin. Je trouve plus convenable et pour lui et pour moi de lui dire : « Cette forêt est une auberge, j'en suis l'hôtelier, mes joyeux hommes en sont les serviteurs. Comme de nobles hôtes, payez libéralement ce que vous avez reçu. »

Le chevalier se mit à rire.

– Voilà, dit-il, une plaisante manière d'envisager les choses, et une façon ingénieuse de lever des impôts. J'ai entendu vanter il y a quelques jours la façon courtoise avec laquelle vous débarrassez les voyageurs du superflu de leur richesse ; mais je n'avais jamais eu des explications aussi claires que celles-ci.

– Eh bien, seigneur chevalier, je vais compléter ces explications. En parlant ainsi, Robin prenait un cor de chasse et le portait à ses lèvres. Petit-Jean et Will Ecarlate accoururent à l'appel. – Messire chevalier, reprit Robin Hood, l'hospitalité touche à sa fin ; veuillez en solder le prix, mes caissiers sont tout disposés à le recevoir.

– Puisque vous considérez la forêt comme une auberge, la note des dépenses faites est sans doute proportionnée à son étendue ? dit le chevalier d'une voix calme.

– Précisément, messire.

– Vous traitez au même prix chevalier, baron, duc et pair d'Angleterre ?

– Au même prix, répliqua Robin Hood, et c'est justice ; vous ne voudriez pas, j'imagine, qu'un pauvre paysan comme moi hébergeât gratuitement un chevalier blasonné, un comte, un duc ou un prince ; ce serait contraire à toutes les règles de l'étiquette.

– Vous avez grandement raison, mon cher hôte ; mais, en vérité, vous allez prendre une bien triste opinion de votre convive lorsqu'il vous aura dit qu'il ne possède que dix pistoles pour toute fortune.

– Permettez-moi de mettre cette assertion en doute, chevalier, répondit Robin.

– Mon cher hôte, j'engage vos compagnons à s'assurer par une visite de mes vêtements de la cruelle vérité de ce que j'avance.

Petit-Jean, qui laissait rarement échapper l'occasion de témoigner de sa position sociale, s'empressa d'obéir.

– Le chevalier a dit vrai, s'écria Petit-Jean d'un air désappointé ; il ne possède que dix pistoles.

– Cette petite somme représente pour le moment toute ma fortune, ajouta l'étranger.

– Vous avez donc dévoré votre héritage ? demanda Robin en riant ; ou bien cet héritage était-il de médiocre valeur ?

– Mon patrimoine était considérable, répondit le chevalier, et je ne l'ai point gaspillé.

– Comment se fait-il alors que vous soyez si pauvre ? Car vous m'avouerez que votre situation présente ressemble beaucoup aux effets de la dilapidation.

– Les apparences sont trompeuses, et pour vous faire comprendre mon malheur, il serait nécessaire de vous raconter une lamentable histoire.

– Seigneur chevalier, je vous prête attention de tout mon cœur, et s'il est en mon pouvoir de vous être utile, vous pourrez disposer de moi.

– Je sais, noble Robin Hood, que vous étendez généreusement votre protection sur les opprimés, et qu'ils ont des droits à votre bienveillante sympathie.

– Messire, épargnez-moi, je vous prie, interrompit Robin, et occupons-nous des choses qui vous intéressent.

– Je porte le nom de Richard, continua l'étranger, et ma famille descend du roi Ethelred.

– Vous êtes saxon, alors ? dit le jeune homme.

– Oui, et la noblesse de mon origine a été la source de bien des malheurs.

– Permettez-moi de serrer la main à un frère, reprit Robin Hood avec un joyeux sourire sur les lèvres ; les Saxons, riches ou pauvres, sont gratuitement les bienvenus dans la forêt de Sherwood.

Le chevalier répondit affectueusement à l'étreinte de son hôte, et continua ainsi :

– On m'a donné le surnom de sir Richard de la Plaine, parce que mon château se trouve situé au centre d'un vaste terroir, à deux milles environ de l'abbaye de Sainte-Marie. Je me suis marié jeune encore à une femme que j'aimais depuis ma plus tendre enfance. Le ciel bénit notre union, il nous donna un fils. Jamais un père et une mère n'ont aimé leur enfant comme nous aimons notre Herbert, et jamais un enfant ne s'est montré plus digne de cet excès d'amour. Notre voisinage de l'abbaye Sainte-Marie avait donné lieu à de fréquents rapports. J'étais lié avec les frères, et nous vivions dans une sorte d'intimité. Un jour, un frère laï auquel j'avais eu l'occasion de témoigner un intérêt sympathique me demanda quelques minutes d'entretien, et, m'emmenant à l'écart, il me dit :

« – Sir Richard, je suis à la veille de prononcer des vœux irrévocables, je suis à la veille de me séparer à jamais du monde, et je laisse auprès de la tombe de sa mère une pauvre orpheline sans fortune et sans appui. Je me suis voué à Dieu pour toujours, et j'espère que les austérités du cloître me donneront le courage de supporter quelques années encore le fardeau de la vie. Je viens vous demander, au nom de la divine Providence, d'avoir compassion de ma pauvre petite fille.

« – Mon cher frère, dis-je à ce malheureux, je vous remercie de votre confiance, et, puisque vous avez mis votre espoir en moi, cet espoir ne sera pas trompé, votre fille deviendra la mienne.

« Le frère, ému jusqu'aux larmes de ce qu'il appelait ma générosité, me remercia chaleureusement, et, à ma prière, envoya chercher sa petite fille.

« Je n'ai jamais ressenti une émotion comparable à celle que me fit éprouver la vue de cette enfant.

« Elle avait douze ans ; sa taille svelte et élevée possédait une suprême élégance, et de longs cheveux blonds couvraient de leurs boucles soyeuses ses mignonnes épaules. En entrant dans la salle où je l'attendais, elle salua avec grâce et attacha sur mon visage deux grands yeux bleus empreints de mélancolie. Comme vous devez le penser, mon cher hôte, cette charmante petite fille s'empara de mon cœur ; je pris ses mains dans les miennes et je lui donnai sur le front un paternel baiser.

« – Vous le voyez, sir Richard, me dit le moine, cette tendre enfant mérite une affectueuse protection.

« – Oui, mon frère, et j'avoue que de ma vie mes yeux n'ont admiré une plus ravissante créature.

« – Lilas ressemble beaucoup à sa pauvre mère, me répondit le moine, et sa vue alimente mon chagrin, elle éloigne mon esprit des choses du ciel, elle ramène mes pensées vers la douce créature qui dort sous la froide pierre du tombeau. Adoptez ma chère enfant, sir Richard, vous n'aurez point à regretter cette charitable action ; Lilas possède d'excellentes qualités, un aimable caractère ; elle est pieuse, douce et bonne.

« – Je serai un père pour elle, un tendre père, répondis-je, tout ému.

« La pauvre petite fille nous écoutait d'un air surpris et, portant de son père à moi le regard inquiet de ses grands yeux bleus, elle dit :

« – Mon père, vous voulez...

« – Je veux ton bonheur, ma fille chérie, répondit le moine ; notre séparation est devenue nécessaire.

« Je n'essayerai pas de vous dépeindre, mon cher hôte, la scène douloureuse qui suivit les longues explications données par le moine à son enfant désolée ; il pleura avec elle, puis, sur un signe de ce malheureux, j'enlevai Lilas de ses bras et je l'emportai hors du couvent.

« Pendant les premiers jours de son installation au couvent, Lilas parut triste et soucieuse ; puis le temps et l'aimable compagnie de mon fils Herbert parvinrent à calmer sa douleur. Les deux enfants grandirent l'un auprès de l'autre, et lorsqu'ils eurent atteint, Lilas sa seizième année, Herbert l'âge heureux de vingt ans, il me fut facile de comprendre qu'ils s'aimaient du plus tendre amour.

« – Ces jeunes cœurs, dis-je à ma femme après avoir fait cette découverte, n'ont pas connu le chagrin ; protégeons-les contre ses atteintes. Herbert adore Lilas, et de son côté Lilas aime passionnément notre cher fils. Il nous importe peu que Lilas soit d'une naissance obscure ; si son père n'a été autrefois qu'un pauvre cultivateur saxon, il est aujourd'hui un saint homme. Grâce à nos soins, Lilas possède toutes les qualités qui sont l'apanage de son sexe ; elle aime Herbert, elle sera pour lui une fidèle compagne.

« Ma femme consentit de tout son cœur au mariage de nos enfants et nous les fiançâmes le jour même.

« L'époque fixée pour cette heureuse union était proche, lorsqu'un chevalier normand, possesseur d'un petit domaine situé dans le Lancashire, vint rendre visite à l'abbaye de Sainte-Marie. Ce Normand avait vu et admiré ma résidence ; le désir de la posséder s'empara aussitôt de lui. Sans témoigner cette convoitise, il parvint à apprendre que j'avais sous ma garde paternelle une jolie fille bonne à marier. Supposant à bon droit qu'une partie de mon patrimoine serait donnée en dot à Lilas, le Normand accourut à ma porte, et, sous le prétexte de visiter le château, il parvint à pénétrer dans le cercle de notre intimité de famille. Comme je vous l'ai dit, Robin, Lilas était fort belle, sa vue enflamma l'imagination de mon hôte ; il renouvela sa visite, et me fit la confidence de son amour pour la fiancée de mon fils. Sans repousser les offres honorables du Normand, je lui donnai connaissance des engagements contractés par la jeune fille, tout en ajoutant que Lilas était libre de disposer de sa main.

« Il s'adressa alors directement à elle.

« Le refus de Lilas fut gracieux, mais irrévocable : elle aimait Herbert.

« Le Normand, exaspéré, sortit du château en jurant de se venger de ce qu'il appelait notre insolence.

« D'abord nous ne fîmes que rire de ses menaces. Les événements devaient nous apprendre combien elles étaient sérieuses.

« Deux jours après le départ du Normand, le fils aîné d'un de mes vassaux vint m'annoncer qu'il avait rencontré, à quatre milles environ du château, l'étranger venu en visite chez moi, emportant dans ses bras ma pauvre fille éplorée. Cette nouvelle nous jeta dans un affreux désespoir, je ne pouvais y ajouter foi, mais le jeune garçon me donna d'irrécusables preuves de notre malheur.

« – Sir Richard, me dit-il, mes paroles ne sont que trop vraies, et voici de quelle manière j'ai pu m'assurer de l'enlèvement de miss Lilas. J'étais assis sur le bord de la route lorsqu'un cavalier, portant devant lui une femme tout en larmes et suivi de son écuyer, s'est arrêté à quelques pas de moi ; le harnais de son cheval s'était brisé, et il m'appelait avec force menaces pour lui prêter secours. Je me suis approché, miss Lilas se tordait les mains. « Arrange cette bride », me dit brusquement le cavalier. J'obéis, et, sans être vu, je coupai la sangle de la selle ; puis, tout en feignant de regarder si le fer du cheval était en bon état, je parvins à glisser un caillou dans le sabot d'un de ses pieds. Cela fait, je me suis enfui, et j'accours vous prévenir.

« Mon fils Herbert n'en écouta pas davantage, il descendit aux écuries, sella un cheval et partit à franc étrier.

« La ruse du jeune paysan avait été couronnée de succès. Lorsque Herbert atteignit le Normand, celui-ci était désarçonné.

« Il y eut d'abord entre ce malheureux et mon fils un combat terrible ; mais la bonne cause remporta la victoire, mon fils tua le ravisseur.

« Dès que la mort du Normand fut connue, on envoya une bande de soldats à la recherche de mon fils. Je fis disparaître Herbert, et j'adressai au roi une humble supplique. Je fis connaître à Sa Majesté l'infâme conduite du Normand ; je lui représentai que mon fils s'était battu avec son ennemi, et qu'il ne l'avait tué qu'en s'exposant à être tué lui-même. Le roi me fit acheter la grâce d'Herbert au prix d'une rançon considérable. Trop heureux d'obtenir miséricorde, je m'occupai sur-le-champ de satisfaire aux désirs du roi. Mon coffre-fort vide, je fis appel à mes vassaux, je vendis ma vaisselle et mes meubles. Mes dernières ressources épuisées, il me manquait encore quatre cents écus d'or. L'abbé de Sainte-Marie me proposa alors de me prêter sur hypothèque la somme dont j'avais besoin ; il va sans dire que j'acceptai avec joie son offre obligeante. Les conditions du prêt furent réglées ainsi : une vente simulée de mes propriétés devait lui en faire acquérir le revenu pendant un an. Si le dernier jour du douzième mois de cette année je ne rendais pas les quatre cents écus d'or, tous mes biens resteraient en sa possession. Voilà quelle est ma position, mon cher hôte, ajouta le chevalier ; le jour de l'échéance approche, et, pour toute fortune, pour toute ressource, je possède dix pistoles.

— Croyez-vous que l'abbé de Sainte-Marie refuse de vous accorder du temps pour vous libérer ? demanda Robin Hood.

— Je suis malheureusement certain qu'il ne m'accordera pas une heure, pas une minute. Si la somme ne lui est pas remboursée à l'échéance jusqu'au dernier

écu, mes propriétés resteront entre ses mains. Hélas !
je suis bien malheureux ; ma femme bien-aimée va
manquer d'asile, mes pauvres enfants seront sans pain.
Si je devais souffrir seul, je prendrais courage ; mais
voir souffrir ceux que j'aime est une épreuve au-dessus
de mes forces. J'ai demandé secours à ceux qui dans
ma prospérité se disaient mes amis, je n'ai trouvé qu'un
refus glacial chez les uns, indifférent chez les autres ;
je n'ai point d'amis, Robin Hood, je suis seul.

En achevant ces paroles, le chevalier cacha son
visage entre ses mains tremblantes, et un sanglot
convulsif s'échappa de ses lèvres.

— Sir Richard, dit Robin Hood, votre histoire est
triste ; mais il ne faut pas désespérer de la bonté de
Dieu ; cette bonté veille sur vous, et je crois que vous
êtes sur le point de rencontrer un secours envoyé par le
ciel.

— Hélas ! soupira le chevalier, si je pouvais obtenir
un délai, peut-être parviendrais-je à m'acquitter. Malheureusement je ne puis offrir pour garantie qu'un vœu
à la sainte Vierge.

— J'accepte la garantie, répondit Robin Hood, et, au
nom vénéré de la Mère de Dieu, notre sainte patronne,
je vais vous prêter les quatre cents écus d'or dont vous
avez besoin.

Le chevalier jeta un cri.

— Vous, Robin Hood ! Ah ! soyez mille fois béni ! Je
le jure avec toute la sincérité d'un cœur reconnaissant,
je vous rendrai loyalement cette somme.

— J'y compte, chevalier. Petit-Jean, ajouta Robin,
vous savez où est le trésor puisque vous êtes le caissier
de la forêt ; allez me chercher quatre cents écus ; quant
à vous, Will, faites-moi l'amitié de voir dans ma garde-
robe s'il ne se trouve pas un costume digne de notre
hôte.

— En vérité, Robin Hood, votre bonté est si grande...
s'écria le chevalier.

— Taisez-vous, taisez-vous, interrompit Robin en
riant ; nous venons de contracter l'un envers l'autre un
engagement, et je vous dois tout honneur, puisque vous
êtes à mes yeux un envoyé de la sainte Vierge. Will,
ajoutez aux vêtements quelques aunes de beau drap ;

placez ensuite un nouveau harnachement sur le cheval gris que l'évêque d'Hereford a confié à nos soins ; enfin, Will, mon ami, joignez à ces modestes dons tous les objets que votre esprit inventif pourra croire nécessaires au chevalier.

Petit-Jean et Will s'occupèrent en toute hâte de remplir leur mission.

— Mon cousin, dit Jean, vos mains sont plus agiles que les miennes ; comptez l'argent, moi je vais mesurer l'étoffe, et mon arc me servira d'aune.

— Eh bien ! répondit Will en riant, la mesure sera bonne.

— Certainement, vous allez voir.

Petit-Jean prit son arc d'une main, il déroula de l'autre une pièce de drap, et se mit, non à auner, mais à faire semblant de prendre l'exacte mesure du coupon.

William se mit à éclater de rire.

— Continuez, ami Jean, continuez, la pièce entière passera ; comme vous y allez, trois aunes pour une ! bravo !

— Taisez-vous, bavard ! ne savez-vous pas que Robin agirait encore plus largement s'il était à notre place ?

— Alors, je vais ajouter quelques écus, dit William.

— Quelques poignées, cousin ; nous reprendrons cela aux Normands.

— Voilà qui est fait.

En voyant les largesses de Jean et la générosité de Will, Robin sourit et remercia du regard.

— Seigneur chevalier, dit Will en mettant l'or dans la main du chevalier, chaque rouleau contient cent écus.

— Mais il y a six rouleaux, mon jeune ami !

— Vous êtes dans l'erreur, mon hôte, il n'y en a que quatre, répondit Robin. Puis, après tout, qu'importe ! Serrez cet argent dans votre escarcelle, et n'en parlons plus.

— A quand l'échéance ? demanda le chevalier.

— D'ici à un an, jour pour jour, si ce délai vous convient, et si je suis encore de ce monde, dit Robin.

— J'accepte.

— Sous cet arbre.

— Je serai exact au rendez-vous, Robin Hood, reprit le chevalier en serrant avec une effusion pleine de gratitude les mains du jeune chef ; mais avant de nous séparer, permettez-moi de vous dire que tous les éloges prodigués à votre noble conduite n'égalent pas ceux qui remplissent mon cœur ; vous me sauvez plus que la vie, vous sauvez ma femme et mes enfants.

– Messire, reprit Robin Hood, vous êtes saxon, et ce titre vous donne des droits à toute mon amitié ; de plus, vous aviez auprès de moi une protection toute-puissante, le malheur. Je suis ce que les hommes appellent un bandit, un voleur, soit ! mais si j'extorque aux riches, je ne prends rien aux pauvres. Je déteste la violence, je ne verse pas le sang ; j'aime ma patrie, et la race normande m'est odieuse parce que à son usurpation elle a joint la tyrannie. Ne me remerciez pas ; je vous ai donné, vous n'aviez pas, c'était donc de toute justice.

– Votre conduite à mon égard, quoi que vous en puissiez dire, est noble et généreuse ; vous avez plus fait pour moi, qui vous suis étranger, que ceux qui se disent mes amis. Puisse Dieu vous bénir, Robin, car vous avez ramené la joie dans mon cœur. Dans tout temps et en tout lieu je serai fier de me dire votre obligé, et je prie sincèrement le ciel de m'accorder la grâce de vous témoigner un jour mon ardente reconnaissance. Adieu, Robin Hood, adieu mon véritable ami ; dans un an je reviendrai m'acquitter envers vous.

– Au revoir, chevalier, répondit Robin en serrant avec amitié la main de son hôte ; si jamais les circonstances me mettent dans une situation où votre secours me soit nécessaire, j'y ferai appel avec confiance et sans réserve.

– Dieu vous entende ! Mon plus grand désir sera alors de me dévouer à vous corps et âme.

Sir Richard serra les mains de Will et celles de Petit-Jean, et enfourcha le cheval gris pommelé de l'évêque d'Hereford. La monture du chevalier, chargée des présents de Robin Hood, devait suivre son maître.

En voyant disparaître son hôte passager au détour du chemin, Robin Hood dit à ses compagnons :

– Nous avons fait un heureux ; la journée a été bien remplie.

5

Marianne et Maude habitaient depuis un mois le château de Barnsdale, et elles ne devaient reprendre leur
ancien mode d'existence qu'après leur entier rétablis-
sement ; car on n'a pas oublié que les deux jeunes femmes étaient devenues mères.

Robin Hood ne put supporter longtemps l'absence de
sa bien-aimée compagne. Un matin il emmena avec lui
une partie de sa bande et l'installa dans la forêt de
Barnsdale. William, qui naturellement avait suivi son
jeune chef, déclara bientôt que la demeure souterraine
construite en grande hâte dans le voisinage du château
valait infiniment mieux que celle du grand bois de Sherwood, ou du moins que, s'il y manquait différentes choses pour compléter le bien-être de la troupe, il y avait
dans sa proximité du hall de Barnsdale une très agréable compensation.

Robin et William étaient donc enchantés de leur
changement de domicile, et deux jeunes gens de notre
connaissance partageaient pour la même cause leur
expansive satisfaction. Ces deux jeunes gens se nom-
maient Petit-Jean et Much Cackle, le fils du meunier.
Robin s'aperçut bientôt que Petit-Jean et Much s'absen-
taient sans motif apparent à toute heure du jour. Cette
désertion se renouvela tant de fois que Robin eut le
désir d'en connaître la cause ; il prit des informations,
et on lui révéla que sa cousine Winifred, aimant fort à
se promener, avait demandé à Petit-Jean de lui faire
visiter les sites les plus remarquables de la forêt de
Barnsdale. « Bon ! » dit Robin, « voilà pour Petit-Jean ;
et Much ? » On répondit que miss Barbara, partageant
la curiosité de sa sœur à l'endroit des beautés de la
campagne, avait voulu l'accompagner dans ses excur-
sions champêtres ; mais que Petit-Jean, avec une prudence digne d'éloges, avait fait observer à la jeune
demoiselle que, la responsabilité d'une femme étant
déjà chose grave, il lui était impossible d'accepter sa
compagnie et les charges qui en devaient résulter. En
conséquence, Much avait offert sa protection à miss
Barbara, et miss Barbara l'avait acceptée. Les deux

couples s'en allaient donc errer à travers les arbres et dans les endroits les plus mystérieux et les plus ombragés ; tout en causant on ne sait de quoi, ils oubliaient de regarder les objets qu'ils étaient venus voir, et les vieux chênes tordus, les hêtres aux gracieuses branches, les ormes séculaires passaient devant leurs yeux sans obtenir la moindre attention. Puis, une fatalité plus étrange encore que cette indifférence pour les splendeurs du bois jetait sans cesse chacun des deux couples dans un chemin contraire à la bonne route, et ils ne se rencontraient qu'à la porte du château, au lever des premières étoiles.

Ces promenades, qui se renouvelaient journellement, expliquèrent à Robin la double absence de ses deux compagnons.

Un soir, la journée avait été brûlante, et un vent tiède rafraîchissait l'atmosphère : Marianne et Maude, appuyées aux bras de Robin et de William, sortirent du château pour entreprendre une longue promenade dans les clairières parfumées du bois. Winifred et Barbara suivaient les jeunes couples, et Petit-Jean et son inséparable Much servaient d'ombres aux deux sœurs.

— Ici, je respire, dit Marianne en présentant à la brise son visage pâli ; il me semble que l'air me manque dans un appartement, et j'ai hâte de reprendre le chemin de la forêt.

— Il est donc bien agréable de vivre dans les bois ? demanda miss Barbara.

— Oui, reprit Marianne, il y a tant de soleil, de lumière, d'ombre, de fleurs et de feuillage !

— Much m'a dit hier, continua Barbara, que la forêt de Sherwood surpassait en beauté celle de Barnsdale ; il faut alors qu'elle réunisse toutes les merveilles de la création, car nous avons ici des endroits ravissants.

— Vous trouvez donc le bois de Barnsdale très joli, Barbara ? demanda Robin en dissimulant un sourire.

— Charmant, répondit la jeune fille avec vivacité ; il s'y trouve des paysages délicieux.

— Quelle est la partie du bois qui a particulièrement attiré vos regards, ma cousine ?

— Je ne saurais répondre très clairement à votre question, Robin ; cependant, je crois que mon souvenir accorde une petite préférence à une vallée qui, j'en suis certaine, n'a pas son égale dans le vieux bois de Sherwood.

— Et cette vallée se trouve ?...

— Loin d'ici ; mais vous ne pourriez imaginer rien de plus frais, de plus silencieux, de plus parfumé que ce petit coin de terre. Représentez-vous, mon cousin, une vaste pelouse entourée d'un terrain en pente sur le sommet duquel croissent à profusion des arbres de toutes les espèces. La nuance différente de leurs feuilles éclairées par le soleil prend des aspects merveilleux : tantôt vous avez devant les yeux un rideau d'émeraude, tantôt un voile aux couleurs multicolores se déroule sous vos regards. Le gazon qui couvre cette vallée ressemble à un grand tapis vert ; pas un pli n'en ride la surface. Au pied des arbres et sur la pente de ce semblant de colline, jetez des fleurs de pourpre, d'iris et d'or, faites courir au bas du ravin ombragé un filet d'eau qui roule en murmurant entre ses deux rives, et vous aurez sous les yeux l'oasis de la forêt de Barnsdale. Et puis, continua la jeune fille, le calme est si grand dans cette délicieuse retraite, l'air qu'on y respire est si pur, qu'on se sent le cœur tout dilaté de joie. Enfin, je n'ai jamais vu de ma vie un endroit aussi ravissant.

— Où est donc cette vallée enchanteresse, Barbara ? demanda naïvement Winifred.

— Vous ne vous promeniez donc pas toujours ensemble ? interrompit Robin en souriant.

— Mais si, ajouta Winifred ; seulement nous nous perdions toujours... non, je voulais dire très souvent... quelquefois est plus juste. Je veux dire enfin que Petit-Jean se trompait de chemin, et alors nous nous trouvions séparés ; nous nous cherchions, et, je ne sais comment cela se faisait, mais nous ne parvenions jamais à nous rejoindre avant d'être arrivés au château. Cette continuelle séparation avait lieu, je vous l'assure, tout à fait par accident.

— Oui, en vérité, c'était par accident, reprit Robin d'un air moqueur, et personne ne suppose le contraire. Aussi pourquoi rougissez-vous, Barbara ? pourquoi baissez-vous les yeux, Winifred ? Voyez, ni Jean ni

Much ne sont embarrassés, eux ; ils savent si bien que vous vous égariez dans le bois sans vous en apercevoir !

– Mon Dieu ! oui, répondit Much, et, connaissant le goût de miss Barbara pour les endroits retirés et tranquilles, je l'avais conduite dans la petite vallée dont elle vient de faire la description.

– Je suis tenté de croire, reprit Robin, que Barbara possède une grande facilité d'observation pour avoir pu embrasser d'un coup d'œil toutes les choses charmantes dont elle vient de nous parler. Mais dites-moi, Barbara, n'avez-vous pas trouvé dans cette oasis de Barnsdale, ainsi que vous nommiez tout à l'heure la vallée découverte par Much, quelque chose de plus charmant encore que les arbres aux feuilles diaprées, le gazon vert, le ruisseau chanteur et les fleurs multicolores ?

Barbara rougit.

– Je ne sais ce que vous voulez dire, mon cousin.

– Vraiment ! Much me comprendra mieux que vous, je l'espère. Voyons, Much, répondez franchement : Barbara n'a-t-elle point oublié de nous faire part d'un charmant épisode de votre visite dans ce paradis terrestre ?

– Quel épisode, Robin ? demanda le jeune homme en ébauchant un sourire.

– Mon discret ami, reprit Robin, est-il jamais parvenu à votre connaissance que deux jeunes gens épris l'un de l'autre soient allés seuls dans la délicieuse retraite dont Barbara garde si bien le souvenir au fond du cœur ? Much rougit prodigieusement. – Eh bien ! reprit Robin, deux jeunes gens de ma connaissance particulière ont visité il y a quelques jours votre paradis de verdure. Arrivés sur les bords fleuris du joli ruisseau, ils se sont assis l'un auprès de l'autre. D'abord ils ont admiré le paysage, prêté l'oreille aux chants aériens des oiseaux ; puis ils sont restés quelques minutes aveugles et muets ; puis le jeune homme, enhardi par la solitude, par le silence ému de sa tremblante compagne, a pris dans les siennes deux petites mains blanches. La jeune fille n'a pas levé les yeux, mais elle a rougi, et cette rougeur a parlé pour elle. Alors, d'une voix qui a paru à la jeune fille plus douce que le chant des oiseaux, plus harmonieuse que le murmure de la brise, le jeune homme lui a dit : « Il n'y a personne dans le monde entier que j'aime autant que vous ; je préférerais la mort à la perte de votre amour, et, si vous voulez être ma femme, vous me rendrez le plus heureux des hommes. » Dites-moi, Barbara, ajouta Robin en souriant, pourriez-vous me dire si la jeune fille a tendrement accueilli l'ardente prière de son galant cavalier ?

— Ne répondez pas à cette indiscrète demande, Barby ! s'écria Marianne.

— Parlez au nom de Barbara, Much, dit Robin.

— Vous nous adressez à l'un et à l'autre des questions si bizarres, répondit le jeune homme, fort porté à croire que Robin avait assisté à son tête-à-tête avec Barbara, qu'il m'est impossible d'en comprendre le but.

— Par ma foi ! Much, dit William, il me semble que Robin parle au nom de la vérité, et, s'il faut en croire votre mine confuse et les couleurs éclatantes qui parent le front et les joues de ma sœur, vous êtes les amoureux de la vallée. Vive Dieu ! Barbara, si on m'appelle Will Ecarlate à cause de mes cheveux roux, on pourra bientôt t'appeler aussi Barby Ecarlate, car ton visage est tout à fait pourpre. N'est-ce pas vrai, Maude ?

— Monsieur William, dit Barbara d'un air mécontent, si tu étais à portée de ma main, je t'arracherais avec plaisir une boucle de ta vilaine chevelure.

— Tu aurais le droit d'agir ainsi si cette même chevelure se trouvait sur une autre tête que la mienne, dit William en jetant un regard à Much ; mais la tête de ton frère est hors de cette atteinte ; elle a son tyran particulier, n'est-ce pas, Maude ?

— Oui, Will ; mais je ne vous ai jamais tiré les cheveux.

— Cela viendra, ma chère petite femme.

— Jamais, dit Maude en riant.

— Ainsi, Much, vous ne voulez pas me faire connaître la réponse de la jeune fille ?

— Si vous rencontrez quelque jour cette jeune demoiselle, il faudra l'interroger vous-même, Robin.

— Je n'y manquerai pas. Et vous, Petit-Jean, avez-vous connaissance d'un aimable garçon qui adore la solitude en tête à tête avec une charmante personne ?

— Non, Robin ; mais si vous désirez connaître ces

amoureux, j'essayerai de les découvrir, répondit naïvement Petit-Jean.

– Il me vient une idée, Jean, s'écria Will en éclatant de rire. Ces amoureux dont parle Robin ne vous sont pas inconnus, et je parie tout ce que vous voudrez que le jeune homme en question peut être appelé mon cousin, et que la jeune fille est une aimable personne du voisinage.

– Votre idée est mauvaise, Will, répondit Jean ; il n'est pas question de moi.

– En effet, je fais fausse route, reprit Will en souriant, il ne peut être question de vous, mon cousin, car vous n'avez jamais été amoureux.

– Je vous demande bien pardon, Will, reprit le géant d'un ton tranquille ; j'aime de tout mon cœur et depuis longtemps une belle et charmante fille.

– Ah ! ah ! s'écria Will, Petit-Jean amoureux, en voilà du nouveau !

– Et pourquoi donc Petit-Jean ne pourrait-il être amoureux ? demanda le grand jeune homme avec bonhomie ; il n'y a rien d'extraordinaire à cela, j'imagine.

– Rien du tout, mon brave ami ; j'aime à voir tout le monde heureux et le bonheur, c'est l'amour ; mais, par saint Paul ! je serais fort content de pouvoir faire connaissance avec la dame de vos pensées.

– La dame de mes pensées ! s'exclama le jeune homme ; mais qui donc voulez-vous que ce soit, sinon votre sœur Winifred, cousin Will ? votre sœur que j'aime depuis l'enfance autant que vous aimez Maude, autant que Much aime Barbara.

Un éclat de rire général répondit à la franchise de Jean, et Winifred, entourée de félicitations, lança au jeune homme un regard plein de tendre reproche.

– Vous le voyez, Much, reprit Robin, tôt ou tard la vérité parvient à se faire connaître. J'avais touché juste en vous désignant pour les héros de la petite scène qui s'est passée dans le bois de Barnsdale.

– Vous en avez donc été témoin ? demanda Much.

– Non, je l'ai devinée, ou pour mieux dire, je me suis souvenu de mes propres impressions ; il m'est arrivé la même chose il y a un an : Marianne m'avait attiré...

– Comment, je vous avais attiré ! se récria la jeune

femme ; c'était bien vous, Robin, je vous prie de le croire, et si j'avais pu prévoir à cette époque-là de quelle manière vous me traiteriez après notre mariage...

– Qu'auriez-vous fait, Marianne ? interrompit Barbara.

– Je me serais mariée plus tôt, chère Barbara, reprit la jeune femme en souriant à Robin.

– Voilà, je l'espère, une réponse qui doit encourager la confiance dont vous avez déjà secrètement donné des preuves, espiègle Barby. Voyons, parlons à cœur ouvert, nous sommes en famille. Dites-nous que vous aimez Much, et, de son côté, Much nous fera le même aveu.

– Oui, je ferai cet aveu ! s'écria Much d'une voix émue ; oui, je dirai hautement : J'aime de toutes les forces de mon âme Barbara Gamwell. Je dirai à tous ceux qui voudront l'entendre : Les yeux de Barbara sont pour moi la lumière du jour ; sa voix douce et vibrante résonne à mon oreille comme le chant harmonieux des petits oiseaux. Je préfère l'aimable compagnie de ma chère Barbara aux plaisirs des festins, à l'enivrement du bal sous les vertes feuilles du mois de mai ; je préfère un tendre regard de ses yeux, un sourire de ses lèvres, ou une bonne pression de sa petite main à toutes les richesses du monde ; je suis entièrement dévoué à Barbara, et, plutôt que de faire une chose qui pourrait lui être désagréable, j'irais demander au shérif de Nottingham de vouloir bien m'envoyer à la potence. Oui, mes bons amis, j'aime cette chère enfant, et j'appelle sur sa blonde tête toutes les saintes bénédictions du ciel. Si elle veut bien m'accorder le bonheur de la protéger de mon nom et de mon amour, elle sera heureuse et bien tendrement aimée.

– Hourra ! cria Will en jetant son bonnet en l'air, voilà qui est bien dit. Petite sœur, essuyez vos beaux yeux, et venez, je vous en donne la permission, présenter vos joues roses, écarlates, à ce brave amoureux. Si au lieu d'être un vaillant garçon j'étais une faible fille, et que mon oreille eût entendu de si douces choses, je serais déjà la main ouverte et le cœur sur la main dans les bras de mon fiancé. N'agirais-tu pas ainsi, Maude ? Certainement, n'est-ce pas ?

– Mais non, Will, la modestie...

– Nous sommes en famille, il n'y a donc point à rougir d'une action aussi naturelle. Je suis bien assuré, Maude, que tu es de mon avis. Si j'étais Much, et que tu fusses Barby, tu serais déjà dans mes bras et tu m'embrasserais de tout ton cœur.

– Je me range du parti de William, dit Robin en souriant avec une certaine malice. Il faut que Barbara nous donne la preuve de son affection pour Much.

La jeune fille ainsi interpellée s'avança au centre du joyeux groupe, et dit d'un air timide :

– Je crois sincèrement à la tendresse que Much me témoigne : je lui en suis très reconnaissante, et je dois avouer à mon tour que... que...

– Que tu l'aimes autant qu'il t'aime, ajouta vivement Will. Tu as la parole bien difficile aujourd'hui, petite sœur ; je t'assure qu'il m'a fallu beaucoup moins de temps à moi pour faire comprendre à Maude que je l'aimais de toutes mes forces ; n'est-ce pas, Maude ?

– C'est vrai, Will, répondit la jeune femme.

– Much, continua William d'un air plus sérieux, je vous donne pour femme la gentille Barbara ; elle possède toutes les qualités du cœur, et vous serez un heureux mari. Barby, mon amour, Much est un honnête homme, un brave Saxon, fidèle comme l'acier ; il ne trompera pas tes tendres espérances, il t'aimera toujours.

– Toujours ! toujours ! cria Much en prenant les deux mains de sa fiancée.

– Embrassez votre future femme, ami Much, dit Will.

Le jeune homme obéit, et, malgré le semblant de résistance opposé par miss Gamwell, il effleura ses joues couvertes de rougeur.

Le baronnet donna son consentement au mariage de ses filles, et l'époque de la célébration de cette double union fut aussitôt fixée.

Le lendemain matin, Robin Hood, Petit-Jean et Will Ecarlate se trouvaient entourés d'une centaine de leurs joyeux hommes sous les grands arbres de la forêt de Barnsdale, lorsqu'un jeune garçon qui paraissait avoir fait une longue route se présenta devant Robin.

– Mon noble maître, dit-il, je vous apporte une bonne nouvelle.

– Très bien, George, répondit le jeune homme ; apprends-nous promptement ce dont il s'agit.

– Il s'agit d'une visite de l'évêque d'Hereford. Sa Seigneurie, accompagnée d'une vingtaine de serviteurs, doit traverser aujourd'hui même la forêt de Barnsdale.

– Bravo ! et voilà en vérité une bonne nouvelle. Sais-tu à quelle heure monseigneur doit nous accorder l'honneur de sa présence ?

– Vers deux heures, capitaine.

– C'est parfait ; et comment as-tu été informé du passage de Sa Seigneurie ?

– Par un de nos hommes qui, en passant à Sheffield, a appris que l'évêque d'Hereford se disposait à rendre une visite à l'abbaye de Sainte-Marie.

– Tu es un brave garçon, George, et je te remercie d'avoir eu la bonne pensée de me mettre sur mes gardes. Mes enfants, ajouta Robin, attention au commandement, nous allons rire. Will Ecarlate, prends avec toi une vingtaine d'hommes et va garder le chemin qui se trouve dans les environs du château de ton père. Toi, Petit-Jean, va garder avec le même nombre de compagnons le sentier qui descend vers le nord de la forêt. Much, allez vous poster à l'est du bois avec le reste de la troupe. Je vais m'établir sur le grand chemin. Il ne faut pas laisser à monseigneur la faculté de fuir, je désire l'inviter à prendre place à un royal festin ; il sera traité grandement, mais il payera en conséquence. Quant à toi, George, tu vas choisir un daim de belle venue, un chevreuil bien gras, et tu prépareras les deux pièces à recevoir les honneurs de ma table.

Les trois lieutenants partis avec leur petite troupe, Robin ordonna à ses hommes de revêtir un costume de berger (les forestiers possédaient dans leurs magasins toutes sortes de déguisements), et lui-même endossa une modeste blouse. Cette transformation opérée, on planta des bâtons dans la terre, et on y suspendit le daim et le chevreuil. Un bon feu alimenté par des branches sèches commença bientôt à mordre de son ardente chaleur sur les chairs savoureuses de la venaison.

Vers deux heures, ainsi que George l'avait annoncé,

l'évêque d'Hereford et sa suite parurent au bas de la route, au milieu de laquelle se tenaient Robin et ses hommes déguisés en bergers.

– Notre butin approche, dit Robin en riant ; allons, mes joyeux amis, arrosez le rôti, voici notre convive.

L'évêque, accompagné de sa suite, marchait rapidement, et bientôt la noble compagnie se trouva auprès des bergers.

A la vue de la gigantesque broche qui tournait lentement autour du brasier, le prélat laissa échapper une violente exclamation de colère.

– Qu'est-ce à dire ? coquins, que signifie ?...

Robin Hood leva les yeux sur l'évêque, le regarda d'un air stupide et ne répondit pas.

– M'entendez-vous, coquins ? répéta l'évêque ; je vous demande à qui vous destinez ce magnifique festin ?

– A qui ? répéta Robin avec une expression de niaiserie admirablement rendue.

– Oui, à qui ? Les cerfs de cette forêt appartiennent au roi, et je vous trouve bien impudents d'avoir osé y porter la main. Répondez à ma question : pour qui ce repas est-il apprêté ?

– Pour nous, monseigneur, répondit Robin en riant.

– Pour vous, imbéciles ! pour vous ? quelle plaisanterie ! Assurément vous ne pouvez espérer de me faire accroire que cette profusion de viande va servir à votre repas.

– Monseigneur, je dis vrai ; nous avons faim, et, dès que le rôti sera cuit à point, nous nous mettrons à table.

– A quelle propriété appartenez-vous ? Qui êtesvous ?

– Nous sommes de simples bergers, nous gardons les troupeaux. Aujourd'hui nous avons voulu nous reposer de nos fatigues et nous amuser un peu. Dans ce désir, nous avons tué les deux beaux chevreuils que voici.

– Vraiment, vous avez voulu vous amuser ! Cette réponse est naïve. Et dites-moi, qui vous a donné la permission d'abattre le gibier du roi ?

– Personne.

– Personne, misérable ! et vous pensez pouvoir man-

ger tranquillement ce produit d'un vol aussi audacieux ?

– Assurément, monseigneur ; mais s'il peut vous être
agréable d'en prendre une part, nous serons flattés de
l'honneur.

– Votre offre est une insulte, impertinent berger ; je
la repousse avec indignation. Ignorez-vous que le braconnage est puni de la peine de mort ? Allons, assez de
paroles inutiles ! préparez-vous à me suivre en prison,
et de là on vous conduira au gibet.

– Au gibet ! s'écria Robin d'un air désespéré.

– Oui, mon garçon, au gibet !

– Je n'ai pas envie d'être pendu, gémit Robin Hood
avec un accent lamentable.

– Je suis convaincu de cela ; mais peu importe, tes
compagnons et toi méritez la corde. Allons, idiots,
préparez-vous à me suivre, je n'ai pas de temps à perdre.

– Pardon, monseigneur, mille fois pardon. Nous
avons péché par ignorance, soyez indulgents pour de
pauvres malheureux, plus dignes de pitié que de blâme.

– De pauvres malheureux qui mangent d'aussi bons
rôtis ne sont point à plaindre. Ah ! mes gaillards, vous
vous nourrissez de la venaison du roi ; c'est bien, c'est
fort bien ! Nous irons de compagnie en présence de Sa
Majesté, et nous verrons si elle vous accordera le pardon que je vous refuse.

– Monseigneur, reprit Robin d'une voix suppliante,
nous avons des femmes, des enfants, soyez miséricor-
dieux, je vous implore au nom de la faiblesse des unes,
de l'innocence des autres ; que deviendront sans notre
appui ces pauvres créatures ?

– Vos femmes et vos enfants ne m'intéressent point,
repartit cruellement l'évêque. Saisissez ces misérables,
ajouta-t-il en se tournant vers les hommes de sa suite,
et, s'ils tentent de fuir, tuez-les sans miséricorde.

– Monseigneur, dit Robin Hood, permettez-moi de
vous donner un bon conseil : rétractez ces injustes paroles ; elles respirent la violence et manquent de charité
chrétienne. Croyez-moi, il serait plus sage à vous
d'accepter l'offre que je vous ai faite, le partage de notre
dîner.

– Je vous défends de m'adresser un seul mot ! cria furieusement l'évêque. Soldats, emparez-vous de ces bandits !

– N'approchez pas ! cria Robin d'une voix de tonnerre, ou, par Notre-Dame ! vous vous en repentirez !

– Chargez hardiment ces vils esclaves, répéta l'évêque, et ne les épargnez pas.

Les serviteurs du prélat se précipitèrent sur le groupe des joyeux hommes, et la mêlée allait devenir sanglante lorsque Robin sonna du cor, et instantanément apparurent les différentes parties de la troupe, qui, averties de la présence de l'évêque, s'étaient doucement rapprochées.

La première action des nouveaux venus fut de désarmer la suite de l'évêque.

– Monseigneur, dit Robin au prélat, muet de terreur en reconnaissant en quelles mains il était tombé, vous vous êtes montré impitoyable, nous serons également sans pitié. Qu'allons-nous faire de celui qui voulait nous conduire à la potence ? demanda le jeune chef à ses compagnons.

– L'habit qu'il porte adoucit la sévérité de mon jugement, répondit Jean d'un air tranquille ; il ne faut point le faire souffrir.

– Votre conduite est celle d'un honnête homme, brave forestier.

– Vous croyez, monseigneur ? reprit Jean toujours impassible ; eh bien ! je vais achever de vous transmettre mes pacifiques intentions : au lieu de vous torturer le corps et l'âme et de vous faire mourir à petit feu, nous allons tout simplement vous trancher la tête.

– Me trancher la tête, tout simplement ! murmura l'évêque d'une voix mourante.

– Oui, reprit Robin, préparez-vous à la mort, monseigneur.

– Robin Hood, ayez pitié de moi, je vous en conjure ! supplia l'évêque en joignant les mains ; accordez-moi quelques heures, je ne veux pas mourir sans confession.

– Votre arrogance première a fait place à une bien grande humilité, monseigneur, répondit froidement Robin ; mais cette humilité ne me touche pas, vous vous êtes condamné vous-même ; préparez donc votre âme à paraître devant Dieu. Petit-Jean, ajouta Robin, en faisant à son ami un signe d'intelligence, veille à ce que rien ne manque à la solennité de la cérémonie. Monseigneur, veuillez me suivre, je vais vous conduire au tribunal de la justice.

A demi paralysé par l'épouvante, l'évêque se traîna en chancelant à la suite de Robin Hood.

Lorsqu'ils furent arrivés à l'arbre du Rendez-Vous, Robin fit asseoir son prisonnier sur un tertre de gazon, et ordonna à un de ses hommes d'apporter de l'eau.

— Vous plairait-il, monseigneur, demanda poliment le jeune chef, de vous rafraîchir les mains et la figure ? Quoique très surpris de recevoir une pareille proposition, l'évêque répondit avec condescendance. Les ablutions terminées, Robin ajouta : — Me ferez-vous la grâce de partager mon repas ? Je vais dîner, car je ne saurais rendre un jugement à jeun.

— Je dînerai, si vous l'exigez, répondit l'évêque d'un ton résigné.

— Je n'exige pas, monseigneur, je prie.

— Alors, je me rends à votre prière, sir Robin.

— Eh bien, à table, monseigneur.

En achevant ces mots, Robin conduisit son hôte à la salle du festin, c'est-à-dire vers une pelouse tout en fleurs, où le couvert se trouvait déjà confortablement mis.

La table surchargée de mets présentait aux regards un spectacle fort réjouissant, et son aspect parut ramener le prélat vers des idées moins lugubres. A jeun depuis la veille, l'évêque se sentait en appétit, et l'excitante odeur de la venaison lui monta au cerveau.

— Voilà, dit-il en s'asseyant, des viandes admirablement cuites.

— Et d'un goût exquis, ajouta Robin en servant à son convive un morceau de choix.

Vers le milieu du repas, l'évêque oublia ses craintes ; au dessert, il ne vit plus en Robin qu'un aimable compagnon.

— Mon excellent ami, dit-il, votre vin est délicieux, il me réchauffe le cœur ; tout à l'heure j'avais froid, j'étais malade, chagrin, inquiet, maintenant je me sens tout gaillard.

109

– Je suis très heureux de vous entendre parler ainsi, monseigneur, car vous faites l'éloge de mon hospitalité. Généralement mes convives sont très enchantés de la bonne grâce qui les accueille ici. Cependant il vient un quart d'heure désagréable pour eux, celui qui amène le règlement de la dépense ; ils aiment fort à recevoir, mais il leur paraît très désagréable de donner.

– C'est vrai, c'est bien vrai, répondit le prélat sans savoir le moins du monde ce qu'il voulait dire par cette approbation. Oui, en vérité, le fait existe. Versez-moi à boire, s'il vous plaît ; il me semble que j'ai du feu dans les veines. Ah ! ah ! savez-vous, mon hôte, que vous menez ici une heureuse existence ?

– Aussi nous appelle-t-on les joyeux hommes de la forêt.

– C'est juste, c'est juste. Maintenant, monsieur, je ne connais pas votre nom... permettez-moi de vous dire adieu ; il faut que je continue ma route.

– Rien de plus juste, monseigneur. Payez, je vous prie, la note de votre dépense, et préparez-vous à boire le coup de l'étrier.

– Payer ma dépense ! grommela l'évêque ; suis-je donc ici dans une auberge ? Je me croyais dans la forêt de Barnsdale.

– Monseigneur, vous êtes dans une auberge ; c'est moi qui suis le maître de la maison, et les hommes qui nous entourent sont mes serviteurs.

– Comment, tous ces hommes sont vos serviteurs ! mais il y en a pour le moins cent cinquante à deux cents.

– Oui, monseigneur, sans compter les absents. Vous devez donc comprendre qu'avec un semblable entourage de valets je doive faire payer mes hôtes le plus qu'il m'est possible.

L'évêque poussa un soupir.

– Donnez-moi ma note, dit-il, et traitez-moi en ami.

– En grand seigneur, mon hôte, en grand seigneur, répondit gaiement Robin. Petit-Jean ! appela le jeune homme. Celui-ci accourut. – Faites le compte de monseigneur l'évêque d'Hereford.

Le prélat regarda Jean et se mit à rire.

– Eh bien ! dit-il, petit, petit, on vous appelle petit et

vous pourriez être le fils d'un arbre, allons, donnez-moi votre note, gentil caissier.

– Inutile, monseigneur, il suffit de me faire connaître où vous mettez votre argent, je me payerai moi-même.

– Insolent ! dit l'évêque ; je te défends de fourrer tes longs doigts dans ma bourse.

– Je voulais vous épargner la peine de compter, monseigneur.

– La peine de compter ! pensez-vous que je sois ivre ? Allez chercher ma valise et apportez-la-moi, je vous donnerai une pièce d'or.

Petit-Jean se garda bien d'obéir au dernier ordre du prélat ; il ouvrit le portemanteau et trouva un petit sac de cuir. Jean vida le sac ; il contenait trois cents pièces d'or.

– Mon cher Robin, s'écria Jean tout joyeux, le noble évêque mérite des égards ; il nous a enrichis de trois cents pièces d'or.

Le seigneur d'Hereford, l'œil demi-clos, écoutait sans y rien comprendre les triomphantes exclamations de Jean, et lorsque Robin lui dit : – Monseigneur, nous vous remercions de votre générosité, il ferma les yeux et marmotta de confuses paroles au milieu desquelles Robin parvint à saisir ces quelques mots :

– L'abbaye Sainte-Marie, à l'instant...

– Il veut partir, dit Jean.

– Fais venir son cheval, ajouta Robin.

Sur un signe de Jean, un des joyeux hommes amena le cheval harnaché et la tête couronnée de fleurs.

On hissa l'évêque à moitié endormi sur la selle du cheval ; on l'y attacha afin de prévenir une chute qui aurait pu devenir funeste, et, suivi de sa petite troupe joyeusement animée par le vin et la bonne chère, l'évêque prit le chemin de Sainte-Marie.

Une partie des joyeux hommes, fraternellement confondue avec l'escorte du prélat, conduisit toute la troupe jusqu'aux portes de l'abbaye.

Il va sans dire que, après avoir mis en mouvement une cloche d'appel, les forestiers s'éloignèrent de toute la vitesse de leurs chevaux.

Nous n'essayerons pas de dépeindre la stupéfaction et l'épouvante des saints frères lorsque l'évêque d'Hereford parut devant eux le visage enluminé, la démarche chancelante et les vêtements en désordre.

Le lendemain de ce funeste jour, le prélat faillit devenir fou de honte, de rage et d'humiliation ; il passa de longues heures en prière, demandant à Dieu de lui pardonner ses fautes, et implorant la protection divine contre le misérable Robin Hood.

A la requête du prélat outragé, le prieur de Sainte-Marie fit armer une cinquantaine d'hommes et les mit à la disposition de son hôte, Alors, le cœur bouillonnant de colère, l'évêque entraîna cette petite armée à la poursuite du célèbre outlaw.

Ce jour-là, Robin Hood, qui désirait se rendre compte par lui-même de la situation de sir Richard de la Plaine, suivait solitairement un sentier dont les dernières limites allaient aboutir au grand chemin. Le bruit d'une nombreuse cavalcade attira l'attention de Robin ; il hâta le pas dans la direction suivie par les nouveaux venus, et se trouva face à face avec l'évêque d'Hereford.

– Robin Hood ! s'écria l'évêque en reconnaissant notre héros, c'est Robin Hood ! Traître, rendez-vous !

Comme on doit bien le penser, Robin Hood n'avait nullement le désir de répondre à cette intimation. Cerné de toute part, hors d'état de se défendre et même d'appeler les joyeux hommes à son aide, il se glissa audacieusement entre deux cavaliers qui faisaient mine de vouloir lui barrer le chemin, et il s'élança avec une vélocité de cerf vers une petite maison située à un quart de mille de l'endroit où se trouvaient les soldats de l'évêque.

Ceux-ci se mirent à la poursuite du jeune homme ; mais, obligés de faire un détour, ils ne purent atteindre aussi rapidement que lui la maison où il allait sans doute demander asile.

Robin Hood avait trouvé ouverte la porte de cette maison ; il y était entré et en avait barricadé les fenêtres, sans prendre garde aux clameurs d'une vieille femme assise devant un rouet.

– Ne craignez rien, ma bonne mère, dit Robin lorsqu'il eut achevé la clôture des portes et celle des fenêtres ; je ne suis point un voleur, mais un pauvre malheureux à qui vous pouvez rendre service.

– Quel service ? comment vous nommez-vous ? demanda la vieille femme d'un ton fort peu rassuré.

– Je suis un proscrit, ma bonne mère ; je suis Robin Hood ; l'évêque d'Hereford est à ma poursuite et en veut à ma vie.

– Eh ! quoi ! vous êtes Robin Hood ! dit la paysanne en joignant les mains, le noble et généreux Robin Hood ! Dieu soit loué d'avoir permis à une pauvre créature comme moi de payer sa dette de reconnaissance au charitable proscrit. Regardez-moi, mon enfant, et cherchez dans le souvenir de vos œuvres bienfaisantes les traits de celle qui vous parle aujourd'hui. Il y a de cela deux ans : vous êtes entré ici par hasard, dirait une femme ingrate, et moi je dis amené par la divine Providence. Vous m'avez trouvée seule, pauvre et malade ; je venais de perdre mon mari, je n'avais plus qu'à mourir. Vos douces et consolantes paroles me rendirent le courage, les forces, la santé. Le lendemain, un homme envoyé par vos ordres m'apporta des vivres, des vêtements, de l'argent. Je lui demandai le nom de mon généreux bienfaiteur, et il me répondit : « Il s'appelle Robin Hood. » Depuis ce jour-là, mon enfant, votre nom s'est trouvé dans toutes mes prières. Ma maison est à vous, ma vie est votre bien ; disposez de votre servante.

– Merci, ma bonne mère, répondit Robin Hood en serrant avec amitié les mains tremblantes de la paysanne. Je demande votre assistance, non par crainte du danger, mais pour éviter une inutile effusion de sang. L'évêque est accompagné d'une cinquantaine d'hommes, et, comme vous le voyez, la lutte entre nous est impossible, je suis seul.

– Si vos ennemis découvrent le lieu de votre retraite, ils vous assassineront, dit la vieille femme.

– Soyez sans inquiétude, ma bonne mère, ils ne pourront en venir à cette extrémité. Nous allons inventer un moyen de nous soustraire à leur violence.

– Quel moyen, mon enfant ? Parlez, je suis prête à vous obéir.

– Voulez-vous échanger vos vêtements contre les miens ?

– Echanger nos vêtements ! s'écria la vieille paysanne ; je crains, mon fils, que cette ruse ne soit inutile ;

comment voulez-vous pouvoir transformer une femme de mon âge en galant cavalier ?

– Je vous déguiserai si bien, ma bonne mère, répondit Robin, qu'il nous sera possible de tromper des soldats auxquels mon visage est probablement inconnu. Vous feindrez l'ivresse, et monseigneur d'Hereford sera si empressé de se saisir de ma personne qu'il ne verra que le costume.

La transformation fut vite opérée. Robin endossa la robe grise et la coiffe de la vieille dame, puis il l'aida à revêtir ses chausses, sa tunique et ses brodequins. Cela fait, Robin cacha soigneusement les cheveux gris de la paysanne sous son élégante toque, et il lui attacha ses armes à la ceinture.

Le double déguisement était achevé lorsque les soldats arrivèrent devant la porte de la petite maison.

Ils frappèrent d'abord à coups redoublés, puis un soldat proposa à l'évêque d'enfoncer la porte avec les pieds de derrière de son cheval.

Le prélat accueillit favorablement la proposition. Le cavalier tourna aussitôt son cheval et le lança contre la porte en le piquant de sa lance. Cette piqûre produisit un effet contraire à celui qu'en attendait le soldat ; car l'animal, se cabrant avec force, désarçonna son cavalier.

L'évolution du pauvre soldat (il avait traversé l'espace avec la rapidité d'une flèche) eut un résultat désastreux. L'évêque, qui s'était approché afin de voir tomber la porte et fermer le passage à Robin Hood, si celui-ci tentait de fuir, fut violemment frappé au visage par les éperons du soldat.

La douleur occasionnée par ce coup exaspéra tellement le vieillard que, sans réfléchir à l'injuste cruauté de sa fureur, il leva l'espèce de massue qu'il portait à la main comme un signe de son rang, et acheva d'assommer le malheureux, étendu demi-mort aux pieds du cheval en révolte.

Au beau milieu de la vaillante occupation à laquelle se livrait monseigneur d'Hereford, la porte de la maisonnette s'ouvrit.

– Serrez vos rangs ! cria l'évêque d'une voix impérative, serrez vos rangs !

Les soldats se pressèrent en tumulte autour de la maison.

L'évêque descendit de cheval ; mais, en mettant pied à terre, il trébucha sur le corps du soldat ensanglanté, et alla tomber la tête la première dans l'ouverture béante de la porte.

La confusion produite par ce grotesque accident servit à merveille les projets de Robin Hood. Etourdi et tout essoufflé, l'évêque regarda sans l'examiner un personnage qui se tenait immobile dans le coin le plus obscur de la chambre.

– Saisissez ce coquin ! cria monseigneur en désignant la vieille femme à ses soldats ; mettez-lui un bâillon, liez-le sur un cheval, votre vie me répond de sa capture ; car, si vous le laissiez échapper, vous seriez tous pendus sans miséricorde.

Les soldats se précipitèrent sur la personne indiquée par les clameurs furieuses de leur chef, et, à défaut de bâillon, ils enveloppèrent le visage de la vieille femme d'un large mouchoir qui leur était tombé sous la main.

Audacieux jusqu'à l'imprudence, Robin Hood implora d'une voix tremblante la grâce du prisonnier ; mais l'évêque le repoussa et sortit de la maisonnette après avoir eu l'extrême satisfaction de voir son ennemi pieds et poings liés sur le dos d'un cheval.

Malade et presque éborgné par la blessure qui avait balafré son visage, monseigneur se remit en selle et ordonna à ses gens de le suivre à l'arbre du Rendez-Vous des outlaws. C'était à la plus haute branche de cet arbre que l'évêque se proposait de faire pendre Robin. Il tenait fort, le digne prélat, à donner aux proscrits un épouvantable avertissement de leur sort futur s'ils continuaient à suivre le mode d'existence de leur misérable chef.

Aussitôt que la cavalcade se fut enfoncée dans les profondeurs du bois, Robin Hood sortit de la maisonnette et se dirigea en courant vers l'arbre du Rendez-Vous.

Il venait d'entrer dans une clairière lorsqu'il aperçut, mais à une distance encore considérable, Petit-Jean, Will Ecarlate et Much.

– Regardez donc là-bas, au milieu de la clairière,

disait Jean à ses deux amis, l'étrange personne qui nous arrive ; on dirait une vieille sorcière. Par Notre-Dame ! si je pouvais croire à cette mégère des intentions hostiles, je lui enverrais une bonne flèche.

— Ta flèche ne saurait l'atteindre, répondit Will en riant.

— Et pourquoi donc, je te prie ? Mets-tu mon adresse en doute ?

— Pas le moins du monde ; mais si, comme tu le supposes, cette femme est sorcière, elle arrêtera le vol de tes flèches.

— Ma foi ! dit Much qui n'avait pas détourné son attention de la bizarre voyageuse, je me range à l'avis de Petit-Jean : cette dame me paraît fort extraordinaire : sa taille est gigantesque, puis elle ne marche pas comme une personne de son sexe, elle enjambe le terrain par des bonds prodigieux ; elle m'effraye, et, si vous le permettez, Will, nous allons mettre à l'épreuve la puissance de sorcellerie dont elle nous semble si richement dotée.

— N'agissez pas à la légère, Much, répondit Will ; cette pauvre créature porte des vêtements dignes de tout notre respect ; puis, quant à moi, vous le savez, je suis incapable de faire du mal à une femme. Qui sait encore si ce monstre femelle est une sorcière ? Il ne faut pas se fier aux apparences ; car il arrive souvent qu'une vilaine écorce sert d'enveloppe à un excellent fruit. En dépit du ridicule de son extérieur, la pauvre vieille dame est peut-être une bonne personne, une honnête chrétienne. Ménagez-la, et, afin de vous rendre l'indulgence plus douce, songez aux ordres de Robin : ces ordres nous interdisent toute démonstration hostile ou seulement irrespectueuse à l'égard des femmes.

Petit-Jean fit mine de bander son arc et d'en pointer la direction de la flèche sur la prétendue sorcière.

— Arrêtez ! cria une voix grave et sonore. (Les trois jeunes gens jetèrent un cri de surprise.) Je suis Robin Hood, ajouta le personnage qui avait si vivement occupé l'attention des forestiers, et, en disant son nom, Robin arracha la coiffe qui couvrait sa tête et une grande partie de ses traits. J'étais donc tout à fait méconnaissable ? demanda notre héros lorsqu'il eut rejoint ses compagnons.

– Vous étiez fort laid, mon cher ami, répondit Will.

– Pour quelle raison avez-vous pris un déguisement aussi disgracieux ? demanda Much.

Robin raconta en peu de mots à ses amis la mésaventure qui lui était arrivée.

– Maintenant, ajouta Robin après avoir achevé son récit, songeons à nous défendre. Il faut avant toute chose me procurer des vêtements. Vous allez, mon cher Much, me rendre le service de courir en toute hâte au magasin et de m'en rapporter un costume convenable. Pendant ce temps-là, Will et Jean réuniront autour de l'arbre du Rendez-Vous tous les hommes qui se trouvent dans la forêt. Dépêchez-vous, mes garçons ; je vous promets un dédommagement à tous les ennuis que nous cause monseigneur d'Hereford.

Petit-Jean et Will s'élancèrent dans la forêt par deux directions différentes, et Much alla chercher les vêtements demandés par Robin.

Une heure après, revêtu d'un élégant costume d'archer, Robin se trouvait à l'arbre du Rendez-Vous.

Jean amena soixante hommes, et Will en réunit une quarantaine.

Robin dissémina sa troupe dans les fourrés qui formaient à la clairière une impénétrable ceinture, et alla s'asseoir au pied du grand arbre désigné par monseigneur pour lui servir de potence.

A peine ces dispositions étaient-elles prises que l'approche de la cavalcade fit retentir le sol ; l'évêque parut accompagné de toute sa suite.

Lorsque les soldats eurent pénétré au centre de la clairière, le son d'un cor résonna dans l'air, le feuillage des jeunes arbres s'agita, et de tous les côtés de cette haie de verdure sortirent des hommes armés jusqu'aux dents.

A la vue de la formidable apparition des forestiers, qui, sur un signe de leur chef, encore invisible à l'évêque, se rangeaient en bataille, un frisson glacial parcourut les membres du prélat ; il jeta autour de lui un regard épouvanté, et aperçut un jeune homme revêtu d'une tunique écarlate, qui, les paroles du commandement aux lèvres, dirigeait la troupe des outlaws.

– Quel est cet homme ? demanda l'évêque en désignant Robin à un soldat proche voisin du prisonnier lié sur le cheval.

– Cet homme est Robin Hood, répondit le prisonnier d'une voix tremblante.

– Robin Hood ! exclama l'évêque ; et qui donc es-tu, misérable ?

– Je suis une femme, monseigneur, une pauvre vieille femme.

– Malheur sur toi, affreuse sorcière ! cria l'évêque exaspéré ; malheur sur toi ! Allons, mes enfants, ajouta monseigneur en faisant un geste d'appel à sa troupe, lancez-vous dans la clairière, ne craignez rien ; tracez un chemin avec la pointe de votre épée à travers les rangs de ces misérables ; en avant, les braves cœurs ! en avant !

Les braves cœurs trouvèrent sans doute que, si l'ordre d'attaquer les proscrits était facile à donner, il était plus difficile à mettre en action, car ils restèrent immobiles.

Sur un signal de Robin, les forestiers ajustèrent leurs flèches et levèrent leurs arcs avec un ensemble admirable, et leur réputation d'adresse était si connue et si redoutée, que les soldats de l'évêque, non contents de rester inactifs, se courbèrent entièrement sur leur selle.

– Bas les armes ! dit Robin Hood. Détachez le prisonnier. (Les soldats obéirent aux ordres du jeune homme.) Ma bonne mère, dit Robin en attirant la vieille femme en dehors de la clairière, regagne ta demeure, je t'enverrai demain la récompense de ta bonne action. Va vite, je n'ai pas le temps de te remercier aujourd'hui ; mais n'oublie pas que ma reconnaissance est grande.

La bonne vieille baisa les mains de Robin Hood et s'éloigna accompagnée d'un guide.

– Ayez pitié de moi, Seigneur ! ayez pitié de moi ! criait l'évêque en se tordant les mains.

Robin Hood s'approcha de son ennemi.

– Soyez le bienvenu, monseigneur, dit-il d'une voix caressante, et permettez-moi de vous remercier de votre

118

visite. Mon hospitalité, je le vois, a des charmes si grands que vous n'avez pu résister au désir d'en partager encore le joyeux entrain. (L'évêque jeta sur Robin un regard désespéré, et laissa échapper de ses lèvres un profond soupir.) Vous me paraissez triste, monseigneur ? reprit Robin ; quel chagrin avez-vous ? n'êtes-vous pas heureux de me revoir ?

— Je ne puis dire que j'en sois content, répondit l'évêque ; car la position dans laquelle je me trouve rend ce sentiment impossible. Vous devinez sans peine avec quelle intention j'étais venu ici, et naturellement vous vous vengerez de moi en toute liberté de conscience, puisque vous frapperez un antagoniste. Cependant, je crois devoir vous dire ceci : Laissez-moi partir, et jamais, dans aucune circonstance, je ne chercherai à vous faire de mal ; laissez-moi partir avec mes hommes, et votre âme n'aura point à répondre devant Dieu d'un péché mortel ; car ce serait un péché mortel que d'attenter à l'existence d'un grand prêtre de la sainte Église.

— Je hais le meurtre et la violence, monseigneur, répondit Robin Hood, et mes actions en donnent journellement la preuve. Je n'attaque jamais ; je me contente de défendre ma vie et celle des braves gens qui se sont confiés à moi. Si j'avais dans le cœur le moindre sentiment de haine ou de rancune contre vous, monseigneur, je vous infligerais le supplice que vous aviez l'intention de me faire subir. Il n'en est pas ainsi, je n'ai point de haine pour vous, et je ne me venge jamais du mal qu'on n'a pas réussi à me faire. Je vais donc vous rendre votre liberté, mais à une condition.

— Parlez, messire, dit poliment l'évêque.

— Vous allez me promettre de respecter mon indépendance, la liberté de mes hommes ; vous allez me jurer qu'à aucune époque de l'avenir et dans aucune circonstance vous ne prêterez les mains à un attentat contre ma vie.

— Je vous ai promis de mon propre gré de ne vous faire aucun mal, répondit doucement l'évêque.

— Une promesse n'engage à rien une conscience peu timorée, monseigneur ; je désire un serment.

– Je jure par saint Paul de vous laisser vivre à votre guise.

– Très bien, monseigneur ; maintenant vous êtes libre.

– Je vous remercie mille fois, Robin Hood. Veuillez donner l'ordre qu'on réunisse mes hommes ; ils se sont dispersés et fraternisent déjà avec vos compagnons.

– Je vous obéis, monseigneur ; dans quelques minutes les soldats seront en selle. Voulez-vous accepter, en attendant l'heure du départ, un léger rafraîchissement ?

– Rien, je ne veux rien, se hâta de répondre l'évêque, épouvanté à l'audition seule de cette dangereuse proposition.

– Vous êtes à jeun depuis longtemps, monseigneur, et une tranche de pâté...

– Pas un morceau, mon cher hôte, pas même un morceau.

– Alors une coupe de bon vin ?

– Non, non, cent fois non !

– Vous ne voulez donc ni boire ni manger avec moi, monseigneur ?

– Je n'ai ni faim ni soif ; je désire m'éloigner, voilà tout. Ne cherchez pas à me retenir plus longtemps, je vous en supplie.

– Que votre volonté soit faite, monseigneur. Petit-Jean, ajouta Robin, Sa Seigneurie demande à nous quitter.

– Sa Seigneurie en est parfaitement la maîtresse, répondit Jean d'un ton goguenard, et je vais lui donner sa note.

– Ma note ! répéta l'évêque d'un ton surpris ; que voulez-vous dire ? Je n'ai ni bu ni mangé.

– Oh ! cela ne fait rien, répondit Jean d'un air tranquille ; du moment où vous êtes dans l'hôtellerie, vous en partagez la dépense. Vos hommes ont faim, ils demandent des vivres ; vos chevaux sont déjà rassasiés ; il ne faut pas non plus que, victimes de votre sobriété, nous soyons condamnés à ne rien recevoir, parce qu'il vous plaît de ne rien accepter. Nous demandons largesses pour les serviteurs qui se fatiguent à héberger bêtes et gens.

– Prenez ce que vous voudrez, répondit impatiemment l'évêque, et laissez-moi partir.

– Le sac est-il toujours dans le même endroit ? demanda Petit-Jean.

– Le voici, répondit l'évêque en désignant un petit sac de cuir attaché à l'arçon de la selle de son cheval.

– Il me semble plus lourd qu'il ne l'était à votre dernière visite, monseigneur.

– Je le crois bien, répondit l'évêque en faisant des efforts désespérés pour paraître calme, il contient une somme beaucoup plus forte.

– Vous m'en voyez ravi, monseigneur, et peut-on vous demander combien il y a dans cette gentille sacoche ?

– Cinq cents pièces d'or...

– C'est admirable ! Quelle générosité de venir ici avec un pareil trésor ! répondit ironiquement le jeune homme.

– Ce trésor, balbutia l'évêque, ce trésor, nous allons le partager, n'est-ce pas ? Vous n'oseriez me dépouiller entièrement, me voler une somme aussi considérable.

– Vous voler ! répéta Petit-Jean d'un ton de dédain ; quel mot venez-vous de dire ? Vous ne comprenez donc pas la différence qui existe entre voler ou prendre à un homme ce qui ne lui appartient pas ? Vous avez conquis cet argent à l'aide de faux prétextes, vous l'avez pris à ceux qui en ont besoin, et je désire le leur rendre. Vous voyez bien, monseigneur, que je ne vous vole pas.

– Nous appelons notre manière d'agir de la philosophie forestière, dit Robin Hood en riant.

– La légalité de cette philosophie est douteuse, repartit l'évêque ; mais, ne pouvant me défendre, je suis obligé de subir tout ce qu'il vous plaît d'exiger ; prenez donc ma bourse.

– J'ai encore une demande à vous adresser, monseigneur, reprit Jean.

– Laquelle ? interrogea anxieusement l'évêque.

– Notre directeur spirituel, répondit Jean, n'est pas à Barnsdale dans ce moment-ci, et, comme il y a longtemps que nous n'avons profité de sa pieuse assistance, nous venons vous supplier, monseigneur, de vouloir nous dire une messe.

– Quelle profane demande osez-vous m'adresser ? s'écria l'évêque ; je préférerais la mort à l'accomplissement d'une pareille impiété.

– Il est cependant de votre devoir, monseigneur, dit Robin, de nous aider en tout temps à adorer Dieu ; Petit-Jean a raison, depuis plusieurs semaines nous n'avons eu le bonheur d'assister au saint sacrifice de la messe, et nous ne pouvons laisser perdre l'heureuse occasion qui se présente aujourd'hui ; veuillez donc vous préparer, je vous prie, à satisfaire à notre juste demande.

– Ce serait un péché mortel, un crime, et je m'attendrais à être frappé de la main de Dieu si je consentais à commettre cet indigne sacrilège ! répondit l'évêque pourpre de colère.

– Monseigneur, reprit gravement Robin, nous révérons avec l'humilité la plus chrétienne les divins symboles de la religion catholique, et, croyez-moi, vous ne trouverez jamais, même dans l'enceinte de votre vaste cathédrale, des auditeurs plus attentifs ni plus recueillis que le seront les outlaws de la forêt de Sherwood.

– Puis-je ajouter foi à vos paroles ? interrogea l'évêque d'un ton rempli de doute.

– Oui, monseigneur, et vous allez bientôt en reconnaître l'exacte vérité.

– Allons, je veux bien vous croire ; conduisez-moi à la chapelle.

– Venez, monseigneur.

Robin se dirigea, suivi de l'évêque, vers un enclos situé à une courte distance de l'arbre du Rendez-Vous. Là, au centre d'une espèce de vallée se trouvait un autel de terre, garni d'une couche épaisse de mousse entremêlée de fleurs. Tous les objets nécessaires à la célébration du saint sacrifice étaient disposés sur le maître-autel avec un goût exquis, et Sa Révérence parut émerveillée de la fraîcheur de ce reposoir naturel.

Ce fut alors un touchant spectacle que de voir cette troupe, composée de cent cinquante à deux cents hommes, pieusement agenouillée, tête nue, le cœur et l'esprit en prière.

Après la messe, les joyeux hommes témoignèrent au prélat toute leur gratitude, et celui-ci avait été si étonné de l'attitude respectueuse des forestiers pendant le cours du saint office, qu'il ne put résister au désir d'adresser à Robin une foule de questions sur sa manière de vivre sous les grands arbres du vieux bois.

Tandis que Robin répondait avec une courtoisie charmante aux interrogations de l'évêque, les forestiers faisaient attabler les soldats devant un copieux repas, et Much veillait à la préparation du plus délicat festin qui se fût jamais servi dans la verte forêt.

Insensiblement, amené par Robin devant les joyeux convives, l'évêque les considéra d'un œil d'envie, et la vue de leur gaieté dissipa les derniers vestiges de sa mauvaise humeur.

– Vos hommes emploient très bien leur temps, dit Robin en désignant à Sa Révérence le groupe le plus vorace de toute l'assemblée.

– Ils mangent en effet avec un grand appétit.

– Ils devaient avoir faim, monseigneur ; il est deux heures, et moi-même je sens le besoin de prendre quelque chose ; voulez-vous accepter votre part d'un petit dîner sans façon ?

– Merci, mon cher hôte, merci, répondit l'évêque en tâchant de rester sourd aux appels réitérés de son estomac. Je ne veux rien, absolument rien, quoique j'éprouve une légère atteinte de la faim.

– Il ne faut jamais contrarier les besoins de la nature, monseigneur, répondit Robin d'un air sérieux ; l'esprit et le cœur en souffrent et la santé se perd. Allons, prenez place sur ce tapis de verdure ; on va vous servir, et vous ne mangerez qu'un peu de pain si vous craignez de retarder votre départ.

– Il faut donc absolument vous obéir ? dit l'évêque avec une expression de joie vainement dissimulée.

– Vous n'y êtes pas contraint, monseigneur, répliqua Robin d'un ton malicieux, et s'il vous déplaît de goûter avec moi à ce délicieux pâté de venaison, au vin exquis contenu dans cette bouteille, abstenez-vous-en, je vous prie, car il est encore plus dangereux de forcer son estomac à recevoir des aliments que de le priver de toute nourriture pendant plusieurs heures.

– Oh ! je ne force pas mon estomac, repartit l'évêque en riant ; je suis doué d'un excellent appétit, et, comme il y a fort longtemps que je suis à jeun, je crois pouvoir faire honneur à votre aimable invitation.

— Alors, à table, monseigneur, et bon appétit !

L'évêque d'Hereford dîna bien ; il aimait à boire, et le vin que Robin Hood lui versait était si capiteux qu'à la fin du repas Sa Seigneurie devint tout à fait ivre ; puis, vers le soir, monseigneur rentra à l'abbaye de Sainte-Marie dans une situation d'esprit et de corps qui fit jeter de nouveaux cris d'horreur et d'indignation aux pieux moines du monastère.

6

— Je serais bien aise de savoir comment se porte aujourd'hui l'évêque d'Hereford, disait Will Ecarlate à son cousin Petit-Jean, qui, suivi de Much, accompagnait Will à Barnsdale.

— La tête du pauvre prélat doit être un peu lourde, répondit Much ; quoiqu'on puisse présumer que Sa Seigneurie a une certaine habitude de l'abus du vin.

— Votre observation est très juste, mon ami, reprit Jean ; monseigneur d'Hereford possède la faculté de boire considérablement sans perdre la raison.

— Robin l'a plaisamment traité, reprit Much ; en agit-il de même avec tous les ecclésiastiques qu'il rencontre ?

— Oui, lorsque ces ecclésiastiques, à l'exemple de l'évêque d'Hereford, abusent de leur pouvoir spirituel et temporel pour dépouiller le peuple saxon. Il est même arrivé à Robin non seulement d'attendre la venue de ces pieux voyageurs, mais encore de se détourner de son chemin pour aller se mettre sur leur passage.

— Qu'entendez-vous par cette expression : se détourner de son chemin ? demanda Much.

— Une histoire que je vais vous raconter tout en marchant vous expliquera mes paroles.

« Un matin, Robin Hood apprit que deux moines noirs, porteurs d'une forte somme d'argent destinée à leur abbaye, devaient traverser une partie de la forêt de

Sherwood. Cette nouvelle fut très agréable à Robin ; nos fonds étaient en baisse, et cet argent nous arrivait avec un à-propos admirable. Sans rien dire à personne (l'arrestation de deux moines était une petite affaire), Robin revêtit une longue robe de pèlerin et alla se poster sur la route que devaient suivre les religieux.

« L'attente fut courte, les moines se montrèrent bientôt aux regards de Robin : c'étaient deux hommes de haute taille, solidement campés sur la selle de leurs chevaux.

« Robin s'avança à leur rencontre, les salua jusqu'à terre, saisit en se relevant la bride des chevaux, qui marchaient côte à côte, et dit avec un accent lamentable :

« – Soyez bénis, saints frères, et permettez-moi de vous dire combien je suis heureux de vous avoir rencontrés. C'est un grand bonheur pour moi, et j'en remercie humblement le ciel.

« – Que signifie ce déluge de paroles ? demanda un des moines.

« – Mon père, il exprime ma joie. Vous êtes les représentants du Seigneur, du Dieu de bonté, vous êtes l'image de la miséricorde divine. J'ai besoin de secours, je suis un malheureux, j'ai faim ; mes frères, je meurs de faim, faites-moi l'aumône de quelques provisions.

« – Nous n'avons pas de provisions avec nous, répondit le moine qui avait déjà pris la parole. Ainsi votre inutile demande doit s'arrêter là ; laissez-nous tranquillement poursuivre notre route.

« Robin Hood, qui tenait déjà entre ses mains la bride des chevaux, empêcha les moines de tenter une fuite.

« – Mes frères, reprit-il d'une voix encore plus douloureuse et plus défaillante, ayez pitié de ma misère, et, puisque vous n'avez pas de pain à me donner, faites-moi l'aumône d'une pièce de monnaie. J'erre dans ce bois depuis hier matin, je n'ai encore ni bu ni mangé. Chers frères, au nom de la divine mère du Christ, faites-moi, je vous en conjure, cette humble charité.

« – Voyons, bavard imbécile, lâchez la bride de nos montures, laissez-nous en repos, nous ne voulons pas perdre notre temps avec un idiot de votre espèce.

« – Oui, ajouta le second moine en répétant mot pour

mot les paroles de son confrère, nous ne voulons pas perdre notre temps avec un idiot de votre espèce.

« – De grâce, bons moines, quelques pence pour m'empêcher de mourir de faim !

« – En supposant même que je voulusse vous faire l'aumône, mendiant à tête dure, cela me serait impossible, nous ne possédons pas un denier.

« – Cependant, mes frères, vous n'avez point l'extérieur de gens dépourvus de ressources ; vous êtes bien montés, bien équipés, et vos joviales figures respirent le bonheur.

« – Nous avions de l'argent il y a quelques heures à peine, mais nous avons été dépouillés par des voleurs.

« – Ils ne nous ont pas laissé un penny, ajouta le moine qui semblait avoir mission de répéter comme un écho les paroles de son supérieur.

« – Je crois fort, dit Robin, que vous mentez tous les deux avec une rare impudence.

« – Tu nous accuses de mensonge, misérable coquin ! s'écria le moine.

« – Oui ; d'abord vous n'avez pas été volés, car il n'y a pas de voleurs dans le vieux bois de Sherwood ; ensuite vous me trompez en disant que vous êtes sans argent. Je hais le mensonge, et j'aime à connaître la vérité. En conséquence, vous trouverez naturel que je m'assure par mes propres investigations de la fausseté de vos paroles.

« En achevant cette menaçante réponse, Robin laissa tomber la bride des chevaux et porta la main sur un sac qui pendait à la selle du premier moine. Celui-ci, épouvanté, éperonna son cheval et s'éloigna au galop, suivi de près par le second frère. Robin, qui, vous le savez, a des jambes de cerf, rejoignit les voyageurs, et d'un tour de main les démonta l'un et l'autre.

« – Bon mendiant, épargnez-nous, murmura le gros moine, ayez pitié de vos frères ; nous n'avons, je vous l'assure, ni argent ni provisions à vous offrir ; il est donc raisonnablement impossible d'exiger de nous un secours immédiat.

« – Nous ne possédons rien, bon mendiant, ajouta l'écho du moine supérieur, pauvre diable fort maigre et que l'épouvante avait rendu livide. Nous ne pouvons vous donner ce que nous n'avons pas.

« – Eh bien, mes pères, reprit Robin, je veux bien ajouter foi à l'apparente sincérité de vos paroles. Aussi vais-je vous indiquer un moyen pour obtenir les uns et les autres un peu d'argent. Nous allons nous agenouiller tous les trois et demander à la sainte Vierge de venir à notre secours. Notre chère Dame ne m'a jamais abandonné à l'heure du besoin, et je suis sûr qu'elle accordera à mes supplications une faveur suprême. J'étais en prière lorsque vous êtes arrivés au bas de la route, et, croyant que le ciel vous envoyait à mon aide, je vous ai adressé ma modeste requête. Votre refus ne m'a point désespéré ; vous n'êtes pas les mandataires de la divine Providence, voilà tout ; mais vous êtes ou vous devez être des hommes pieux ; nous allons prier, et nos voix réunies porteront mieux l'invocation aux pieds du Seigneur.

« Les deux moines refusèrent de s'agenouiller, et Robin Hood ne parvint à les y contraindre qu'en les menaçant de visiter leurs poches.

– Comment, interrompit Will Ecarlate, ils se mirent tous les trois à genoux pour demander au ciel un envoi d'argent ?

– Oui, répondit le narrateur, et ils prièrent, sur l'ordre de Robin, à haute et intelligible voix.

– Ce tableau devait être plaisant, dit Will.

– Très plaisant. Robin avait eu la force de conserver son sérieux ; il écoutait gravement la prière des moines : « Sainte Vierge, disaient-ils, envoyez-nous de l'argent, pour nous sauver du danger. » Il est inutile de vous dire que l'argent n'arrivait pas. La voix des moines avait pris de minute en minute un accent plus triste et plus lamentable, si bien que Robin Hood, ne pouvant plus garder son sérieux devant cet étrange spectacle, se mit joyeusement à rire.

« Les moines, rassurés par ce transport de folle gaieté, essayèrent de se mettre debout ; mais Robin leva son bâton et demanda :

« – Avez-vous reçu de l'argent ?

« – Non, répondirent-ils, non.

« – Priez encore. Les moines subirent pendant une

heure cette fatigante torture ; ils en arrivèrent à se tordre les mains, à se désespérer, à s'arracher les cheveux, à pleurer de rage. Ils étaient accablés de fatigue et d'humiliation : cependant ils prétendaient toujours qu'ils ne possédaient rien. – La sainte Vierge ne m'a jamais abandonné, leur disait Robin en manière de consolation ; je n'ai pas encore entre les mains les preuves de sa bonté, mais elles ne se feront pas attendre. Ainsi, mes amis, ne vous découragez pas, priez au contraire avec plus de ferveur. Les deux moines se lamentèrent tellement que Robin finit par se lasser de les entendre. – Maintenant, mes chers frères, leur dit-il, voyons un peu quelle somme d'argent le ciel vous a envoyée.

« – Pas un denier ! s'écria le gros moine.

« – Pas un denier ! répéta Robin ; comment cela ? Mes bons frères, dites-moi, pouvez-vous être bien certains que je n'ai pas d'argent, bien que je vous aie affirmé le vide de mes poches ?

« – Non, en effet, nous ne pouvons en être certains, dit un des moines.

« – Il y a alors un moyen de vous en assurer.

« – Lequel ? interrogea le gros moine.

« – Un moyen bien simple, reprit Robin, il faut me fouiller ; mais comme il vous importe fort peu que j'aie oui ou non de l'argent, et que la question m'intéresse seul, je vais me permettre de regarder dans vos poches.

« – Nous ne pouvons subir un pareil outrage ! s'écrièrent les moines d'un commun accord.

« – Il n'y a point d'outrage, mes frères ; je désire vous prouver que, si le ciel a écouté mes prières, il m'a envoyé un secours par vos pieuses mains.

« – Nous n'avons rien, rien.

« – C'est ce dont je vais m'assurer. Quelle que soit la somme d'argent qui vous est échue en partage, nous la diviserons en deux parts, une pour vous, l'autre pour moi. Fouillez-vous, je vous prie, et dites-moi ce que vous possédez.

« Les moines obéirent machinalement ; chacun d'eux mit la main dans sa poche et n'en retira rien.

« – Je vois, mes frères, dit Robin Hood, que vous

voulez me donner le plaisir de vous fouiller. Eh bien ! soit.

« Les moines opposèrent encore une vive résistance ; mais Robin Hood, armé de son terrible bâton, les menaça d'un ton si sérieux de les rouer de coups, qu'ils se résignèrent à subir une minutieuse visite.

« Après quelques minutes de recherche, Robin Hood réunit cinq cents écus d'or.

« Désespéré de la perte de ses écus, le gros moine demanda anxieusement à Robin :

« – Ne partagerez-vous point cet argent avec nous ?

« – Pensez-vous qu'il vous ait été envoyé par le ciel depuis que nous sommes ensemble ? répondit Robin en regardant les deux hommes avec sévérité. Les moines gardèrent le silence. – Vous avez menti, vous avez protesté ne pas avoir d'argent alors que vous portiez dans vos poches la rançon d'un honnête homme ; vous avez refusé l'aumône à celui qui se disait affamé et mourant ; croyez-vous l'un et l'autre que ce soit la conduite d'une âme chrétienne ? Je vous pardonne néanmoins, et je veux tenir en partie la promesse que je vous ai faite. Voilà, pour chacun de vous, cinquante écus d'or. Allez, et si vous rencontrez sur votre route un pauvre mendiant, souvenez-vous que Robin Hood vous a laissé le pouvoir de lui venir en aide.

« A ce nom de Robin Hood, les moines tressaillirent et attachèrent sur notre ami un regard plein de stupeur.

« Sans prendre garde à leur mine effarée, Robin les salua du geste et disparut dans la clairière.

« A peine le bruit de ses pas se fut-il perdu dans l'éloignement, que les deux moines se précipitèrent sur leurs chevaux et s'enfuirent sans tourner la tête.

– Il fallait que Robin fût costumé avec beaucoup d'art pour ne pas avoir été reconnu par les moines, dit Much.

– Robin Hood possède en cela une habileté merveilleuse ; du reste, vous avez dû vous en apercevoir à sa manière de contrefaire la vieille femme. Je pourrais vous raconter des centaines de tours où il s'est déguisé et n'a jamais été reconnu, et je vous assure que ce fut une bonne plaisanterie que celle qu'il joua au shérif de Nottingham.

– Oui, dit Much, le tour était joli, et il a eu du retentissement ; chacun se moqua du shérif et applaudit à l'audace de Robin Hood.

– Quelle est donc cette histoire ? demanda William ; je n'en ai jamais entendu parler.

– Comment, vous ne connaissez pas l'aventure de Robin déguisé en boucher ?

– Non ; contez-la-moi, Petit-Jean.

– Volontiers. Il y a environ quatre ans, une grande disette de viande se fit sentir dans le comté de Nottingham ; les bouchers maintenaient si haut le prix de la viande, qu'il n'était permis qu'aux gens riches d'en fournir leur table. Robin Hood, qui est toujours à l'affût des nouvelles, apprit cet état de choses et résolut de porter remède aux souffrances des malheureux. Un jour de marché, Robin se mit en embuscade sur le chemin que devait suivre à travers la forêt de Sherwood un marchand de bestiaux, principal fournisseur de la ville de Nottingham. Robin rencontra son homme monté sur un cheval pur-sang, et chassant devant lui un immense troupeau de bêtes à cornes. Robin acheta le troupeau, la jument, le costume du boucher, sa discrétion, et comme garantie de cette dernière emplette, il confia l'homme à nos soins jusqu'à son retour dans la forêt.

« Robin, qui avait l'intention de donner sa viande à très bas prix, pensa que, s'il négligeait de s'assurer une protection, celle du shérif par exemple, les bouchers pourraient s'entendre entre eux et rendre nulles ses bonnes intentions à l'égard des pauvres.

« Le shérif tenait une grande auberge, où se réunissaient les marchands des environs lorsqu'ils venaient à Nottingham. Robin savait cela, et, afin de prévenir toute collision entre ses confrères et lui, il conduisit les bestiaux sur la place du marché, choisit parmi eux l'animal le plus gras, et l'emmena à l'auberge du shérif.

« Celui-ci se tenait sur le seuil de sa porte, et il tomba en admiration devant le jeune bœuf conduit par Robin. Notre ami, enchanté de l'accueil peut-être intéressé du shérif, lui dit qu'il possédait le plus beau troupeau du marché, et qu'il serait heureux de pouvoir lui faire accepter ce jeune bœuf.

« Le shérif se récria modestement sur la richesse de ce don.

« Sir shérif, reprit Robin, je suis étranger aux coutumes du pays, je ne connais pas mes confrères, et j'ai grand' peur qu'ils ne me cherchent querelle. Je vous serais donc obligé de vouloir accorder votre protection à un homme très désireux de vous être agréable.

« Le shérif jura aussitôt (sa reconnaissance égalait pour le moment la grosseur du bœuf) qu'il ferait pendre le compagnon assez audacieux pour inquiéter notre ami ; il jura encore que Robin était aimable garçon et le plus joli boucher qui eût jamais vendu de la viande.

« Tranquillisé sur ce point important, Robin gagna la place du marché, et lorsque la vente commença, une foule de pauvres gens vinrent s'informer du prix de la viande ; malheureusement pour leur petite bourse, ce prix était toujours très élevé.

« Après avoir vu s'établir les prix, Robin offrit pour un penny autant de viande que ses confrères en donnaient pour trois.

« La nouvelle de ce bon marché extraordinaire se répandit promptement dans la ville, et les pauvres accoururent de toute part. Robin leur donna pour un penny la même quantité de viande que ses confrères pouvaient matériellement en donner pour cinq. Bientôt on apprit à tous les coins du marché que Robin ne vendait qu'aux pauvres. Alors on commença à avoir de lui une excellente opinion, et ses confrères, peu enclins à suivre son exemple, le regardèrent comme un prodigue, qui dans un accès de folle générosité gaspillait la meilleure partie de son bien. Cette supposition passée à l'état de vérité, les bouchers envoyèrent à Robin les gens auxquels ils ne pouvaient rien vendre.

« Vers le milieu du jour, les marchands de bestiaux se réunirent, et d'un commun accord, ils décidèrent qu'il fallait lier connaissance avec le nouveau venu. L'un d'eux se détacha du groupe, s'approcha de Robin et lui dit :

« — Charmant ami et frère, votre conduite nous paraît étrange ; car, soit dit sans vous offenser, elle gâte tout à fait le métier de boucher. Mais, en revanche, comme vos intentions sont excellentes, nous ne pouvons que

vous féliciter et applaudir des deux mains à un sentiment de générosité admirable. Mes compagnons, très
enthousiasmés de la bonté de votre cœur, me chargent
de vous présenter leurs compliments et une invitation
à dîner.

« – J'accepte de grand cœur cette invitation, répondit gaiement Robin, et je suis prêt à vous suivre où il
vous plaira de m'emmener.

« – Nous avons l'habitude de nous réunir dans l'auberge du shérif, répondit le boucher, et si rien ne vous
éloigne de cette maison...

« – Comment donc ! interrompit Robin ; je serai au
contraire très heureux de me trouver en compagnie
d'un homme que vous honorez de votre confiance.

« – S'il en est ainsi, messire, nous allons joyeusement
finir la journée.

– Vous étiez donc avec Robin ? demanda Much, surpris de voir entrer le narrateur dans tous ces détails.

– Cela va sans dire ; pensez-vous que j'eusse consenti
à laisser Robin exposé sans défense au danger d'être
reconnu ? Il m'avait ordonné de me tenir à l'écart ; mais
je n'avais pas cru devoir tenir compte de cette recommandation : je m'étais placé presque à ses côtés. Tout
à coup il s'aperçut de ma présence, il me saisit la main
et me reprocha ma désobéissance d'un ton de colère.
Je lui expliquai à demi-voix le motif qui m'avait obligé
à transgresser ses ordres. Il se calma aussitôt, et, me
regardant avec ce doux sourire que vous connaissez :
« Mêle-toi à la foule, mon cher Jean, dit-il, et, tout en
veillant à ma sûreté, veille attentivement à la tienne.
S'il t'arrivait malheur, je ne m'en consolerais pas. »
J'obéis à Robin et je disparus dans les groupes. Lorsque
Robin, accompagné de la joyeuse bande des bouchers,
se dirigea vers la demeure du shérif aubergiste, je me
mis à sa suite et j'entrai avec lui dans la salle à manger.

« Je me fis servir un bon repas, et je pris place dans
l'embrasure d'une fenêtre.

« Ce jour-là Robin était fort gai ; il se mit à table avec
ses hôtes, et, vers la fin du dîner, il les engagea à boire
le meilleur vin de la cave, ajoutant qu'il se chargeait de
cette dernière dépense. Comme vous devez le penser,
l'offre généreuse de Robin fut accueillie par de joyeux

applaudissements ; le vin circula dans tous les coins de la salle, et j'eus ma part dans la distribution.

« Au moment où la joie des convives arrivait à son apogée, le shérif se présenta sur le seuil de la porte.

« Robin l'invita à s'asseoir. Il accepta, et comme Robin lui paraissait à bon droit le héros de la fête, il demanda des nouvelles de Robin.

« – C'est un rusé gaillard ! s'écria un des bouchers ; une fine lame, un rare esprit, un bon garçon.

« Le shérif m'aperçut alors. Je n'étais pas ivre, et le calme de mon visage lui inspira le désir de m'interroger.

« – Ce jeune homme, me dit-il en désignant Robin du regard, doit être un prodigue qui, après avoir vendu terres, maison ou château, a l'intention de gaspiller follement son argent.

« – C'est possible, répondis-je avec indifférence.

« – Peut-être possède-t-il encore quelque bien ? reprit le shérif.

« – C'est vraisemblable, messire.

« – Pensez-vous qu'il soit disposé à vendre à bon compte le bétail qui peut lui rester ?

« – Je l'ignore ; mais il y a un moyen bien simple de s'en assurer.

« – Lequel ? demanda niaisement le shérif.

« – Pardieu ! c'est de le lui demander.

« – Vous avez raison, sir étranger. Cela dit, le shérif s'approcha de Robin, et, après lui avoir adressé de pompeux éloges sur sa générosité, il le félicita du noble emploi qu'il faisait de sa fortune. – Mon jeune ami, ajouta le shérif, n'avez-vous point encore à vendre quelques bêtes à cornes ? Je vous trouverai un acheteur, et tout en vous rendant ce service, je me permettrai de vous dire qu'un homme de votre rang et de votre extérieur ne peut, sans compromettre sa dignité, se faire marchand de bestiaux.

« Robin comprit parfaitement le véritable mobile de cette astucieuse réflexion ; il se mit à rire, et répondit à l'obligeant shérif qu'il possédait un millier de bêtes à cornes dont il se déferait volontiers moyennant cinq cents écus d'or.

« – Je vous en offre trois cents, dit le shérif.

« – Au cours actuel, reprit Robin, mes bêtes valent l'une dans l'autre deux écus par tête.

« – Si vous consentez à me vendre le troupeau en bloc, je vous donnerai trois cents écus, tout en vous faisant remarquer, mon galant gentilhomme, que trois cents écus d'or seront mieux placés dans votre bourse que mille bêtes à cornes dans vos pâturages. Allons, décidez-vous ; le marché tient-il pour trois cents écus d'or ?

« – C'est trop mal payé, répondit Robin en me jetant un furtif regard.

« – Un cœur libéral comme le vôtre, milord, reprit le shérif en essayant de la flatterie, ne saurait marchander pour quelques écus. Allons, le marché est fait. Tapez là. Où sont vos bestiaux ? je désirerais les voir tous ensemble.

« – Tous ensemble ! répéta Robin en riant d'une idée qui lui traversait l'esprit.

« – Certainement, mon jeune ami, et si l'endroit où se trouve ce magnifique troupeau n'est pas très éloigné d'ici, nous pouvons y aller à cheval et conclure le marché sur les lieux. Je vais prendre de l'argent, et, si vous êtes raisonnable, l'affaire se terminera avant notre retour à Nottingham.

« – Je possède à un mille environ de la ville plusieurs mesures de terre, répondit Robin ; mes bestiaux y sont parqués, et vous pourrez les voir tout à fait à votre aise.

« – A un mille de Nottingham, reprit le shérif, plusieurs mesures de terre... Je connais les environs, et je ne puis cependant me rendre compte de la situation de votre propriété.

« – Silence, murmura Robin en se penchant vers le shérif ; je désire, pour des raisons particulières, cacher mon nom et mes qualités. Un mot explicatif sur l'emplacement que mon bétail occupe trahirait un incognito nécessaire à mes intérêts. Vous comprenez, n'est-ce pas ?

« – Parfaitement, mon jeune ami, répondit le shérif en clignant de l'œil d'un air malin ; les amis sont à craindre, la famille à redouter ; je comprends, je comprends.

« – Vous possédez une pénétration d'esprit admirable, reprit Robin d'un air de mystère, et je suis tenté de croire que nous nous entendrons à merveille. Eh bien ! si vous le voulez, nous allons mettre à profit l'inattention des bouchers et nous esquiver secrètement. Etes-vous prêt à me suivre ?

« – Comment donc ! c'est moi qui vous attends. Je vais faire seller nos chevaux en toute hâte.

« – Allez, je vous rejoins sans retard.

« Le shérif sortit de la salle, et, sur l'ordre de Robin, j'allai retrouver nos joyeux compagnons, qu'en cas de mésaventure j'avais prudemment postés à distance du son du cor, et je leur annonçai la visite du shérif.

« Quelques minutes après mon départ, le shérif fit monter Robin dans son appartement particulier, le présenta à sa femme, jeune et jolie personne d'une vingtaine d'années, et, le priant de s'asseoir, il lui dit qu'il allait s'occuper de compter son argent.

« Lorsque le shérif rentra dans la chambre où il avait laissé Robin en tête à tête avec sa femme, il trouva le jeune homme aux pieds de la dame.

« Cette vue irrita fort l'ombrageux époux ; mais son espoir d'entraîner Robin dans un marché de dupes lui donna la force de dompter sa colère. Il se mordit les lèvres et dit à Robin :

« – Je suis prêt à vous suivre, mon gentilhomme.

« Robin envoya un baiser à la jolie dame, et, à la grande fureur du mari scandalisé, il lui annonça son prochain retour.

« Bientôt après, le shérif et Robin sortirent à cheval de la ville de Nottingham.

« Robin conduisit son compagnon par les sentiers les plus déserts du bois au carrefour où nous devions le rencontrer.

« – Voici, dit Robin en étendant le bras vers une délicieuse vallée du vieux Sherwood, quelques-unes de mes mesures de terre.

« – Vous me dites une chose parfaitement absurde et fausse, répondit le shérif, qui crut à une mystification. Cette forêt et tout ce qu'elle renferme est la propriété du roi.

« – C'est possible, repartit Robin ; mais, comme je m'en suis emparé, tout cela est à moi.

« – Comment, à vous ?

« – Sans doute ; vous allez bien apprendre de quelle manière.

« – Nous sommes dans un endroit désert et dangereux, dit le shérif ; le bois est infesté de brigands ; que Dieu nous garde de tomber entre les mains du misérable Robin Hood ! Si un pareil malheur nous arrivait, nous serions bientôt dépouillés de tout ce que nous possédons.

« – Nous verrons bien ce qu'il fera, répondit Robin en riant ; car il y a mille à parier contre un que tout à l'heure nous allons nous trouver face à face avec lui.

« Le shérif devint très pâle et jeta dans les taillis des regards très effarés.

« – Je souhaiterais, dit-il, que vos propriétés fussent placées dans un endroit moins mal entouré, et si vous m'eussiez averti des dangers qui les environnent bien certainement je ne serais pas venu ici.

« – Je vous affirme, mon cher monsieur, reprit Robin, que nous sommes sur mes terres.

« – Que voulez-vous dire ? de quelles terres parlez-vous ? demanda le shérif avec anxiété.

« – Il me semble, répondit Robin, que mes paroles ont une signification fort claire. Je vous montre ces clairières, ces vallées, ces carrefours, et je vous dis : « Voilà mes propriétés. » Ne dites-vous pas, en parlant de votre femme : « Ma femme » ?

« – Oui, oui, sans doute, balbutia le shérif. Et comment vous nommez-vous, je vous prie ? J'ai hâte de connaître le nom d'un aussi riche propriétaire.

« – Votre légitime curiosité va bientôt être satisfaite, répondit en riant Robin Hood. Au même instant un immense troupeau de daims traversa le sentier. – Tenez, tenez, messire, regardez à votre droite ; voici une centaine de mes bêtes à cornes ; elles sont grasses et belles à voir, qu'en dites-vous ?

« Le shérif tremblait de tous ses membres.

« – Je voudrais bien n'être pas venu ici, dit-il en explorant les profondeurs du bois d'un regard alarmé.

« – Pourquoi donc ? demanda Robin ; le vieux Sherwood est, je vous l'assure, une ravissante demeure ;

d'ailleurs, qu'avez-vous à craindre ? ne suis-je pas avec vous ?

« — C'est là justement le sujet de mon inquiétude, sir étranger ; depuis quelques instants, je l'avoue, votre compagnie ne m'est rien moins qu'agréable.

« — Fort heureusement pour moi, il existe peu de gens qui soient de cet avis, sir shérif, répondit Robin en riant ; mais puisque, à mon grand déplaisir, vous êtes du nombre de ces gens-là, il est inutile de prolonger notre tête-à-tête.

« Cela dit, Robin s'inclina d'un air ironique devant son compagnon et porta un cor de chasse à ses lèvres.

« (J'avais oublié de vous dire, mes amis, que nous suivions pas à pas les deux promeneurs. Au premier appel nous accourûmes.)

« Le shérif épouvanté faillit tomber à la renverse sur son cheval.

« — Que désirez-vous, mon noble maître ? dis-je à Robin. Veuillez, je vous prie, me donner vos ordres, ils seront exécutés à l'instant même. »

— Vous parlez toujours ainsi à Robin, Petit-Jean ? fit observer Will Ecarlate.

— Oui, Will, parce que c'est mon devoir et mon plaisir, répondit le grand jeune homme avec bonhomie.

« — J'ai amené jusqu'ici le puissant shérif de Nottingham, répondit Robin ; Sa Seigneurie désire examiner quelques-unes de mes bêtes à cornes et partager mon souper. Veillez, mon cher lieutenant, à ce que notre hôte soit traité avec les égards et la splendeur dus à sa distinction.

« — On lui servira les mets les plus recherchés, répondis-je, car je suis certain qu'il payera son dîner très généreusement.

« — Payer ! exclama le shérif ; qu'entendez-vous par là ?

« — L'explication viendra à son heure, messire, répondit Robin ; et maintenant, permettez-moi de répondre à la question que vous m'avez fait l'honneur de m'adresser en entrant dans le bois.

« — Quelle question ? murmura le shérif.

« — Vous m'avez demandé mon nom.

« — Hélas ! gémit l'aubergiste.

« – Je m'appelle Robin Hood, messire.

« – Je le vois bien, dit le shérif en montrant du regard la joyeuse troupe.

« – Quant à ce que nous entendons par payer, le voici. Nous tenons table ouverte pour les pauvres ; mais nous faisons largement rembourser nos dépenses par les hôtes qui ont le bonheur d'avoir une escarcelle bien fournie.

« – Quelles sont vos conditions ? demanda le shérif d'une voix lamentable.

« – Nous n'avons pas de conditions, et nous ne fixons pas de prix ; nous prenons sans compter tout l'argent que possède notre convive. Ainsi, par exemple, vous avez dans votre poche trois cents écus d'or.

« – Seigneur ! seigneur ! murmura le shérif.

« – Votre dépense coûtera trois cents écus.

« – Trois cents écus !

« – Oui, et je vous engage à manger autant que possible, à boire autant que vous pourrez le faire, afin de ne point payer ce que vous n'aurez pas consommé.

« Un excellent repas fut servi sur l'herbe. Le shérif n'avait pas faim, il mangea donc fort peu ; mais en revanche il but considérablement. Nous supposâmes que cette soif démesurée était un effet de son désespoir.

« Il nous donna les trois cent écus d'or, et sitôt que la dernière pièce eut disparu dans mon escarcelle, il manifesta un vif désir de nous fausser compagnie. Robin fit amener le cheval du shérif, aida celui-ci à se mettre en selle, lui souhaita un bon voyage, et le pria très instamment de ne pas l'oublier auprès de sa charmante femme.

« Le shérif ne répondit point à nos compliments ; il avait une telle hâte de quitter le bois qu'il mit son cheval au galop et s'éloigna sans mot dire.

« Ainsi se termina l'aventure de Robin Hood avec les bouchers de Nottingham.

– Je voudrais bien, dit Will Ecarlate, mettre mon habileté à l'épreuve en me déguisant un jour. Avez-vous déjà tenté une métamorphose, Petit-Jean ?

– Oui, afin d'obéir à un ordre de Robin.

– Et comment vous en êtes-vous tiré ? demanda Will.

– Assez bien pour ce dont il s'agissait, répondit Jean.

– Et de quoi s'agissait-il ? demanda Much.

– Voici. Un matin Robin Hood se disposait à aller rendre une visite à Halbert Lindsay et à sa jolie petite femme, lorsque je lui fis observer qu'il y avait du danger pour lui à pénétrer ouvertement dans la ville. Après ce qui s'était passé avec le shérif à propos de la vente imaginaire des bestiaux, nous avions fort à redouter une sérieuse vengeance. Robin Hood se moqua de mes craintes, et me répondit que pour mieux tromper son monde il allait se déguiser en Normand. Il revêtit à cet effet un magnifique costume de chevalier, alla voir Halbert, et de la maison du jeune garde il se rendit à l'auberge du shérif. Là il fit grande dépense, complimenta la femme de son hôte sur sa gracieuse beauté, causa avec le shérif qui le comblait de prévenances, puis, quelques minutes avant de quitter la maison, il emmena le shérif à l'écart et lui dit en riant : « Mille fois merci, mon cher hôte, pour l'accueil plein de courtoisie que vous avez daigné faire à Robin Hood. »

« Le shérif n'était pas encore revenu de la stupeur dans laquelle l'avaient jeté les paroles de Robin que celui-ci avait disparu.

– Très bien ! dit William ; mais cette nouvelle preuve de l'habileté de Robin ne nous apprend pas de quelle manière vous vous êtes déguisé, Petit-Jean.

– J'ai pris le costume d'un mendiant.

– Dans quelles circonstances ?

– Pour obéir, comme je viens de vous le dire, à un ordre de Robin. Robin voulait mettre mon habileté à l'épreuve ; il désirait savoir si j'étais capable de seconder son admirable adresse. Le choix du déguisement me fut laissé, et, ayant appris la mort d'un riche Normand dont les propriétés avoisinaient la ville de Nottingham, je résolus de me mêler aux pauvres qui devaient escorter son convoi mortuaire. J'avais sur la tête un vieux chapeau orné de coquilles, un énorme bâton, l'habit d'un pèlerin, un sac pour y renfermer mes provisions de bouche, et une petite bourse destinée à recevoir les aumônes en argent. Mes vêtements avaient un extérieur misérable, et je ressemblais si bien à un véritable pauvre que nos gais compagnons furent tentés de me faire l'aumône.

« A un mille environ de notre retraite, je rencontrai plusieurs mendiants ; comme moi ils se dirigeaient vers le château du défunt. L'un de ces coquins paraissait être aveugle, le second boitait douloureusement ; les deux derniers n'avaient d'autre signe distinctif que de misérables haillons.

« – Voilà, me dis-je en les considérant du coin de l'œil, des gaillards qui peuvent me servir de modèle ; je vais les accoster et faire en sorte de m'instruire à leur école. Bonjour, mes frères, m'écriai-je d'un air gracieux ; je suis enchanté du hasard qui nous rapproche. Quel chemin suivez-vous ?

« – Nous suivons la route, répondit sèchement le gars auquel je m'étais particulièrement adressé.

« Les compagnons du drôle me toisèrent de la tête aux pieds, et leur figure exprima un étonnement craintif.

« – Ne prendrait-on pas ce gaillard-là pour la tourelle de l'abbaye de Linton ? dit un des pauvres en se reculant.

« – On peut me prendre sans crainte de se tromper pour un homme qui n'a peur de rien, répondis-je d'un ton de menace.

« – Allons, allons, la paix ! grommela un mendiant.

« – La paix, soit, repris-je ; mais qu'y a-t-il donc à gruger au bout de la route, que je vois surgir de toute part notre sainte confrérie des haillons ? Pourquoi donc les cloches de l'abbaye de Linton tintent-elles d'une façon si lamentable ?

« – Parce qu'un Normand vient de mourir.

« – Vous allez donc à son enterrement ?

« – Nous allons prendre notre part des largesses que l'on distribue aux pauvres diables comme nous à l'occasion des funérailles ; vous êtes libre de nous accompagner.

« – Je le crois bien, et je ne vous remercie pas de la permission, répondis-je d'un ton moqueur.

« – Grand manche à balai crasseux ! s'écria le plus valide des mendiants, nous ne sommes pas disposés, puisqu'il en est ainsi, à supporter plus longtemps ta sotte compagnie. Tu ressembles à un véritable coquin, et ta présence nous est désagréable. Va-t'en, et reçois en guise de compliment cette fêlure sur ta tête.

« En achevant ces mots, le grand gueux m'allongea sur le crâne un coup épouvantable.

« Cette agression inattendue me mit en fureur, continua Petit-Jean. Je tombai sur le bandit, et, d'un tour de main, je lui administrai une volée de coups.

« Le misérable devint bientôt impuissant à se défendre et demanda grâce.

« – A vous maintenant, chiens maudits ! m'écriai-je en menaçant de mon bâton les autres mécréants. Vous auriez ri, je vous assure, mes bons amis, de voir l'aveugle ouvrir les yeux et suivre mes mouvements avec épouvante, le boiteux courir à toutes jambes vers le bois. J'imposai silence aux braillards, car ils criaient à m'assourdir, et je fis méthodiquement retentir mon bâton sur leurs fortes épaules. Une besace déchirée par mes coups laissa échapper quelques pièces d'or ; le coquin auquel appartenaient les écus se jeta à deux genoux devant son trésor ; il espérait sans doute le dérober à mes regards. – Oh ! oh ! m'écriai-je, voilà qui change la face des choses, misérables gueux, ou pour mieux dire, voleurs que vous êtes. Vous allez me donner à l'instant même et jusqu'à la dernière obole l'argent que vous possédez, sinon je vous réduis tous les trois en compote.

« Les lâches me demandèrent grâce une fois encore, et comme mon bras commençait à se fatiguer de frapper sans relâche, je me montrai généreux.

« Lorsque j'abandonnai les mendiants, les poches remplies de leurs dépouilles, ils pouvaient à peine se tenir debout.

« Je repris bien vite, enchanté de mes prouesses, car il y a justice à dévaliser les voleurs, le chemin de la forêt.

« Robin Hood, entouré de sa bande joyeuse, s'exerçait au tir à l'arc.

« – Eh quoi ! Petit-Jean, s'écria-t-il en me voyant paraître, vous voilà de retour ? N'avez-vous pas eu le courage de jouer jusqu'au bout votre rôle de frère mendiant ?

« – Pardonnez-moi, cher Robin, j'ai rempli mon

devoir, et ma quête a été productive. Je rapporte six cents écus d'or.

« – Six cents écus d'or ! s'écria-t-il ; vous avez donc dévalisé un prince de l'Eglise.

« – Non, capitaine, j'ai récolté cette somme parmi les membres de la tribu des mendiants.

« Robin Hood prit un air grave.

« – Expliquez-vous, Jean, me dit-il ; je ne puis croire que vous ayez dépouillé de pauvres gens.

« Je racontai l'aventure à Robin, en lui faisant observer que des mendiants cousus d'or ne pouvaient être que des voleurs de profession.

« Robin fut de mon avis, et son visage reprit aussitôt une expression souriante.

– La journée avait été bonne, dit Much en riant, six cents écus d'or d'un seul coup de filet !

– Le soir même, reprit Jean, je distribuai aux pauvres des environs de Sherwood la moitié de mon butin.

– Brave Jean ! dit Will en serrant la main du jeune homme.

– Généreux Robin ! voulez-vous dire, William ; car, en agissant ainsi, je ne faisais qu'obéir aux ordres de mon chef.

– Nous voici arrivés à Barnsdale, dit Much ; la route ne m'a pas semblé longue.

– Je dirai cela à ma sœur, cria Will en riant.

– Et moi j'ajouterai, répondit Much, que je n'ai cessé un seul instant de penser à elle.

7

Sept jours s'étaient déjà écoulés depuis que William, Much et Petit-Jean habitaient le château de Barnsdale, et l'heureuse maison se mettait en fête pour célébrer le mariage de Winifred et de Barbara. Sous les ordres de Will Ecarlate, le parc et les jardins du château avaient été transformés en arènes et en salle de bal ; car l'aimable jeune homme veillait avec une constante attention au bien-être de tout le monde en général, au bonheur de chacun en particulier. Infatigable dans ses efforts, il mettait la main à tout, s'occupait de tout, et remplissait la maison de son amusante gaieté.

En travaillant ainsi, il causait, il riait, interpellant Robin, taquinant Much. Tout à coup une idée folle traversa l'esprit de Will Ecarlate, et il se mit à rire aux éclats.

– Qu'avez-vous donc, William ? demanda Robin.

– Mon cher ami, je vous donne à deviner la cause de mon hilarité, répondit Will, et je parie que vous n'y parviendrez pas.

– Cette cause doit être fort divertissante, puisqu'elle vous amuse au point d'en rire tout seul.

– Fort divertissante, en effet. Vous connaissez mes six frères, n'est-ce pas ? Ils sont tous bâtis à peu près sur le même modèle : blonds comme les blés, doux, tranquilles, braves et honnêtes.

– Où voulez-vous en venir, William ?

– A ceci : ces bons garçons ne connaissent pas l'amour.

– Eh bien ? demanda Robin en souriant.

– Eh bien, reprit Will Ecarlate, il m'est venu une idée qui pourra nous procurer infiniment de plaisir.

– Quelle idée ?

– Je possède, comme vous le savez, une très grande influence sur mes frères ; je vais leur persuader aujourd'hui même qu'ils doivent tous se marier. (Robin se mit à rire.) Je vais les rassembler dans un coin de la cour, reprit Will, et je leur mettrai en tête la fantaisie de prendre femme le même jour que Much et Petit-Jean.

– La chose est impossible à faire, mon cher Will, répondit Robin ; vos frères sont d'un naturel trop paisible et trop flegmatique pour s'enflammer à vos paroles ; d'ailleurs ils ne sont, que je sache, amoureux de personne.

– Tant mieux, ils seront obligés de faire leur cour aux jeunes amies de mes sœurs, et ce sera un spectacle des plus réjouissants. Imaginez-vous un peu la mine de Grégoire, le rangé, le lourd, le bon garçon, de Grégoire cherchant à plaire à une femme. Venez avec moi, Robin, car il n'y a pas de temps à perdre, nous n'avons que trois jours à leur donner pour faire un choix. Je vais donc réunir mes frères et leur adresser d'une voix grave une paternelle harangue.

— Le mariage est un acte sérieux, Will, et il ne faut pas le traiter légèrement. Si, persuadés par votre éloquence, vos frères consentent à se marier, et que plus tard ils se trouvent malheureux d'un choix irréfléchi, n'aurez-vous pas à regretter vivement d'avoir contribué au chagrin de toute leur vie ?

— Soyez tranquille à cet égard-là, Robin. Je me fais fort de trouver pour mes frères des jeunes filles dignes dans le présent aussi bien que dans l'avenir du plus tendre amour. Je connais d'abord une jolie personne qui aime passionnément mon frère Herbert.

— Cela ne suffit pas, Will. Cette jeune personne est-elle digne d'appeler mes sœurs Winifred et Barbara ?

— Sans aucun doute, et de plus je suis certain qu'elle fera une excellente femme.

— Herbert a-t-il déjà vu cette demoiselle ?

— Certainement : mais le pauvre et naïf garçon ne s'imagine pas le moins du monde qu'il puisse être l'objet d'une préférence quelconque. A différentes reprises j'ai essayé de lui faire apercevoir qu'il était toujours le bienvenu dans la maison de miss Anna Maydow. Peine inutile. Herbert ne me comprenait pas ; il est si jeune malgré ses vingt-neuf ans ! Maintenant que la part de celui-là est faite, passons à un autre. Je suis lié d'amitié avec une charmante demoiselle qui, sous tous les rapports, conviendrait parfaitement à Egbert ; ensuite Maude m'a parlé hier d'une jeune fille du voisinage qui trouve Harold fort joli garçon. Ainsi, vous le voyez, Robin, nous avons déjà une partie de ce qu'il nous faut pour réaliser mon projet.

— Malheureusement, cela ne suffit pas, Will, puisque vous avez six frères à marier.

— Ne vous inquiétez pas, je vais me mettre en quête, et je trouverai encore trois jeunes filles.

— Très bien. Mais lorsque vous aurez trouvé ces demoiselles, pensez-vous que vos frères leur conviendront à elles ?

— J'en suis sûr ; mes frères sont jeunes, robustes, leur figure est agréable, ils me ressemblent au physique, ajouta Will avec une nuance de fatuité dans la voix, et, s'ils ne sont pas aussi séduisants que vous, Robin, s'ils n'ont pas un caractère précisément aimable et enjoué, en revanche ils n'ont rien dans leur extérieur qui puisse offusquer les regards d'une fille sage et raisonnable, d'une fille qui cherche un bon mari. Voilà Herbert, dit Will en tournant la tête vers un jeune homme qui traversait une allée du jardin ; je vais l'appeler, Herbert, viens ici, mon garçon !

— Que désires-tu, Will ? demanda le jeune homme en s'approchant.

— Je désire causer avec toi, mon ami.

— Je t'écoute, Will.

— Ce que j'ai à te dire concerne aussi nos frères, va les chercher.

— J'y cours.

Pendant les quelques instants que dura l'absence d'Herbert, Will resta pensif.

Les jeunes gens accoururent à son appel, le front riant et le sourire aux lèvres.

— Nous voici, William, dit l'aîné d'une voix joyeuse ; à quelle cause devons-nous attribuer ton désir de nous réunir autour de toi ?

— A une cause grave, mes chers frères : voulez-vous me permettre d'abord de vous adresser une question ?

Les jeunes gens firent un signe affirmatif.

— Vous aimez tendrement notre père, n'est-ce pas ?

— Qui oserait douter de notre amour pour lui ? demanda Grégoire.

— Personne ; cette question n'est qu'un point de départ. Donc, vous aimez tendrement notre père, vous avez trouvé que le digne vieillard s'était toujours conduit en homme d'honneur, en véritable Saxon ?

— Certainement, s'écria Egbert ; mais au nom du ciel, Will, que signifient vos paroles ? quelqu'un a-t-il calomnié le nom de notre père ? Désignez-moi le misérable, et je me charge de venger l'honneur des Gamwell.

— L'honneur des Gamwell est intact, chers frères, et s'il eût été souillé par le mensonge, la tache serait déjà lavée dans le sang du calomniateur. Je veux vous parler d'une chose moins grave, et cependant sérieuse ; seulement, il ne faut pas m'interrompre si vous voulez entendre avant la fin du jour le dernier mot de ma harangue. Approuvez ou désapprouvez mes paroles par des signes de tête ; attention, je recommence. La conduite de notre père est celle d'un honnête homme ; elle doit nous servir de guide et de modèle.

— Oui, répondirent six têtes blondes en s'inclinant d'un commun accord.

— Notre mère a suivi le même chemin, reprit Will ; son existence a été l'accomplissement de tous les devoirs, l'exemple de toutes les vertus ?

— Oui, oui.

— Notre cher père et notre tendre mère se sont aimés, ils ont vécu ensemble, ils ont fait mutuellement le bonheur l'un de l'autre. Si notre père ne s'était pas marié, nous n'existerions pas et par conséquent le bonheur de vivre nous serait inconnu. Est-ce clair, cela ?

— Oui, oui.

— Eh bien ! mes garçons, nous devons être reconnaissants à notre père et à notre mère de s'être mariés, de nous avoir mis au monde, et d'avoir été la cause de notre existence ?

— Oui, oui.

— Comment se fait-il alors que vous restiez aveugles devant le tableau d'un si grand bonheur ? comment se fait-il que vous vous montriez ingrats envers la Providence ? comment se fait-il que vous refusiez de donner à nos parents un témoignage de respect, de tendresse et de gratitude ?

Les jeunes auditeurs de Will ouvrirent de grands yeux étonnés ; ils ne comprenaient rien aux paroles de leur frère.

— Que veux-tu dire, William ? demanda Grégoire.

— Je veux dire, messieurs, que, à l'exemple de notre père, vous devez vous marier, et par cet acte faire preuve de votre admiration pour la conduite de notre père, qui s'est marié, lui.

— Ô mon Dieu ! s'écrièrent les jeunes gens d'un air peu satisfait.

— Le mariage, c'est le bonheur, reprit Will ; songez combien vous serez heureux lorsque vous aurez une chère petite créature suspendue à votre bras comme l'est une fleur à un vigoureux arbrisseau, une chère petite créature qui vous aimera, qui pensera à vous, et

146

dont vous serez toute la joie. Regardez autour de vous, coquins, et vous verrez les doux fruits du mariage. D'abord, Maude et moi, que vous enviez, j'en suis certain, lorsque nous jouons tous les deux avec notre cher petit enfant. Puis Robin et Marianne. Songez à Petit-Jean, et imitez l'exemple de ce digne garçon. Voulez-vous encore des preuves du bonheur que le ciel répand sur les jeunes époux ? allez rendre une visite à Halbert Lindsay et à sa jolie Grâce ; descendez dans la vallée de Mansfeld, et vous y trouverez Allan Clare et lady Christabel. Vous êtes d'affreux égoïstes de n'avoir jamais eu la pensée qu'il était en votre pouvoir de rendre une femme heureuse. Ne secouez pas la tête, vous ne persuaderez jamais à personne que vous êtes de bons et généreux garçons. Je rougis pour vous de la sécheresse de votre âme et je suis navré d'entendre dire partout : « Les fils du vieux baronnet sont de mauvais cœurs. » J'ai résolu de mettre fin à cet état de choses, et je veux, tenez-vous-en pour avertis, je veux vous marier.

— Vraiment ! dit Rupert d'un ton de révolte. Eh bien ! moi je ne veux pas de femme. Le mariage est peut-être une chose fort agréable, mais cela m'importe peu dans ce moment-ci.

— Tu ne veux pas de femme ? répondit Will ; c'est possible, mais tu en prendras une, car je connais une jeune fille qui te fera revenir sur cette décision. — Rupert secoua la tête. — Voyons, nous sommes en famille, dis-moi la vérité : aimes-tu une femme plus particulièrement que les autres ?

— Oui, répondit le jeune homme d'un ton grave.

— Bravo ! s'écria Will tout surpris d'une confidence aussi inattendue, car Rupert fuyait la société des jeunes demoiselles. Qui est-elle ? dis-nous le nom.

— C'est ma mère, dit le naïf garçon.

— Ta mère ? répéta Will d'un ton quelque peu moqueur ; tu ne m'apprends rien de nouveau. Je sais depuis longtemps que tu aimes, que tu vénères, que tu respectes notre mère. Je ne te parle pas de l'affection filiale dont on entoure ses parents ; je te parle de tout autre chose, de l'amour. L'amour est un sentiment qui... une tendresse que... enfin une sensation qui fait bondir le cœur vers une jeune femme. On peut en même temps adorer sa mère et chérir une charmante fille.

– Je ne veux pas me marier non plus, dit Grégoire.

– Tu crois donc avoir une volonté, mon garçon ? reprit Will ; tu verras tout à l'heure que tu es dans l'erreur. Voyons, peux-tu me dire pour quelle raison tu refuses de te marier ?

– Non, murmura craintivement Grégoire.

– Veux-tu vivre pour toi-même ? – Grégoire garda le silence. – Auras-tu l'audace de me répondre, s'écria Will en affectant un air indigné, que tu partages l'opinion des coquins qui dédaignent la compagnie d'une femme ?

– Je ne dis pas cela, et je le pense moins encore ; mais...

– Il n'y a pas de mais qui tienne devant des raisons aussi péremptoires que celles que je vous donne à tous. Ainsi, préparez-vous à entrer en ménage, mes garçons, car vous serez mariés à la même heure que Winifred et Barbara.

– Comment, s'écria Egbert, dans trois jours ! Tu es fou, Will, nous n'aurons pas le temps de trouver des femmes.

– Confiez-moi ce soin, je me charge de vous satisfaire mieux encore que votre naturelle modestie n'ose l'espérer.

– Quant à moi, je refuse positivement d'engager ma liberté, dit Grégoire.

– Je ne pensais pas trouver tant d'égoïsme dans le fils de ma mère, dit William d'un ton blessé.

Le pauvre Grégoire rougit.

– Voyons, Grégoire, dit Rupert, laisse Will agir comme il l'entend ; il ne veut que notre bonheur après tout, et, s'il a la bonté de me chercher une femme, je la prendrai pour mienne. Tu sais bien, frère, que la résistance est inutile, William a toujours disposé de nous suivant son caprice.

– Puisque Will veut absolument nous marier, ajouta Stéphen, j'aime autant épouser ma future dans trois jours que dans six mois.

– Je partage l'avis de Stéphen, dit le timide Harold.

– Moi, je cède à la force, ajouta Grégoire ; car Will

est un vrai diable ; il parviendrait tôt ou tard à me prendre dans ses filets.

– Tu me remercieras bientôt d'avoir mis en déroute tes fausses allégations, et ton bonheur sera ma récompense.

– Je me marie pour t'obliger, Will, dit encore Grégoire ; mais j'espère cependant que, afin de m'obliger à mon tour, tu me donneras une jolie petite fille.

– Je vous présenterai tous à de jeunes et charmantes demoiselles, et, si vous ne les trouvez pas adorables, vous pourrez dire partout que Will Ecarlate ne se connaît pas en jolis visages.

– Je puis t'épargner la peine de courir pour moi, dit Herbert, ma femme est déjà trouvée.

– Ah ! ah ! s'écria Will en riant, vous allez voir, Robin, que mes gaillards sont pourvus, et que leur apparente répulsion pour le mariage était un aimable jeu. Comment s'appelle ta bien-aimée, Herbert ?

– Anna Maydow. Il est convenu entre nous que notre mariage aura lieu en même temps que celui de mes sœurs.

– Rusé coquin ! dit Will en donnant à son frère un léger coup sur l'épaule ; je t'ai parlé avant-hier de cette jeune fille, et tu ne m'as rien dit.

– J'ai obtenu ce matin seulement une réponse satisfaisante de ma chère Anna.

– Très bien ; mais lorsque j'ai fait allusion à son amour pour toi, tu ne m'as pas répondu.

– Je n'avais rien à te répondre. Tu me disais : « Miss Anna est très jolie, elle possède un charmant caractère, elle fera une excellente femme. » Comme je sais tout cela depuis longtemps, tes réflexions étaient l'écho des miennes. Tu as encore ajouté : « Miss Anna t'aime beaucoup. » Je le crois, tu le pensais, nous étions aussi bien instruits l'un que l'autre, et par conséquent je n'avais rien à t'apprendre.

– Parfaitement répondu, discret Herbert, et je vois, d'après le silence de nos frères, que seul tu es digne de mon estime.

– J'avais déjà pris la résolution de me marier, dit Harold ; Maude m'en avait inspiré le désir.

– Maude a-t-elle choisi une femme pour toi ? demanda Will en riant.

– Oui, mon frère ; Maude m'a dit qu'il était très agréable de vivre avec une charmante petite femme, et je suis un peu de son avis.

– Hourra ! cria Will au comble de l'enchantement. Mes chers frères, consentez-vous de plein gré et la main sur le cœur à vous marier le même jour que Winifred et Barbara ?

– Nous consentons, dirent deux voix énergiquement accentuées.

– Nous consentons, murmurèrent les jeunes gens qui n'avaient point de femme en perspective.

– Hourra pour le mariage ! cria encore Will en jetant son bonnet en l'air.

– Hourra ! répétèrent d'un même accord les six voix réunies.

– Will, dit Egbert, songeons à nos futures ; il faut te hâter de nous présenter à elles, car elles voudront causer un peu avec nous avant de nous épouser.

– C'est probable ; venez tous avec moi ; j'ai une gentille demoiselle pour Egbert, et je crois connaître trois jeunes filles qui conviendront parfaitement à Grégoire, à Rupert et à Stéphen.

– Mon bon Will, dit Rupert, je désire une jeune fille blonde et mince ; je ne veux pas épouser une personne trop forte de taille.

– Je connais tes goûts romantiques, et je te traite en conséquence, ta fiancée est frêle comme un roseau et jolie comme un ange. Venez, mes garçons, je vous présenterai les uns après les autres ; vous ferez votre cour, et si vous ne savez comment il faut s'y prendre pour plaire à une femme, je vous donnerai des conseils, mieux que cela encore, je vous remplacerai auprès de votre belle.

– Il est bien dommage que tu ne puisses pas épouser nos futures femmes, ami Will, l'affaire marcherait infiniment plus vite.

William adressa à son frère un geste de menace, prit le bras de Grégoire, et sortit de Barnsdale accompagné de son cortège d'amoureux.

Les sept frères arrivèrent bientôt au village ; là Herbert se sépara de ses compagnons pour aller rendre visite à sa bien-aimée, Harold disparut quelques instants après, et Will se dirigea, accompagné de ses frères, vers la demeure de la jeune fille qu'il destinait à Egbert.

Miss Lucy ouvrit elle-même la porte de sa maison. C'était une jeune fille charmante, au visage rose, aux yeux noirs pétillants de malice. Son sourire exprimait la bonté, et elle souriait toujours.

William présenta son frère à miss Lucy et lui parla des bonnes qualités d'Egbert ; il se montra si persuasif et si éloquent que l'aimable fille, du consentement de sa mère, permit à Will d'espérer que ses désirs seraient accomplis.

William, enchanté de la bienveillance de miss Lucy, laissa Egbert continuer en tête à tête une cour si bien commencée, et s'éloigna avec ses frères.

A peine les jeunes gens furent-ils hors de la maison que Stéphen dit à Will :

— Je serais heureux si je pouvais parler avec autant d'esprit, d'entrain et de bonne grâce que tu en mets dans ta conversation.

— Rien n'est facile comme de parler gracieusement à une femme, mon cher ami ; les paroles en elles-mêmes importent peu ; il n'est pas indispensable de les fleurir de jolis mots, il suffit seulement de dire des choses vraies et de les dire avec bonté.

— La personne que tu as choisie pour moi est-elle jolie ?

— Fais-moi connaître tes goûts, dis-moi le genre de beauté que tu aimes.

— Oh ! répondit Stéphen, je ne suis pas bien difficile ; une femme qui ressemblerait à Maude me conviendrait assez !

— « Une femme qui ressemblerait à Maude me conviendrait assez », répéta Will au comble de la stupéfaction. Mais, en vérité, mon cher, je le crois bien, et permets-moi de te dire que tu n'es pas modeste dans tes désirs. Par saint Paul ! Stéphen, une femme comme Maude est une chose rare, pour ne pas dire introuvable. Sais-tu bien, pauvre ambitieux, qu'il n'existe pas sur la terre une créature comparable à ma chère petite femme !

– Tu crois, Will ?

– J'en suis certain, repartit l'époux de Maude d'un ton péremptoire.

– Vraiment, je ne le savais pas ; il faut excuser mon ignorance, Will. Je n'ai point encore voyagé, répondit naïvement le jeune homme ; mais si tu pouvais me donner une femme dont la beauté fût dans le genre de celle de Maude...

– Il n'existe personne au monde qui possède une seule des perfections de Maude, répondit William à demi irrité du désir de son frère.

– Eh bien ! alors, Will, donne-moi pour femme celle que tu as choisie à ton goût, repartit Stéphen d'un ton découragé.

– Tu en seras content. Je vais d'abord te dire son nom : elle s'appelle Minny Meadoros.

– Je la connais, dit Stéphen en souriant : c'est une jeune fille aux yeux noirs, aux cheveux bouclés. Minny avait l'habitude de se moquer de moi ; elle disait que j'avais l'air nigaud et endormi. Cependant elle me plaisait malgré ses taquineries. Un jour que nous étions seuls, elle me demanda en riant si jamais de ma vie j'avais embrassé une jeune fille.

– Qu'as-tu répondu à la question de Minny ?

– Je lui ai répondu que bien certainement j'avais embrassé mes sœurs. Minny se mit à rire aux éclats, et elle me demanda encore : « N'avez-vous point embrassé d'autres femmes que vos sœurs ? – Pardonnez-moi, miss, lui répondis-je, j'ai embrassé ma mère. »

– Ta mère, grand nigaud ! Eh bien ! que t'a-t-elle dit après avoir entendu cette belle réponse ?

– Elle a ri encore plus fort. Puis elle m'a demandé si je ne désirais pas embrasser d'autres dames que mes sœurs et ma mère. Je lui ai répondu : « Non, mademoiselle. »

– Grand bêta ! il fallait embrasser Minny ; voilà la réponse que méritaient ses questions.

– Je n'y ai même pas songé, repartit tranquillement Stéphen.

– Comment vous êtes-vous séparés après cette aimable conversation ?

– Minny m'a appelé imbécile ; puis elle s'est sauvée en riant toujours.

– J'approuve tout à fait l'épithète dont tu as été qualifié par ta future femme. Te convient-elle réellement ?

– Oui. Et que lui dirai-je lorsque nous serons en tête à tête ?

– Tu lui diras toutes sortes de jolies choses.

– Je comprends. Mais dis-moi, Will, comment faut-il commencer une jolie phrase ? C'est toujours le premier mot qui est difficile à trouver.

– Quand tu seras seul avec Minny, tu lui diras que tu désires recevoir quelques leçons dans l'art d'embrasser les jeunes filles, et tout en parlant tu l'embrasseras. Ce premier pas franchi, tu ne seras pas embarrassé pour continuer la marche.

– Je n'oserai jamais montrer tant de hardiesse, dit craintivement Stéphen.

– « Je n'oserai jamais » ! répéta Will d'un ton moqueur. Sur mon âme ! Stéphen, si je n'étais pas sûr que tu es un brave et vaillant forestier, je pourrais te prendre pour quelque grande fille habillée en homme.

Stéphen rougit.

– Mais, dit-il en hésitant, si la jeune fille se trouvait blessée de ma manière d'agir ?

– Eh bien ! tu l'embrasserais encore, et tu lui dirais : « Charmante miss, adorable Minny, je ne cesserai de vous embrasser qu'après avoir obtenu votre pardon. » Du reste, retiens bien ceci et fais en sorte de t'en souvenir à l'occasion : une jeune fille ne repousse jamais sérieusement un baiser de celui qu'elle aime. Ah ! si le cavalier lui déplaît, ceci change de thèse ; alors elle se défend, et elle se défend si bien que l'on ne peut recommencer. Tu n'as pas à craindre de la part de Minny un véritable refus. J'ai appris de bonne source que la chère petite fille te voit avec amitié.

Stéphen s'arma de courage et promit à William de surmonter sa timidité.

Minny était seule et dans sa maison.

– Bonjour, charmante Minny, dit Will en prenant la main tendue de la jeune fille, qui rougissait en saluant avec grâce ; je vous amène mon frère Stéphen, il a quelque chose de très important à vous dire.

– Lui ! s'écria la jeune fille ; et que peut-il avoir à me dire de si important ?

– J'ai à vous dire, repartit vivement Stéphen, tout en devenant pâle à faire peur, que je souhaite prendre quelques leçons...

– Chut ! chut ! interrompit Will ; ne va pas si vite, mon garçon. Chère Minny, Stéphen vous expliquera tout à l'heure ce qu'il désire obtenir de votre bonté. En attendant, permettez-moi de vous annoncer le mariage de mes sœurs.

– J'ai déjà entendu parler des belles fêtes qui se préparent au château.

– J'espère bien, chère Minny, que vous voudrez partager nos plaisirs ?

– Avec bonheur, Will ; les jeunes filles du village s'occupent déjà de leur toilette, et je me fais une joie extrême de danser à un bal de noce.

– Vous amènerez votre amoureux, n'est-ce pas, Minny ?

– Mais non, mais non, interrompit Stéphen ; tu oublies, Will...

– Je n'oublie rien, interrompit Will. Fais-moi le plaisir de garder le silence pendant quelques secondes. Vous amènerez votre amoureux, n'est-ce pas, Minny ? continua le jeune homme en répétant sa question.

– Je n'ai pas d'amoureux, répondit la jeune fille.

– Est-ce bien vrai, Minny ? demanda Will.

– C'est bien vrai ; je ne connais personne à qui je puisse donner le nom de mon amoureux.

– Si vous le voulez, Minny, je serai votre amoureux, s'écria Stéphen en prenant d'une main tremblante les mains de la jeune fille.

– Bravo ! Stéphen, dit Will.

– Oui, reprit le jeune homme encouragé par l'approbation de son frère, oui, Minny, je veux être votre amoureux ; je viendrai vous chercher le jour de la fête, et nous nous marierons en même temps que mes sœurs.

Etourdie par cette brusque déclaration, la jeune fille ne sut que répondre.

– Ecoutez-moi, chère Minny, dit Will : mon frère vous aime depuis longtemps, et le silence qu'il a gardé vient, non de son cœur, mais de l'extrême timidité de son caractère. Je vous jure sur mon honneur que Stéphen vous parle avec la sincérité de l'amour. Vous êtes libre de tout engagement, Stéphen est un beau garçon, mieux encore, un bon, un excellent garçon. Il fera un mari digne de vous. Si votre consentement et celui de votre famille nous sont accordés, votre mariage sera célébré avec celui de mes sœurs.

— En vérité, Will, répondit la jeune fille en baissant les yeux d'un air confus, j'étais si peu préparée à votre demande, elle est si vive et si inattendue que je ne sais comment y répondre.

— Répondez : J'accepte Stéphen pour mon mari, dit le jeune homme tout à fait mis à l'aise par les doux regards de la jolie demoiselle. J'éprouve une très grande affection pour vous, Minny, continua-t-il, et je serai le plus heureux des hommes si vous voulez bien m'accorder votre main.

— Il m'est impossible de répondre aujourd'hui à votre honorable proposition, dit la jeune fille en faisant un salut plein de gentillesse et d'espièglerie à son timide amoureux.

— Je vais vous laisser en tête à tête, mes bons amis, reprit William ; ma présence gêne vos épanchements, et je suis certain, si Minny aime un peu Winifred et Barbara, qu'elle voudra bien les nommer ses sœurs.

— J'aime de toute mon âme Winifred et Barbara, répondit la jeune fille d'un air très attendri.

— Alors, dit Stéphen, je puis espérer, mademoiselle, que, en considération de votre amitié pour mes sœurs, vous daignerez me traiter généreusement.

— Nous verrons cela, répondit la jeune fille avec coquetterie.

— Au revoir, ma charmante Minny, dit William en souriant. Soyez, je vous prie, indulgente et bonne pour un gentil garçon qui vous aime tendrement, bien qu'il ne sache pas témoigner son amour d'une manière fort éloquente.

— Vous êtes sévère, Will, répondit gravement la jeune fille. Je trouve, moi, que Stéphen s'exprime on ne peut mieux.

— Allons, reprit Will, je m'aperçois que vous êtes tout à fait une excellente personne, aimable Minny. Permettez-moi de vous baiser les mains et de vous dire une fois encore : Au revoir, ma sœur.

— Dois-je vraiment répondre à William : Au revoir, mon frère ? demanda la jeune fille en se retournant vers Stéphen.

— Oui, chère miss, oui, s'écria Stéphen d'une voix joyeuse ; dites-lui : Au revoir, mon frère, afin qu'il s'en aille bien vite.

— Tu fais des progrès, mon garçon, reprit Will en riant ; il paraît que mes leçons étaient bonnes.

Cela dit, William embrassa Minny et s'éloigna avec Grégoire et Rupert.

— Maintenant à nous, n'est-ce pas, Will ? dit Grégoire ; j'ai hâte de voir la femme que je dois épouser.

— Moi aussi, ajouta Rupert.

— Où demeure-t-elle ? demanda Grégoire.

— Verrai-je ma fiancée aujourd'hui ? continua Rupert.

— Votre naturelle curiosité va être satisfaite, répondit Will. Vos femmes futures sont cousines, elles s'appellent Mabel et Editha Harowfeld.

— Je les connais toutes les deux, dit Grégoire.

— Je les connais aussi, ajouta Rupert.

— Ce sont deux jolies filles, reprit William, et je ne suis point surpris que leur charmant visage ait attiré vos regards. Je suis à Barnsdale depuis dix-huit mois à peine, et cependant il n'existe pas dans tout le comté une demoiselle brune ou blonde qui me soit inconnue. Comme vous j'avais déjà porté mon attention sur Mabel et sur Editha.

— Je n'ai jamais vu, dit Grégoire, un gaillard de ton espèce, Will ; tu connais toutes les femmes, tu es toujours par voie et par chemin ; en vérité, nous ne te ressemblons guère.

— Malheureusement pour vous, mes garçons ; car si vous me ressembliez le moins du monde, je ne serais pas obligé de vous chercher des femmes et de vous apprendre à faire la cour à celles qui vous plaisent.

— Oh ! reprit Grégoire d'un air décidé, il ne sera pas très difficile pour nous de faire la cour à Mabel et à Editha. Rupert trouve Mabel charmante, et moi je suis persuadé qu'Editha est une bonne créature ; je vais donc tout simplement lui demander si elle veut être la femme de Grégoire Gamwell.

– Il ne faudra pas adresser cette demande avec brusquerie, mon cher garçon ; car tu courrais le risque de la voir refusée.

– Dis-moi alors comment je dois m'y prendre pour expliquer mes intentions à Editha. Je ne connais pas les ruses du détour ; mon désir est de l'avoir pour femme, et je croyais tout naturel de lui dire : Editha, je suis prêt à vous épouser.

– Tu mettrais cette jeune fille dans un grand embarras, si tu lui lançais à brûle-pourpoint cette déclaration.

– Que faut-il faire alors ? demanda Grégoire d'un air désespéré.

– Il faut amener tout doucement la conversation vers la route que tu désires suivre : parler d'abord du bal qui se donne au château dans trois jours, du bonheur de Petit-Jean, de la joie de Much, faire une adroite allusion à ton prochain mariage, et, à ce propos, demander à Editha, comme je l'ai demandé à Minny, si elle songe à se marier, si elle viendra à la fête de Barnsdale avec un amoureux.

– Si Editha me répond : Oui, Grégoire, j'irai au bal avec un amoureux ?

– Eh bien ! tu lui diras : Miss, cet amoureux ce sera moi.

– Mais, hasarda encore le pauvre Grégoire, si Editha refuse ma main ?

– Alors tu l'offriras à Mabel.

– Et moi ? dit Rupert.

– Editha ne refusera pas, reprit Will ; ainsi, soyez tranquilles, chacun de vous aura pour femme la jeune fille qui lui plaît.

Les jeunes gens traversèrent la place du village et s'arrêtèrent devant une charmante maison, sur le seuil de laquelle deux jeunes filles se tenaient debout.

– Bonjour à la brune Editha et à la blonde Mabel, dit Will en saluant les deux cousines ; nous venons, mes frères et moi, les inviter à un bal de noces.

– Soyez les bienvenus, messires, dit Mabel d'une voix douce comme un chant d'oiseau. Faites-nous le plaisir d'entrer dans la salle et d'accepter quelques rafraîchissements.

– Mille grâces vous soient rendues, charmante Mabel, répondit William ; une offre obligeante et gracieusement formulée ne rencontre jamais de refus. Nous allons boire un pot d'ale à votre santé et à votre bonheur.

Editha et Mabel, qui étaient de spirituelles et bienveillantes personnes, accueillirent en riant les galanteries des trois frères ; puis, après une heure de joyeuse conversation, Grégoire prit son courage à deux mains et demanda timidement à Editha si elle avait l'intention de se faire accompagner au château par son amoureux.

– Je me laisserai accompagner non par un amoureux, mais par une demi-douzaine d'aimables garçons, répondit gaiement la coquette Editha.

Cette repartie inattendue jeta une grande confusion dans les idées du pauvre Grégoire. Il laissa échapper un soupir, et se tournant vers son frère, il lui dit à mi-voix :

– Mon affaire est faite, hein, qu'en penses-tu ? je ne puis pas lutter avec une demi-douzaine de prétendants. En vérité, il ne faut pas avoir de chance ; je serai donc obligé de rester garçon.

– Puisque tu ne voulais pas te marier, cela t'arrange, dit Will d'un air taquin.

– Je n'y pensais pas, voilà tout ; mais depuis que ce désir m'est entré dans le cœur, je suis tourmenté de la crainte de ne pas trouver une femme.

– Tu auras Editha ; laisse-moi faire. Miss Editha, dit William, notre visite avait un double but : d'abord celui de vous inviter à notre fête de famille, puis ensuite je voulais vous présenter, non pas un amoureux de bal, un adorateur de vingt-quatre heures, vous en possédez six, et le septième ferait mauvaise figure, mais bien un honnête garçon, rangé, sage, riche, ce qui ne gâte rien, et qui se trouverait très fier et très heureux de vous offrir son cœur, sa main et son nom.

Miss Editha devint toute pensive.

– Parlez-vous sérieusement, Will ? demanda-t-elle.

– Très sérieusement, miss. Grégoire vous aime ; du reste, il est là, et, si vous fermez les yeux à l'éloquence de ses regards, veuillez accorder quelque attention à la sincérité de ses paroles. Je veux bien lui laisser le plaisir de plaider une cause qui est, je crois, en partie gagnée, ajouta le jeune homme en interprétant en faveur de son frère le joyeux sourire épanoui sur les lèvres d'Editha. William laissa Grégoire s'approcher de la jeune fille et chercha Rupert du regard, afin de lui venir en aide si la nécessité s'en faisait sentir. Le secours de Will était inutile à Rupert : le jeune homme causait tout bas avec Mabel ; il tenait les mains de la jeune fille, et, à demi agenouillé devant elle, il paraissait lui témoigner une vive gratitude.

– Bon, se dit Will, il marche tout seul ; je puis l'abandonner à ses propres forces.

Le jeune homme considéra un instant les couples d'amoureux, et, sans attirer leur attention, il sortit de la salle et regagna le château en courant.

En arrivant au hall de Barnsdale, Will rencontra Robin, Marianne et Maude. Il leur raconta ce qui venait de se passer, leur désigna la gêne craintive des futurs époux, puis enfin il finit par reconnaître que les quatre jeunes gens s'étaient bravement tirés de leur position difficile.

Vers le soir, les nouveaux fiancés reparurent au château ; ils rayonnaient de joie, leur victoire avait été complète : ils avaient tous obtenu le consentement de leur belle.

Les parents de nos jeunes demoiselles trouvèrent bien que c'était folie de se marier avec tant de précipitation. Mais l'honneur de faire partie de la noble famille des Gamwell leva tous les scrupules.

Sir Guy, habilement préparé par Robin à donner son approbation au choix de ses fils, accueillit avec une bienveillance parfaite les six jolies fiancées. Les huit mariages furent célébrés au jour dit avec une grande pompe, et chacun se trouva content du bonheur qui lui était échu en partage.

8

Un mois après les événements que nous venons de raconter, Robin Hood, sa femme et la troupe entière des joyeux hommes se retrouvaient installés sous les grands arbres de la forêt de Sherwood.

Vers cette époque, un grand nombre de Normands, libéralement payés de leurs services militaires par Henri II, vinrent prendre possession des domaines dont les gratifiait la générosité du roi. Quelques-uns de ces Normands, obligés de traverser la forêt de Sherwood afin de gagner leurs nouvelles propriétés, furent contraints par la joyeuse bande des outlaws à payer libéralement leur passage. Les nouveaux venus jetèrent les hauts cris et portèrent leurs plaintes aux arbitres de la ville de Nottingham. Mais ces plaintes, taxées d'exagération, n'obtinrent point de réponse. Voici pourquoi les shérifs et autres puissants personnages de la ville gardèrent un prudent mutisme.

Un très grand nombre des hommes de la bande de Robin Hood se trouvaient apparentés avec les habitants de Nottingham, et tout naturellement ces derniers usaient de leur influence sur les chefs de l'ordre civil ou militaire pour prévenir toute mesure rigoureuse contre les hôtes de la forêt. Ils avaient grand'peur, les dignes gens, si une attaque victorieuse parvenait à expulser les joyeux hommes de leur verte demeure, de ressentir quelque matin la mélancolique satisfaction de voir un de leurs parents pendu par le cou à la potence de la ville.

Cependant, comme il était nécessaire de faire parade aux yeux des plaignants d'une apparence d'indignation et de justice, on doubla la récompense promise à celui qui réussirait à enlever Robin Hood. Quiconque se présentait recevait immédiatement un permis d'arrêter le célèbre outlaw. Plusieurs hommes d'une force de corps remarquable ou d'un esprit déterminé avaient tenté l'aventure ; mais il était arrivé une chose tout à fait inattendue : ils s'étaient de leur propre inspiration enrôlés dans la bande des joyeux forestiers.

Un matin, Robin et Will Ecarlate se promenaient

dans la forêt, lorsqu'ils virent tout à coup apparaître devant eux Much haletant de sueur et hors d'haleine.

— Que vous est-il donc arrivé, Much ? demanda Robin avec inquiétude. Avez-vous été poursuivi ? vous êtes tout en nage.

— Ne vous effrayez pas, Robin, répondit le jeune homme en essuyant son visage empourpré ; je n'ai fait, grâce au ciel, aucune rencontre qui puisse être dangereuse. Je viens tout simplement de faire assaut au bâton avec Arthur le Pacifique. Dieu me damne ! ce garçon a dans les bras la force d'un géant.

— Vous dites vrai, mon cher Much, et c'est une rude tâche que de se battre avec Arthur, lorsqu'il prend le combat au sérieux.

— Arthur conserve toujours son sang-froid, reprit Much ; mais comme il ignore les véritables règles de l'art, il ne doit son succès qu'à l'immense force de ses muscles.

— Vous a-t-il contraint à demander quartier ?

— Je crois bien, sans cela il m'eût enlevé jusqu'au dernier souffle ; dans ce moment-ci il est aux prises avec Petit-Jean ; mais, avec un pareil adversaire, la défaite d'Arthur ne peut être mise en doute, car dès qu'il commence à frapper avec trop de vigueur, Petit-Jean lui enlève son bâton et lui donne quelques bons coups sur les épaules afin de lui apprendre à modérer l'emportement de sa vigueur.

— A quel propos avez-vous engagé une lutte avec l'indomptable Arthur ? demanda Robin.

— Sans cause ni raison, tout simplement pour passer une heure agréable et exercer nos membres dans un salutaire exercice.

— Arthur est un terrible lutteur, reprit Robin, et un jour il m'a vaincu au bâton.

— Vous ! s'écria Will.

— Oui, mon cher cousin, il m'a traité à peu près de la même façon qu'il a traité Much : le gaillard se sert de son bâton de chêne comme d'une barre de fer.

— Dans quelles circonstances vous a-t-il battu ? dans quel endroit la lutte a-t-elle eu lieu ? demanda curieusement Will.

— La lutte a eu lieu dans la forêt, et voici comment

je fis connaissance avec Arthur. J'étais seul, et je me promenais dans une allée déserte du bois, lorsque j'aperçus le gigantesque Arthur appuyé sur un bâton ferré, les yeux et la bouche largement ouverts, examinant un troupeau de daims qui passait à cent pas de lui. Son aspect de géant, l'air de naïveté candide qui épanouissait sa large figure, me donnèrent le désir de m'amuser à ses dépens. Je me glissai adroitement derrière lui, et j'abordai mon homme par un vigoureux coup de poing entre les deux épaules. Arthur tressaillit, tourna la tête, et me regarda en face d'un air plein de courroux.

« – Qui es-tu ? lui dis-je, et dans quel but viens-tu vagabonder dans le bois ? Tu ressembles furieusement à un voleur qui se propose d'enlever un daim. Fais-moi le plaisir de filer à l'instant même ; je suis le garde de cette partie de la forêt, et je n'y souffre point la présence des gaillards de ton espèce.

« – Eh bien ! me répondit-il avec une grande insouciance, essaye si tu le veux de me faire déguerpir, car je ne veux pas m'en aller. Appelle des aides, si tel est ton bon plaisir ; je ne m'y oppose pas.

« – Je n'ai besoin de personne pour faire respecter la loi et ma volonté, mon bel ami, répliquai-je ; je suis habitué à me servir de mes propres forces, qui, vous le voyez, sont dignes d'inspirer le respect. J'ai deux bons bras, un sabre, un arc et des flèches.

« – Mon petit forestier, dit Arthur en me toisant de la tête aux pieds d'un regard dédaigneux, si je vous appliquais sur les doigts un seul coup de mon bâton, vous ne pourriez plus vous servir ni de votre sabre ni même de votre arc.

« – Parlez poliment, mon garçon, répondis-je, si vous ne voulez pas recevoir une rouée de coups.

« – Oui, mon petit ami, fouettez un chêne avec un roseau. Qui donc pensez-vous être, jeune prodige de valeur ? Apprenez donc que je ne me soucie pas de vous le moins du monde. Cependant, si vous voulez lutter, je suis votre homme.

« – Vous n'avez pas de sabre, fis-je observer.

« – Je n'ai pas besoin de sabre, puisque je tiens mon bâton.

« – Alors je vais prendre un bâton de la même longueur que le vôtre.

« – Soit, dit-il. Et Arthur se mit en garde.

« Je lui portai aussitôt le premier coup, et je vis le sang jaillir de son front et ruisseler le long de ses joues. Etourdi par ce choc, il fit un mouvement en arrière. Je baissai mon arme, mais, en voyant ce geste qui lui parut, sans doute, une expression de triomphe, il se remit à manier son bâton avec une force et une habileté extraordinaires. C'est à peine, tant il frappait avec violence, si j'avais la force de parer les coups et de maintenir mon bâton entre mes mains crispées. En faisant un bond en arrière pour éviter une atteinte terrible, je négligeai de me tenir sur mes gardes ; il prit avantage de l'occasion et m'asséna sur le crâne le plus formidable coup que j'aie jamais reçu. Je tombai en arrière comme si j'avais été percé d'une flèche ; cependant, je ne perdis pas connaissance, je rebondis sur mes pieds. La lutte un instant suspendue recommença de nouveau ; Arthur faisait pleuvoir ses coups avec une force si terrifiante qu'à peine me laissait-il le temps de me défendre. Nous nous battîmes ainsi pendant près de quatre heures ; nous faisions résonner sous nos coups les échos du vieux bois, tournant autour l'un de l'autre comme deux sangliers qui se battent. Enfin, pensant qu'il n'était pas fort utile de continuer une lutte où je n'avais rien à gagner, pas même la satisfaction de rosser mon adversaire, je jetai mon bâton.

« – En voilà assez, lui dis-je. Terminons notre querelle ; nous pourrions nous frapper jusqu'à demain et nous réduire mutuellement en poussière sans gagner un épi. Je vous octroie toute liberté de parcours dans la forêt, car vous êtes un vaillant garçon.

« – Grand merci de la faveur grande, me répondit-il dédaigneusement ; j'ai acheté le droit d'agir à ma guise avec l'aide de mon bâton, c'est donc à lui et non à vous que je dois des remerciements.

« – Tu as raison, mon brave ; mais tu auras quelque peine à défendre ton droit si tu n'as que ton bâton pour le faire valoir. Il y a de bons jouteurs dans la verte forêt, et tu ne pourras conserver ta liberté qu'au moyen de crânes cassés et de membres endoloris. Crois-moi, l'existence de la ville est encore préférable à celle que tu aurais ici.

« – Cependant, reprit Arthur, je voudrais vivre dans le vieux bois.

« La réponse de mon vaillant adversaire me donna à réfléchir, continua Robin. J'examinai sa haute taille, la franchise amicale de sa physionomie, et je me dis que la conquête d'un pareil gaillard pouvait être une bonne fortune pour notre petite communauté.

« – Tu n'aimes donc pas le séjour de la ville ? lui demandai-je.

« – Non, répondit-il ; je suis las d'être esclave des maudits Normands, je suis fatigué de m'entendre appeler chien, serf et valet. Mon maître m'a qualifié ce matin des épithètes les plus injurieuses du vocabulaire, et, non content de me harceler avec sa langue de vipère, il a voulu me frapper. Je n'ai pas attendu le coup ; un bâton se trouvait à la portée de ma main, je m'en suis servi, et je lui ai appliqué sur les épaules un coup qui lui a fait perdre connaissance. Cela fait, je me suis enfui.

« – Quel est ton métier ? lui demandai-je.

« – Je suis tanneur, me répondit-il, et j'habite depuis plusieurs années la province de Nottingham.

« – Eh bien ! mon brave ami, lui dis-je, si vous n'avez pas une prédilection trop forte pour votre métier, vous pouvez lui dire adieu et vous établir ici. Je me nomme Robin Hood. Ce nom vous est-il connu ?

« – Bien certainement. Mais êtes-vous Robin Hood ? Vous m'avez dit tout à l'heure que vous étiez un des gardes forestiers du bois.

« – Je suis Robin Hood, je vous en donne ma parole d'honneur ! répliquai-je en tendant la main au pauvre garçon effaré de surprise.

« – Bien vrai ? répéta-t-il.

« – Sur mon âme et sur ma conscience !

« – Alors je suis vraiment fort heureux de vous avoir rencontré, ajouta Arthur avec une expression de joie manifeste ; car j'étais venu à votre recherche, généreux Robin Hood. Lorsque vous m'avez dit que vous étiez un gardien du bois, je l'ai cru, et je n'ai point osé vous faire part du projet qui m'amenait à Sherwood. Je désire me joindre à votre bande, et si vous m'acceptez pour compagnon, vous n'aurez pas de serviteur qui vous soit plus dévoué et plus fidèle qu'Arthur le Pacifique, tanneur à Nottingham.

« – Ta franchise me plaît, Arthur, lui répondis-je, et je consens volontiers à te joindre aux joyeux hommes qui composent ma bande. Nos lois sont simples et peu nombreuses, mais elles doivent être observées. Sur tout autre point, liberté complète. Tu seras, en outre, bien vêtu, bien nourri et bien traité.

« – Mon cœur tressaille dans ma poitrine en vous écoutant, Robin Hood, et la pensée que je vais être des vôtres me rend tout heureux. Je ne vous suis pas aussi complètement étranger que vous pourriez le croire : Petit-Jean est un de mes parents. Mon oncle maternel a épousé la mère de Jean, qui était une sœur de sir Guy de Gamwell. Je verrai bientôt Petit-Jean, n'est-ce pas ? Je brûle du désir de l'embrasser.

« – Je vais le faire accourir auprès de nous, dis-je à Arthur. Et je sonnai du cor.

« Quelques instants après cet appel, Petit-Jean parut dans la clairière.

« A la vue du sang qui marbrait nos deux figures de taches effrayantes, Petit-Jean s'arrêta court.

« – Qu'y a-t-il, Robin ? s'écria Jean d'un air épouvanté ; vous avez le visage dans un état affreux.

« – Il y a que je viens d'être rossé, répondis-je tranquillement, et devant vous se trouve le coupable.

« – Si ce gaillard-là vous a battu, c'est qu'il manie joliment le bâton ! s'écria Petit-Jean. Eh bien ! je vais lui rendre avec usure les coups dont il vous a gratifié. Avance ici, mon grand garçon.

« – Retiens ton bras, ami Jean, et donne la main à un fidèle allié, à un parent ; ce jeune homme s'appelle Arthur.

« – Arthur de Nottingham, surnommé le Pacifique ? demanda Jean.

« – Lui-même, répliqua Arthur. Nous ne nous sommes jamais rencontrés depuis notre enfance, néanmoins je te reconnais, cousin Jean.

« – Je ne puis dire la même chose, dit Jean avec sa naïve franchise ; je ne me rappelle aucun de tes traits ; mais il importe peu, tu le dis, mon cousin, sois le bienvenu. Comme tel, tu trouveras bons cœurs et bons visages dans la verte forêt de Sherwood.

« Arthur et Jean s'embrassèrent, et le reste de la journée s'écoula gaiement.

– Depuis cette époque, avez-vous joué au bâton avec Arthur ? demanda Will à Robin.

– L'occasion ne s'en est pas encore présentée ; du reste, il est probable que je serais encore vaincu, et ce serait pour la troisième fois.

– Comment ! pour la troisième fois ? s'écria Will.

– Oui, j'ai reçu de Gaspard l'étameur une rude volée.

– En vérité ! Et quand cela ? Sans doute avant qu'il ne se fût enrôlé dans la bande.

– Oui, répliqua Robin ; j'ai pris l'habitude d'éprouver par moi-même le courage et la force d'un homme avant de lui accorder ma confiance. Je ne veux pas avoir pour compagnons des cœurs faibles et des têtes faciles à démonter. Un matin, je rencontrai Gaspard l'étameur sur la route de Nottingham. Vous connaissez la carrure de sa vigoureuse personne, et je n'ai pas besoin de vous faire une description du gaillard ; sa mine me plut, il marchait d'un pas ferme en sifflant un air joyeux.

« Je m'avançai à sa rencontre.

« – Bonjour, mon brave ami, lui dis-je ; vous voyagez, à ce que je vois. Il circule, dit-on, de mauvaises nouvelles ; sont-elles vraies ?

« – De quelles nouvelles voulez-vous parler ? me demanda-t-il ; je n'en connais aucune qui soit digne de récit ; du reste, j'arrive de Bamburg, je suis chaudronnier de mon état, et je ne songe qu'à mon travail.

« – La nouvelle dont il est question doit cependant vous intéresser, mon brave. J'ai entendu dire que dix drouineurs viennent d'être mis aux fers pour s'être enivrés.

« – Votre nouvelle ne vaut pas un denier, me répondit-il ; si on mettait aux fers tous ceux qui boivent, vous seriez certain d'avoir une place au premier rang des condamnés ; car vous n'avez pas l'air d'un homme qui méprise le bon vin.

« – Non, en vérité, je ne suis point ennemi de la rouge bouteille, et je ne pense pas qu'il se trouve dans le monde un cœur jovial qui méprise le vin. Quelle cause vous amène de Bamburg dans ces parages ? car assurément ce n'est pas l'intérêt seul de votre métier.

« – Ce n'est pas mon métier, en effet, répondit Gaspard. Je suis à la recherche d'un bandit qu'on nomme Robin Hood. Une récompense de cent écus d'or est promise à celui qui parviendra à s'emparer du brigand, et je désire fort gagner cette récompense.

« – Comment vous proposez-vous de prendre Robin Hood ? demandai-je au drouineur ; car j'étais fort surpris de l'air sérieux et tranquille avec lequel il m'avait fait cette étrange confidence.

« – J'ai un ordre de prise de corps signé du roi, me répliqua Gaspard.

« – Cet ordre est-il en règle ?

« – Parfaitement en règle : il m'autorise à arrêter Robin, et me promet la récompense.

« – Vous parlez de cette arrestation, déjà si inutilement tentée, comme si elle était la chose du monde la plus facile à faire.

« – Elle ne sera pas très difficile pour moi, reprit le drouineur ; je suis solidement bâti, j'ai des muscles d'acier, un courage à toute épreuve et beaucoup de patience. Comme vous le voyez, je puis espérer de surprendre mon homme.

« – Si vous le rencontriez par hasard, le reconnaîtriez-vous ?

« – Je ne l'ai jamais vu ; si je connaissais son visage, ma tâche serait à moitié accomplie. Etes-vous plus heureux que moi à cet égard-là ?

« – Oui, j'ai rencontré deux fois Robin Hood, et il me sera peut-être possible de vous venir en aide dans votre entreprise.

« – Mon beau garçon, si vous faites cela, me dit-il, je vous donnerai une bonne partie de l'argent que j'aurai gagné.

« – Je vous désignerai un endroit où vous pourrez le rencontrer, lui répondis-je. Mais avant d'aller plus loin dans nos mutuels engagements, je désirerais voir l'ordre de prise de corps ; pour être valable, il faut qu'il soit régulièrement fait.

« – Je vous suis bien obligé de la prévoyance, me répondit le drouineur d'un ton défiant ; je ne confierai

167

ce papier à personne. Je suis certain qu'il est valable et régulier : cette conviction me suffit, tant pis pour vous si vous ne la partagez pas. L'ordre du roi sera vu par Robin Hood alors que pieds et poings liés je le tiendrai en mon pouvoir.

« – Vous avez peut-être raison, mon brave homme, répondis-je d'un air indifférent ; je ne tiens pas autant que vous paraissez le croire à m'assurer de la valeur de votre permis. Je vais à Nottingham autant par curiosité que par désœuvrement, car j'ai entendu dire ce matin que Robin Hood devait descendre dans la ville ; si vous voulez venir avec moi, je vous montrerai le célèbre outlaw.

« – Je te prends au mot, mon garçon, repartit vivement le drouineur ; mais si, arrivés à destination, je m'aperçois de quelque supercherie de ta part, tu feras connaissance avec mon bâton.

« Je haussai les épaules en signe de dédain.

« Il vit le geste, et se mit à rire.

« – Vous ne serez pas fâché de m'avoir été utile, dit-il, car je ne suis point un homme ingrat.

« Lorsque nous fûmes arrivés à Nottingham, nous nous arrêtâmes à l'auberge du Pat, et je demandai au maître de la maison une bouteille de bière d'une espèce toute particulière. Le drouineur, qui était en marche depuis le matin, mourait littéralement de soif, et la bière eut bientôt disparu. Après la bière, je fis servir du vin, et après le vin encore de la bière, ainsi de suite pendant une heure. Le drouineur avait vidé sans s'en apercevoir toutes les bouteilles placées devant lui ; car pour moi, peu enclin de ma nature à faire un usage immodéré du vin, je m'étais contenté d'en boire quelques verres. Je n'ai pas besoin de vous dire que le brave homme se grisa complètement. Une fois ivre, il me fit un récit pompeux des exploits qu'il allait accomplir pour s'emparer de Robin Hood ; il en arriva, après avoir fait prisonnier le chef des joyeux hommes, à arrêter toute la bande et à la conduire à Londres. Le roi récompensait la vaillance de Gaspard en lui donnant la fortune et les privilèges d'un grand dignitaire de l'Etat ; mais au moment où l'illustre vainqueur allait épouser une princesse d'Angleterre, il tomba de son siège, et, tout endormi, alla rouler sous la table.

« Je pris la bourse du drouineur ; elle contenait, avec son argent, l'ordre de prise de corps. Je payai la note de notre dépense, et je dis à l'aubergiste :

« – Lorsque cet homme se réveillera, vous lui réclamerez le prix des rafraîchissements ; puis, s'il vous demande qui je suis et dans quel endroit on peut me rencontrer, vous lui répondrez que j'habite le vieux bois, et mon nom est Robin Hood.

« L'aubergiste, excellent homme en qui j'ai toute confiance, se mit gaiement à rire.

« – Soyez tranquille, messire Robin, me dit-il, je suivrai ponctuellement vos ordres, et si le drouineur désire vous revoir, il n'aura qu'à se mettre à votre recherche.

« – Vous avez compris, mon brave, répondis-je en enlevant le sac du chaudronnier. Du reste, il y a tout lieu de croire que le bonhomme ne me fera pas attendre longtemps sa visite.

« Cela dit, je saluai amicalement l'aubergiste et je sortis de la maison.

« Après avoir dormi pendant quelques heures, Gaspard se réveilla. Il s'aperçut bien vite de mon absence et de la perte de sa bourse.

« – Aubergiste ! vociféra-t-il d'une voix de tonnerre, je suis volé, je suis ruiné ! Où est le brigand ?

« – De quel brigand me parlez-vous ? demanda l'hôtelier avec le plus grand sang-froid.

« – De mon compagnon. Il m'a dévalisé.

« – Voilà une chose qui ne m'arrange pas du tout, s'écria l'aubergiste d'un air mécontent ; car vous avez ici une longue note à régler.

« – Une note à régler ! répéta Gaspard en gémissant ; je n'ai rien, absolument rien, le misérable m'a complètement dépouillé. J'avais dans ma bourse un mandat de prise de corps délivré par le roi ; à l'aide du mandat je pouvais faire ma fortune, je pouvais m'emparer de Robin Hood. Ce bandit d'étranger m'avait promis son secours ; il devait me conduire en présence du chef des outlaws. Ah ! le misérable ! il a abusé de ma confiance, il m'a enlevé mon précieux papier.

« – Comment ! reprit l'aubergiste, vous avez fait part

à ce jeune homme des mauvaises intentions qui vous amènent à Nottingham ?

« Le drouineur jeta un regard de travers à son hôte.

« – Il paraît, dit-il, que vous ne prêteriez pas main-forte au vaillant garçon qui voudrait arrêter Robin Hood ?

« – Ma foi ! répondit l'aubergiste, Robin Hood ne m'a fait aucun mal, et ses affaires avec les autorités du pays ne sont point de mon ressort. Mais comment diable se fait-il, continua l'aubergiste, que vous trinquiez joyeusement avec lui en lui communiquant votre petit papier, au lieu de vous emparer de sa personne ?

« Le drouineur ouvrit de grands yeux effarés.

« – Que voulez-vous dire ? demanda-t-il.

« – Je veux dire que vous avez manqué l'occasion de saisir Robin Hood.

« – Comment cela ?

« – Eh ! nigaud que vous êtes ! Robin Hood était là tout à l'heure ; vous êtes entrés ici ensemble, vous avez bu ensemble, je vous ai cru de sa bande.

« – J'ai bu avec Robin Hood ! j'ai trinqué avec Robin Hood ! s'écria le drouineur stupéfait.

« – Oui, oui, mille fois oui !

« – C'est trop fort ! s'exclama le pauvre homme en retombant assis sur sa chaise. Mais il ne sera pas dit qu'il se sera joué impunément de Gaspard l'étameur. Ah ! coquin ! ah ! bandit ! hurla le drouineur ; attends, attends, attends, je vais me mettre à ta recherche.

« – Je désirerais toucher le montant de ma note avant de vous laisser partir, dit l'aubergiste.

« – A combien s'élève votre note ? demanda Gaspard d'un air courroucé.

« – A dix schellings, répondit l'hôte tout réjoui de la mine furibonde du malheureux drouineur.

« – Je n'ai pas un penny à vous donner, reprit Gaspard en retournant ses poches ; mais je vais, en garantie du payement de cette malencontreuse dette, vous laisser mes outils ; ils représentent trois ou quatre fois la valeur que vous me réclamez. Pourriez-vous me dire dans quel endroit je puis rencontrer Robin Hood ?

« – Ce soir, je n'en sais rien ; mais demain vous trouverez votre homme en train de chasser les chevreuils du roi.

« – Eh bien ! donc, à demain la prise du bandit, riposta le drouineur avec une assurance qui donna à penser à l'aubergiste ; car, ajouta Robin, en me racontant ceci, l'hôte m'a avoué qu'il avait eu grand'peur pour moi de la fureur de Gaspard.

« Le lendemain matin je me mis en quête, non d'un chevreuil, mais de la rencontre du chaudronnier : je ne fus pas obligé de chercher longtemps.

« Aussitôt que son regard m'eut découvert, il jeta un cri et s'élança vers moi en brandissant un énorme bâton.

« – Quel est le maroufle, m'écriai-je, qui ose se présenter à mes yeux d'une manière aussi peu convenable ?

« – Il n'y a pas de maroufle, répondit le drouineur ; il y a un homme maltraité, fermement résolu de prendre sa revanche.

« En parlant ainsi, il commença à m'attaquer avec son bâton ; je me plaçai hors de sa portée, et je tirai mon sabre.

« – Arrêtez, lui dis-je, nous ne nous battons pas avec des armes égales ; il me faut un bâton.

« Gaspard me laissa tranquillement préparer une branche de chêne, puis il recommença l'attaque.

« Il tenait son bâton des deux mains et frappait sur moi comme un bûcheron sur un arbre. Mes bras et mes poignets commençaient à faiblir, lorsque je demandai une trêve ; car il n'y avait aucun honneur à gagner dans un semblable combat.

« – Je veux te pendre au premier arbre du chemin, me dit-il d'une voix furieuse en jetant son bâton.

« Je fis un bond en arrière et sonnai du cor ; le gaillard était de force à m'envoyer dans l'autre monde.

« Petit-Jean et la bande joyeuse accoururent à mon appel.

« Je m'étais assis sous un arbre, épuisé de fatigue, et, sans rien dire, je montrai du geste à Gaspard le renfort qui me venait en aide.

« – Qu'y a-t-il ? demanda Jean.

« – Mon cher, répondis-je, voici un drouineur qui m'a rudement rossé, et je vous le recommande, car il mérite notre considération. Mon bonhomme, ajoutai-je, si vous voulez prendre rang dans ma troupe, vous y serez le bienvenu.

« Le drouineur accepta, et depuis cette époque, comme vous le savez, il fait partie de notre association.

– Je préfère l'arc et les flèches à tous les bâtons du monde, dit William ; soit qu'on les considère comme un jeu, soit qu'on les prenne pour des armes offensives ou défensives. Il vaut mieux, à mon avis du moins, être expédié hors du monde d'un seul coup que de s'en aller par fraction ; et la blessure faite par une flèche est mille fois préférable aux souffrances qui résultent d'un coup de bâton.

– Mon cher ami, reprit Robin, le bâton rend de très grands services là où l'arc est impuissant. Ses effets ne dépendent pas d'un carquois plein ou vide, et lorsque vous ne désirez pas la mort de votre ennemi, une forte volée lui laisse des souvenirs plus cuisants que la blessure d'une flèche.

Tout en causant, les trois amis se dirigèrent vers la route de Nottingham ; tout à coup une jeune fille en pleurs se présenta à leurs regards.

Robin courut à la rencontre de la belle éplorée.

– Pourquoi pleures-tu, mon enfant ? lui demanda-t-il d'un ton affectueux.

La jeune fille éclata en sanglots.

– Je désire voir Robin Hood, répondit-elle, et, si vous avez quelque pitié dans l'âme, messire, conduisez-moi auprès de lui.

– Je suis Robin Hood, ma belle enfant, répondit le jeune homme avec douceur ; mes hommes ont-ils manqué de respect à la candeur de tes seize ans ? ta mère est-elle malade ? viens-tu me demander des secours ? Parle, je suis entièrement à ta disposition.

– Messire, un grand malheur vient de nous frapper ; trois de mes frères, qui font partie de votre bande, ont été faits prisonniers par le shérif de Nottingham.

– Dis-moi le nom de tes frères, mon enfant.

– Adalbert, Edelbert et Edroin, les cœurs joyeux, répondit la fillette en sanglotant.

Une exclamation douloureuse s'échappa des lèvres de Robin.

— Chers compagnons, dit-il, ce sont les plus vaillants, les plus hardis de tous ceux qui composent ma troupe. Comment sont-ils tombés au pouvoir du shérif, ma petite amie ? demanda Robin.

— En délivrant un jeune homme qui, pour avoir défendu sa mère contre l'agression de plusieurs soldats, était emmené en prison. En ce moment, seigneur Robin Hood, on dresse le gibet aux portes de la ville ; mes frères doivent y être pendus.

— Essuie tes pleurs, ma belle enfant, répondit Robin avec bonté ; tes frères n'ont rien à craindre ; il n'existe pas un seul homme dans la forêt de Sherwood qui ne soit prêt à donner sa vie pour sauver celle de ces trois braves. Nous allons descendre à Nottingham ; rentre dans ta demeure, console de ta voix douce le cœur affligé de ton vieux père, et dis à ta bonne mère que Robin Hood lui rendra ses enfants.

— Je prie le ciel de vous bénir, messire, murmura la jeune fille en souriant à travers ses pleurs. J'avais déjà entendu dire que vous étiez toujours prêt à rendre service aux malheureux, à protéger les pauvres. Mais, de grâce, seigneur Robin, hâtez-vous, mes frères bien-aimés sont en danger de mort.

— Aie confiance en moi, chère enfant ; j'arriverai à l'heure propice. Regagne bien vite Nottingham et ne parle à personne de la démarche que tu viens de faire.

La jeune fille prit les mains de Robin Hood et les baisa chaleureusement.

— Je prierai toute ma vie pour votre bonheur, messire, dit-elle d'une voix émue.

— Que Dieu te garde, mon enfant ! au revoir.

La jeune fille reprit en courant le chemin de la ville et disparut bientôt sous l'ombrage des arbres.

— Hourra ! dit Will, nous allons avoir quelque chose à faire, je m'amuserai un peu. Maintenant, Robin, vos ordres.

— Rendez-vous auprès de Petit-Jean, dites-lui de rassembler autant d'hommes qu'il en pourra trouver sous sa main, et de les conduire, bien entendu avec consigne de s'y tenir invisibles, sur la lisière du bois qui avoisine

Nottingham. Puis, dès que vous entendrez le son de ma trompe, vous vous frayerez un chemin jusqu'à moi, l'arc tendu ou le sabre à la main.

— Que comptez-vous faire ? demanda Will.

— Je vais gagner la ville afin de voir s'il y a un moyen quelconque de retarder l'exécution. N'oubliez pas, mes amis, qu'il faut agir avec une extrême prudence, car si le shérif venait à apprendre que je suis prévenu de la situation critique dans laquelle se trouvent mes hommes, il préviendrait de ma part toute tentative de délivrance, et ferait pendre nos compagnons à l'intérieur du château. Voilà pour les prisonniers. Quant à nous, vous savez que Sa Seigneurie s'est hautement vantée, si jamais nous venions à tomber entre ses mains, de nous accrocher au gibet de la ville. Le shérif a mené l'affaire des joyeux cœurs si rapidement qu'il ne peut avoir à craindre que j'aie été averti du sort qu'il leur prépare ; en conséquence, et dans le but d'inspirer une sage frayeur aux citoyens de Nottingham, il rendra publique la pendaison de nos camarades. Je me rends au pas de course à la ville ; rejoignez vivement vos hommes, et suivez à la lettre mes recommandations.

Cela dit, Robin Hood s'éloigna en toute hâte.

A peine le jeune homme s'était-il séparé de ses compagnons qu'il rencontra un pèlerin de l'ordre des mendiants.

— Quelles sont les nouvelles de la ville, bon vieillard ? demanda Robin.

— Les nouvelles de la ville, jeune homme, répondit le pèlerin, annoncent des larmes et des gémissements. Trois compagnons de Robin doivent être pendus par ordre du baron Fitz-Alwine.

Une idée subite traversa l'esprit de Robin.

— Mon père, dit-il, je voudrais, sans être reconnu pour être un des gardes du vieux bois, assister à l'exécution de ces braconniers. Peux-tu échanger tes vêtements contre les miens ?

— Vous voulez plaisanter, jeune homme ?

— Non, mon père ; je désire tout simplement te donner mon costume et endosser ta robe. Si tu acceptes ma proposition, je te donnerai quarante schellings dont tu pourras disposer à ta fantaisie.

Le vieillard examina curieusement celui qui lui adressait cette étrange demande.

— Vos vêtements sont beaux, dit-il, et ma robe est déchirée. Il n'est donc point croyable que vous désiriez changer votre brillant costume contre de misérables haillons. Celui qui insulte un vieillard commet une grande faute ; il offense Dieu et le malheur.

— Mon père, reprit Robin, je respecte tes cheveux blancs, et je prie la Vierge de te prendre sous sa divine protection. Ce n'est point avec une pensée offensante dans le cœur que je t'adresse ma demande ; elle est nécessaire à l'accomplissement d'une bonne œuvre. Tiens, ajouta Robin en offrant au vieillard une vingtaine de pièces d'or, voici les arrhes de notre marché.

Le pèlerin jeta sur les écus un regard de convoitise.

— La jeunesse a souvent des idées folles, dit-il, et si vous êtes dans un accès de rieuse fantaisie, je ne vois pas pour quelle raison je refuserais de vous satisfaire.

— Voilà qui est bien dit, répliqua Robin, et si tu veux te déshabiller... Tes chausses ont été façonnées par les événements, reprit Robin avec gaieté ; car, à en juger par l'innombrable quantité de morceaux dont elles se composent, elles ont réuni à elles les étoffes des quatre saisons.

Le pèlerin se mit à rire.

— Mon vêtement ressemble à la conscience d'un Normand, répondit-il ; il se compose de pièces et de morceaux, tandis que votre pourpoint est à l'image d'un cœur saxon : il est fort et sans tache.

— Tu parles d'or, mon père, dit Robin en endossant les guenilles du vieillard avec toute l'agilité dont il était capable, et si je dois rendre hommage à ton esprit, il est de mon devoir d'accorder une louange au mépris manifeste que t'inspire la richesse, car ta robe est d'une simplicité tout à fait chrétienne.

— Dois-je conserver vos armes ? demanda le pèlerin.

— Non, mon père, car elles me sont nécessaires. Maintenant que notre mutuelle transformation est opérée, permets-moi de te donner un conseil. Eloigne-toi de cette partie de la forêt, et surtout, dans l'intérêt de ta conservation, garde-toi bien de chercher à me suivre. Tu as mes habits sur tes épaules, mon argent dans ta poche, tu es riche et bien vêtu, va chercher fortune à quelques milles de Nottingham.

– Je te remercie du conseil, bon jeune homme : il répond tout à fait à mes secrets désirs. Reçois la bénédiction d'un vieillard, et si l'action que tu vas entreprendre est honnête, je te souhaite un prompt succès.

Robin salua gracieusement le pèlerin, et s'éloigna en toute hâte dans la direction de la ville.

Au moment où Robin, ainsi déguisé et n'ayant pour toute arme qu'un bâton de chêne, arrivait à Nottingham, une cavalcade d'hommes de guerre sortait du château et s'acheminait vers l'extrémité de la ville, où l'on avait dressé trois potences.

Tout à coup une nouvelle inattendue circula dans la foule ; le bourreau était malade, et, sur le point de trépasser lui-même, il ne pouvait lancer personne dans l'éternité. Par ordre du shérif, on fit une proclamation : on demandait un homme qui, en vue d'une honnête récompense, consentît à remplir l'office de bourreau.

Robin, qui s'était placé en tête du cortège, s'avança au-devant du baron Fitz-Alwine.

– Noble shérif, dit-il d'une voix nasillarde, que me donneras-tu si je consens à remplacer l'exécuteur de la haute police ?

Le baron se recula de quelques pas comme un homme qui redoute un contact dangereux.

– Il me semble, répondit le noble seigneur en toisant Robin de la tête aux pieds, que si je t'offrais un assortiment de costumes, tu pourrais accepter cette récompense. Ainsi, mendiant, si tu veux nous tirer d'embarras, je te ferai donner six vêtements neufs, et, de plus, la gratification accordée au bourreau, qui est de treize sols.

– Et combien me donnerez-vous, monseigneur, si je vous pends par-dessus le marché ? demanda Robin en se rapprochant du baron.

– Tiens-toi à une distance respectueuse, mendiant, et répète-moi ce que tu viens de me dire, je ne l'ai pas entendu.

– Vous m'avez offert six vêtements neufs et treize sols, repartit Robin, pour pendre ces pauvres gars ; je demande ce que vous ajouteriez à ma récompense si je me chargeais de vous pendre, vous et une douzaine de vos chiens normands.

— Effronté coquin ! que signifient tes paroles ? s'écria le shérif fort étonné de l'audace du pèlerin. Sais-tu à qui tu t'adresses ? Insolent valet, un mot de plus et tu feras le quatrième oiseau se balançant à cet arbre de potence.

— Avez-vous remarqué, seigneur, reprit Robin, que je suis un pauvre homme bien misérablement accoutré ?

— Oui, en vérité, bien misérablement accoutré, répondit le shérif en faisant une grimace de dégoût.

— Eh bien ! reprit notre héros, cette misère extérieure cache un grand cœur, une nature bien impressionnable. Je suis très sensible à l'insulte, et je ressens le dédain et l'injure pour le moins autant que vous, noble baron. Vous n'avez mis aucun scrupule à accepter mes services, et cependant vous insultez à ma misère.

— Tais-toi, mendiant discoureur ; oses-tu bien te comparer à moi, à moi lord Fitz-Alwine ? Allons, tu es un fou !

— Je suis un pauvre homme, dit Robin, un pauvre homme bien malheureux.

— Je ne suis pas venu ici pour écouter les bavardages d'un individu de ton espèce, reprit le baron avec impatience. Si tu refuses mes offres, va-t'en : si tu les acceptes, mets-toi en devoir de remplir ton office.

— Je ne sais pas au juste en quoi peut consister mon office, reprit Robin qui essayait de gagner du temps afin de permettre à ses hommes d'arriver à la lisière du bois. Je n'ai jamais servi de bourreau, et j'en rends grâce à la sainte Vierge. Malédiction sur l'infâme métier et sur le misérable qui l'exerce !

— Ah çà ! manant, te moques-tu de moi ? rugit le baron mis hors de lui par l'impudence de Robin. Ecoute, si tu ne te mets pas à la besogne sur-le-champ, je te fais rouer de coups.

— En serez-vous plus avancé pour cela, monseigneur ? repartit Robin ; trouverez-vous plus promptement un homme disposé à obéir à vos ordres ? Non. Vous venez de faire une proclamation qui a été entendue de tous, et néanmoins je suis le seul qui me sois offert pour accomplir vos désirs.

– Je vois bien où tu veux en venir, misérable coquin ! s'écria le shérif outré de colère ; tu veux que l'on augmente la somme qui t'est promise pour expédier ces trois manants dans l'autre monde.

Robin haussa les épaules.

– Faites-les pendre par qui bon vous semblera, répondit-il en affectant une complète indifférence.

– Du tout, du tout, reprit le shérif d'une voix radoucie ; tu vas te mettre à l'œuvre. Je double la récompense, et si tu ne remplis pas exactement ton office, j'aurai le droit de dire que tu es le bourreau le moins consciencieux de la terre.

– Si je voulais donner la mort à ces malheureux, répondit Robin, je me contenterais de la récompense que tu m'as offerte ; mais je refuse nettement de souiller mes mains au contact d'une potence.

– Qu'est-ce à dire, misérable ? rugit le baron.

– Attendez, monseigneur, je vais appeler des gens qui, à mon commandement, vous délivreront à jamais de la vue de ces affreux coupables.

En achevant ces mots, Robin fit résonner sur sa trompe une joyeuse fanfare, et saisit à deux mains le baron épouvanté.

– Monseigneur, dit-il, votre existence dépend d'un geste ; si vous faites un mouvement, je vous enfonce mon couteau dans le cœur. Défendez à vos serviteurs de vous porter secours, ajouta Robin en brandissant au-dessus de la tête du vieillard un immense couteau de chasse.

– Soldats, restez à vos rangs ! cria le baron d'une voix de stentor.

Le soleil étincelait sur la lame brillante du couteau, et ce reflet lumineux donnait des éblouissements au vieux seigneur et lui faisait apprécier la puissance de son adversaire ; c'est pourquoi, au lieu de tenter une résistance impossible, il se soumit en gémissant.

– Que désires-tu de moi, honnête pèlerin ? dit le baron en essayant de donner à sa voix une conciliante douceur.

– La vie des trois hommes que vous voulez pendre, milord, répondit Robin Hood.

– Je ne puis t'accorder cette grâce, cher brave

homme, répondit le vieillard ; ces malheureux ont tué les daims qui appartenaient au roi, et ce délit de chasse est puni de mort. Toute la ville de Nottingham connaît leur crime et leur condamnation, et si, par une coupable faiblesse, je cédais à tes supplications, le roi serait instruit d'une condescendance tout à fait inexcusable.

A ce moment un grand tumulte s'opéra dans la foule, et l'on entendit siffler le bruit des flèches.

Robin, qui avait reconnu l'arrivée de ses hommes, laissa échapper un cri.

– Ah, vous êtes Robin Hood ! s'écria le baron avec un accent lamentable.

– Oui, milord, répondit notre héros, je suis Robin Hood.

Amicalement protégés par les habitants de la ville, les joyeux hommes arrivaient de toute part. Will Ecarlate et ceux-ci se confondirent bientôt avec leurs compagnons.

Les prisonniers une fois libres, le baron Fitz-Alwine comprit que le seul moyen de se tirer lui-même sain et sauf d'une situation aussi critique était de se concilier Robin Hood.

– Emmenez bien vite les condamnés, lui dit-il ; mes soldats, exaspérés par le souvenir d'une récente défaite, pourraient mettre obstacle à la réussite de votre projet.

– Cet acte de courtoisie vous est dicté par la crainte, repartit Robin Hood en riant. Je n'ai point à redouter la révolte de vos soldats ; le nombre et la vaillance de mes hommes les rendent invulnérables.

Cela dit, Robin Hood salua ironiquement le vieillard, lui tourna le dos, et ordonna à ses hommes de reprendre le chemin de la forêt.

Les traits livides du baron respiraient à la fois la rage et la frayeur ; il réunit sa troupe, remonta à cheval et s'éloigna en toute hâte.

Les citoyens de Nottingham, qui envisageaient le braconnage comme une action fort peu digne de blâme, entourèrent les cœurs joyeux en poussant des hourras de félicitations. Puis les notables de la ville, mis à l'aise par la fuite du baron, adressèrent à Robin Hood les témoignages de leur sympathie, tandis que les parents des jeunes prisonniers embrassaient les genoux du libérateur de leurs fils.

Les remerciements humbles et sincères de ces pauvres gens parlaient mieux au cœur de Robin Hood que n'auraient pu le faire des sentiments exprimés dans une rhétorique fleurie.

9

Une année entière s'était écoulée depuis le jour où Robin avait si généreusement secouru sir Richard de la Plaine, et depuis quelques semaines les joyeux hommes étaient de nouveau établis dans la forêt de Barnsdale.

Dès le matin du jour fixé pour la visite du chevalier, Robin Hood se prépara à le recevoir ; mais l'heure du rendez-vous n'amena point le débiteur attendu.

– Il ne viendra pas, dit Will Écarlate, qui, assis avec Petit-Jean et Robin Hood sous l'ombrage d'un chêne, explorait avec une certaine impatience la route qui se déroulait sous ses yeux.

– L'ingratitude de sir Richard nous servira de leçon, répondit Robin ; elle nous apprendra à ne point nous fier aux promesses des hommes ; mais, pour l'amour du genre humain, je ne voudrais pas être trompé par sir Richard, car je n'ai jamais vu un homme qui portât sur sa figure une empreinte plus visible de loyauté et de franchise, et j'avoue que si mon débiteur manque à sa parole, je ne saurai plus à quel signe extérieur on peut reconnaître un honnête homme.

– Moi, j'attends avec certitude la venue de ce bon chevalier, dit Petit-Jean ; le soleil n'est pas encore caché derrière les arbres, et avant une heure sir Richard sera ici.

– Que Dieu vous entende, mon cher Jean, répondit Robin Hood, et je veux espérer avec vous que la parole d'un Saxon est un engagement d'honneur. Je resterai à cette place jusqu'au lever des premières étoiles, et, si le chevalier ne vient pas, son absence sera pour moi le deuil d'un ami. Prenez vos armes, mes garçons, appelez

Much, et allez vous promener tous les trois sur le chemin qui conduit à l'abbaye de Sainte-Marie. Peut-être apercevrez-vous sir Richard ; à défaut de cet ingrat, quelque riche Normand, ou même un pauvre diable affamé. Je désire voir un visage inconnu, allez à la recherche d'une aventure, et amenez-moi un convive quelconque.

– Voilà, par exemple, une étrange manière de vous consoler, mon cher Robin, dit Will en riant ; mais qu'il en soit ainsi que vous le désirez. Nous allons nous mettre en quête d'une passagère distraction.

Les deux jeunes gens appelèrent Much, et, lorsque celui-ci eut répondu à l'appel, ils s'engagèrent de compagnie dans la direction indiquée par Robin.

– Robin est bien triste aujourd'hui, dit Will en manière de réflexion.

– Pourquoi ? demanda Much d'un ton surpris.

– Parce qu'il craint de s'être trompé en accordant sa confiance à sir Richard de la Plaine, répondit Petit-Jean.

– Je ne vois pas comment il peut y avoir dans cette erreur une cause de chagrin pour Robin, dit Will ; nous n'avons pas besoin d'argent, et quatre cents écus de plus ou de moins dans notre caisse...

– Robin ne songe pas à l'argent, interrompit Jean d'une voix presque irritée, et ce que vous dites là, mon cousin, est une véritable sottise. Robin souffre d'avoir obligé un cœur ingrat, voilà tout.

– J'entends les pas d'un cheval, dit Will ; arrêtons-nous.

– Je vais à la rencontre du voyageur, cria Much qui s'éloigna en courant.

– Si c'est le chevalier, appelez-nous, dit Jean.

William et son cousin attendirent, et bientôt Much se montra au bout du sentier.

– Ce n'est pas sir Richard, dit-il en arrivant auprès de ses amis, mais deux frères dominicains accompagnés d'une douzaine d'hommes.

– Si ces dominicains ont un cortège sur leurs talons, dit Jean, ils sont richement pourvus de pièces d'or, soyez-en sûrs. En conséquence, il faut les inviter à partager le repas de Robin.

– Faut-il appeler quelques-uns des joyeux hommes ? demanda Will.

– C'est inutile, le cœur des valets est placé dans leurs jambes, et il est tellement l'esclave de ces dernières que tout cela ne fait qu'un et ne comprend qu'une chose en présence du danger, la fuite. Vous allez être juges de la vérité de mes paroles. Attention, voici les moines. Souvenez-vous qu'il faut absolument les conduire à Robin ; il s'ennuie, et ce lui sera une amusante distraction. Préparez vos arcs, et tenez-vous prêts à barrer le chemin à cette belle cavalcade.

William et Much exécutèrent prestement les ordres de leur chef.

En tournant un coin de la route qui serpentait capricieusement entre deux lignes d'arbres, les voyageurs aperçurent les forestiers et la position hostile qu'ils avaient prise.

Les hommes, épouvantés par cette rencontre dangereuse, arrêtèrent leurs chevaux, et les moines, qui occupaient le premier rang de la petite colonne, tentèrent de se dissimuler derrière leurs serviteurs.

– Ne bougez pas, mes pères, s'écria Jean d'une voix impérieuse, sinon je vous frappe à mort.

Les moines pâlirent alternativement ; mais, se sentant à la merci des forestiers, ils obéirent à l'ordre qui leur était donné avec tant de violence.

– Doux étranger, dit un des moines en grimaçant le plus aimable sourire, que désirez-vous d'un pauvre serviteur de la sainte Eglise ?

– Je désire que vous hâtiez le pas de vos chevaux ; mon maître vous attend depuis trois heures, et le dîner va refroidir.

Les dominicains échangèrent un regard plein d'inquiétude.

– Le sens de vos paroles est une énigme pour nous, mon ami ; veuillez nous expliquer, répondit le moine d'un ton mielleux.

– Je vous dis une fois encore, et ceci ne demande pas à être expliqué : Mon maître vous attend.

– Qui est votre maître, mon ami ?

– Robin Hood, répondit laconiquement Petit-Jean.

Un frisson d'épouvante passa comme un souffle glacé

sur l'épiderme des hommes qui accompagnaient les moines. Ils jetèrent autour d'eux des regards pleins de frayeur, croyant sans doute voir surgir un outlaw du centre des buissons et du massif des arbustes.

– Robin Hood ! répéta le moine d'une voix plus criarde qu'elle ne s'était montrée musicale ; je connais Hood : c'est un voleur de profession dont la tête est mise à prix.

– Robin Hood n'est pas un voleur, répondit furieusement Petit-Jean, et je ne conseille à personne de se faire l'écho de l'insolente accusation que vous venez de porter contre mon noble maître. Mais je n'ai pas le temps de discuter avec vous sur un point aussi délicat. Robin Hood vous invite à dîner, suivez-moi sans résistance. Quant à vos serviteurs, je les engage à me tourner les talons s'ils veulent avoir la vie sauve. Will et Much, faites tomber le premier homme qui fera mine de vouloir rester ici malgré ma volonté.

Les forestiers, qui avaient abaissé leurs arcs pendant la conversation du moine avec Petit-Jean, les relevèrent aussitôt et se tinrent prêts à envoyer la dangereuse flèche.

En voyant les arcs levés et tournés contre eux, les serviteurs des dominicains éperonnaient leurs montures et se sauvaient avec une précipitation qui faisait hautement l'éloge de la prudence de leur caractère.

Les moines se disposaient à suivre l'exemple de la petite troupe lorsqu'ils furent arrêtés par Jean, qui saisit la bride des chevaux et les contraignit à rester stationnaires. Derrière les moines, Jean aperçut un groom qui paraissait avoir la charge de conduire un cheval de somme, et près de ce groom se tenait, muet de frayeur, un petit garçon vêtu d'un costume de page.

Plus courageux que les hommes de l'escorte, les deux enfants n'avaient point déserté leur poste.

– Gardez-moi à vue ces jeunes drôles, dit Jean à Will Ecarlate ; je leur accorde la permission de suivre leurs maîtres.

Robin était resté assis sous l'arbre du Rendez-Vous, et, dès qu'il aperçut Jean et ses compagnons, il se leva vivement, s'avança à leur rencontre, et salua affectueusement les moines.

Cette politesse ne laissant pas supposer aux dominicains qu'ils se trouvaient en présence de Robin Hood,
ils ne lui rendirent pas son salut.

– Ne faites pas attention à ces impertinents, Robin,
dit Jean irrité de l'irrévérence des moines ; ce sont des
êtres sans éducation ; ils n'ont jamais de bienveillantes
paroles pour les pauvres, ni de courtoisie à l'égard de
qui que ce soit.

– N'importe, répondit Robin ; je connais les moines,
et je n'attends d'eux ni bonnes paroles ni gracieux sou-
rires. La politesse est un devoir dont je suis l'esclave.
Mais qu'avez-vous là, Will ? ajouta Robin en regardant
les deux pages et le cheval de somme.

– Les débris d'une troupe composée d'une douzaine
d'hommes, répondit le jeune homme en riant.

– Qu'avez-vous fait du corps de cette vaillante
armée ?

– Rien ; la vue de nos arcs tendus a jeté l'épouvante
et la déroute dans ses rangs ; il a fui sans même tourner
la tête.

Robin se mit à rire.

– Mais, dignes frères, reprit-il en s'adressant aux
moines, vous devez avoir grand'faim après une aussi
longue promenade ; voulez-vous partager mon repas ?

Les dominicains regardaient les joyeux hommes
accourus à l'appel du cor d'un air si effaré, que Robin
leur dit doucement, afin de calmer leur épouvante :

– Ne craignez rien, bons moines, il ne vous sera fait
aucun mal ; mettez-vous à table et mangez à votre faim.

Les moines obéirent ; mais il était facile de voir qu'ils
étaient fort peu rassurés par les bienveillantes paroles
du jeune chef.

– Où est située votre abbaye ? demanda Robin, et
quel nom porte-t-elle ?

– J'appartiens à l'abbaye de Sainte-Marie, répondit
l'aîné des moines, et je suis le grand cellérier (pourvoyeur) du couvent.

– Soyez le bienvenu, frère cellérier, dit Robin ; je suis
heureux de recevoir un homme de votre valeur. Vous
allez me donner une opinion sur mon vin, car vous
devez être à cet égard-là un excellent juge ; mais j'ose
espérer que vous le trouverez à votre goût, car, étant

moi-même fort difficile, je bois toujours du vin de première qualité. Les moines prirent confiance ; ils mangèrent de bon appétit, et le cellérier reconnut l'excellence des mets et le bon cru des vins, ajoutant que c'était un véritable plaisir de dîner sur l'herbe en si joyeuse compagnie. – Mon cher frère, dit Robin Hood vers la fin du repas, vous avez paru surpris d'être attendu à dîner par un homme que vous ne connaissez pas. Je vais en peu de mots vous expliquer le mystère de cette invitation. J'ai prêté, il y a un an, une somme d'argent à un ami de votre prieur, et j'ai accepté pour caution la mère de Notre-Seigneur Jésus, notre sainte patronne. Mon inaltérable confiance en la bonté de la Vierge divine m'a donné la confiance que, au dernier terme de l'échéance de cette dette, je recevrais par une voie quelconque l'argent que j'ai prêté. J'ai donc envoyé trois de mes compagnons à la rencontre des voyageurs ; ils vous ont vus, ils vous ont amenés vers moi. Vous appartenez à un couvent, et je ne puis mettre en doute la délicate mission qui vous a été confiée par la prévoyante et généreuse bienveillance de votre bien sainte patronne. Vous devez me rendre en son nom l'argent donné à un pauvre, soyez les bienvenus.

– La dette dont vous me parlez m'est complètement étrangère, messire, répondit le moine, et je ne vous apporte point d'argent.

– Vous vous trompez, mon père, je suis certain que les coffres-forts qui sont placés sur le cheval confié à vos pages contiennent la somme qui m'est due. Combien avez-vous de pièces d'or dans cette jolie petite malle en cuir si solidement attachée sur le dos de ce malheureux quadrupède ?

Le moine, foudroyé par la question de Robin Hood, devint affreusement pâle, et balbutia d'une voix inintelligible :

– Je possède bien peu de chose, messire : une vingtaine de pièces d'or tout au plus.

– Vingt pièces d'or seulement ? repartit Robin en attachant sur le moine un regard fixe et dur.

– Oui, messire, répondit le moine dont le visage livide s'éclaira soudain d'une profonde rougeur.

– Si vous dites vrai, mon frère, reprit Robin d'un ton

amical, je n'enlèverai pas un denier à votre petite fortune. Mieux que cela encore, je vous donnerai tout l'argent dont vous pourriez avoir besoin. Mais, en revanche, si vous avez eu le mauvais goût de me faire un mensonge, je ne vous laisserai pas entre les mains la valeur d'un penny. Petit-Jean, ajouta Robin, visitez le petit coffre dont il est question : si vous n'y trouvez que vingt pièces d'or, respectez la propriété de notre hôte ; si la somme est double ou triple, prenez-la tout entière. – Petit-Jean s'empressa d'obéir à l'ordre de Robin. Le visage du moine perdit ses couleurs ; une larme de rage roula le long de ses joues, il croisa convulsivement ses deux mains, et laissa échapper de sa gorge une sourde exclamation. – Ah ! ah ! dit Robin en considérant le frère, il paraît que les vingt pièces d'or sont en nombreuse compagnie. Eh bien ! Jean, demanda Robin, notre hôte est-il aussi pauvre qu'il veut bien le dire ?

– Je ne sais s'il est pauvre, répondit Jean, mais ce dont je suis certain, c'est que je viens de trouver dans le petit coffret huit cents pièces d'or.

– Laissez-moi cet argent, messire, dit le moine ; il ne m'appartient pas, et j'en suis responsable devant mon supérieur.

– A qui portiez-vous ces huit cents pièces d'or ? demanda Robin.

– Aux inspecteurs de l'abbaye Sainte-Marie, de la part de notre abbé.

– Les inspecteurs abusent de la générosité de votre prieur, mon frère, et c'est très mal à eux de se payer si cher quelques indulgentes paroles. Cette fois-ci, ils n'auront rien, et vous leur direz que Robin Hood ayant eu besoin d'argent s'est emparé de celui qu'ils attendent.

– Il y a encore un autre coffre, dit Jean, dois-je l'ouvrir ?

– Non, répondit Robin, je me contente des huit cents pièces d'or. Sir moine, vous êtes libre de continuer votre route. Vous avez été traité avec courtoisie, et j'espère vous voir partir satisfait en tout point.

– Je n'appelle pas de la courtoisie une invitation forcée et un vol manifeste, répondit le moine d'un ton rogue. Me voilà obligé de rentrer au couvent, et que dirai-je au prieur ?

— Vous le saluerez de ma part, répondit Robin Hood en riant. Il me connaît, le digne frère, et ce souvenir de bonne amitié lui sera extrêmement sensible.

Les moines remontèrent à cheval, et, le cœur gonflé de colère, ils reprirent au galop le chemin qui devait les conduire à l'abbaye de Sainte-Marie.

— Que la sainte Vierge soit bénie ! s'écria Petit-Jean ; elle nous a rendu l'argent que vous avez prêté à sir Richard, et si ce dernier a manqué de parole, nous pouvons encore nous consoler puisque nous n'avons rien perdu.

— Je ne me console pas avec tant de facilité d'avoir perdu confiance en la parole d'un Saxon, répondit Robin, et j'eusse préféré recevoir la visite de sir Richard, pauvre et dépouillé de tout, que d'avoir la conviction qu'il est ingrat et sans honneur.

— Mon noble maître, cria tout à coup une voix joyeuse venant de la clairière, un chevalier suit la grande route ; il est accompagné d'une centaine d'hommes, armés jusqu'aux dents. Faut-il se préparer à leur barrer passage ?

— Sont-ce des Normands ? demanda vivement Robin.

— On voit peu de Saxons aussi richement habillés que le sont ces voyageurs, répondit le jeune garçon qui avait annoncé l'approche de cette respectable troupe.

— Alerte, alors, mes joyeux hommes ! cria Robin. A vos arcs et à vos cachettes ; préparez vos flèches, mais ne tirez pas avant d'avoir reçu l'ordre de commencer l'attaque.

Les hommes disparurent, et le carrefour où se tenait Robin parut bientôt entièrement désert.

— Vous ne venez donc pas avec nous ? demanda Jean à Robin, qui restait immobile au pied d'un arbre.

— Non, répondit le jeune homme ; je veux attendre les étrangers et reconnaître à qui nous allons avoir affaire.

— Alors je reste avec vous, reprit Jean ; votre isolement pourrait devenir dangereux ; une flèche est si vite lancée. Si on vous frappe, je serai au moins à portée de vous défendre.

– Je me fais également votre garde du corps, dit Will en s'asseyant auprès de Robin qui s'était nonchalamment étendu sur l'herbe.

L'arrivée, si inattendue, d'un corps d'hommes presque formidable, vu le petit nombre de forestiers, qui, la plupart du temps, étaient disséminés dans tous les coins du bois, inquiétait légèrement Robin, et il ne voulait pas commencer les hostilités avant d'être certain que la victoire pouvait être possible.

Les cavaliers avançaient rapidement le long de la clairière ; lorsqu'ils furent parvenus à portée de flèche de l'endroit où se tenait Robin, celui qui paraissait être leur chef s'élança au galop de son cheval à l'encontre de Robin.

– C'est sir Richard ! cria Jean d'une voix joyeuse après avoir regardé le fougueux cavalier.

– Sainte mère, je te remercie ! s'écria Robin en bondissant sur ses pieds ; un Saxon n'a pas violé sa parole !

Sir Richard descendit rapidement de son cheval, courut vers Robin et se jeta dans ses bras.

– Que Dieu te garde, Robin Hood, dit-il, en embrassant paternellement le jeune homme ; que Dieu te garde en joie et en santé jusqu'à ton dernier jour !

– Sois le bienvenu dans la verte forêt, doux chevalier, répondit Robin avec émotion ; je suis heureux de te voir fidèle à ta promesse et le cœur rempli de bons sentiments pour ton dévoué serviteur.

– Je serais venu même les mains vides, Robin Hood, tant je me fais gloire et honneur de te serrer les mains ; heureusement pour la satisfaction de mon cœur, je puis te rendre l'argent que tu m'as prêté avec tant de grâce, de bonté et de courtoisie.

– Tu es donc rentré dans l'entière possession de tes biens ? demanda Robin Hood.

– Oui, et que Dieu te rende en prospérité tout le bonheur que je te dois.

Les hommes, magnifiquement vêtus à la mode du temps, qui formaient une ligne étincelante autour de sir Richard, attirèrent bientôt l'attention de Robin.

– Cette belle troupe t'appartient ? demanda le jeune homme.

– Elle m'appartient dans ce moment-ci, répondit le chevalier en souriant.

– J'admire la tenue des hommes et leurs martiales figures, reprit Robin Hood d'un ton de réelle surprise ; ils paraissent parfaitement disciplinés.

– Oui, ils sont braves et fidèles, et tous d'origine saxonne ; leur caractère est loyal, j'ai déjà mis à l'épreuve les qualités que je te signale. Tu me rendrais un véritable service, mon cher Robin, si tu voulais donner l'ordre à tes gens d'héberger mes compagnons ; ils ont fait une longue route et doivent avoir besoin de quelques heures de repos.

– Ils vont apprendre ce que c'est que l'hospitalité forestière, répondit Robin avec empressement. Mes joyeux hommes, dit-il à sa troupe qui commençait à surgir de tous les coins du fourré, ces étrangers sont des frères, des Saxons ; ils ont faim et soif. Montrez-leur, je vous prie, comment nous traitons les amis qui nous rendent visite dans la verte forêt.

Les forestiers obéirent aux ordres de Robin avec une promptitude qui dut satisfaire sir Richard ; car, avant de se retirer à l'écart avec son hôte, il vit le gazon couvert de vivres, de pots d'ale et de bouteilles remplies de bon vin.

Robin Hood, sir Richard, Petit-Jean et Will s'attablèrent devant un succulent repas, et au dessert le chevalier commença ainsi le récit des événements qui s'étaient passés depuis le jour de sa première rencontre avec notre héros :

– Je ne puis vous dépeindre, mes chers amis, avec quels sentiments de gratitude et de joie infinies je sortis de cette forêt, il y a aujourd'hui un an. Mon cœur bondissait dans ma poitrine, et j'avais une telle hâte de revoir ma femme et mes enfants que je gagnai le château en moins de temps qu'il n'en faut pour vous raconter toute mon histoire.

« – Nous sommes sauvés ! m'écriai-je en attirant sur mon cœur ma pauvre famille. Ma femme fondit en larmes et faillit s'évanouir, tant sa surprise et son émotion étaient grandes.

« – Comment se nomme le généreux ami qui est venu à notre aide ? demanda Herbert.

« – Mes enfants, répondis-je, j'ai frappé inutilement à toutes les portes, j'ai inutilement imploré le secours de ceux qui disaient être nos amis, et je n'ai trouvé de pitié qu'auprès d'un homme à qui j'étais inconnu. Cet homme bienfaisant est un noble proscrit, le protecteur des pauvres, le soutien des malheureux, le vengeur des opprimés ; cet homme, c'est Robin Hood.

« Mes enfants s'agenouillèrent auprès de leur mère, et, d'une voix pieuse, ils élevèrent vers Dieu les sincères remerciements d'une profonde reconnaissance.

« Ce devoir de cœur accompli, Herbert me supplia de lui permettre de te rendre visite ; mais je fis comprendre à mon fils que la spontanéité de cette démarche serait pour toi plutôt une gêne qu'un véritable plaisir, parce que tu n'aimais pas à entendre parler de tes bonnes actions. »

– Mon cher chevalier, interrompit Robin, laissons un peu de côté cette partie de ton histoire, et apprends-nous comment tu as arrangé ton affaire avec l'abbé de Sainte-Marie.

– Patience, mon cher hôte, patience, dit sir Richard en souriant ; je ne veux pas faire votre éloge, soyez sans inquiétude ; à cet égard-là, je connais votre admirable modestie ; néanmoins, je crois devoir vous dire que la douce Lilas joignit ses prières aux instances d'Herbert, et qu'il me fallut user de toute mon autorité paternelle pour arriver à mettre un peu de résignation dans ces jeunes cœurs. J'ai promis en votre nom à mes enfants qu'ils auraient le bonheur de vous voir au château.

– Vous avez bien fait, sir Richard ; je vous promets d'aller un de ces jours vous demander l'hospitalité, dit affectueusement Robin.

– Merci, mon cher hôte. Je ferai part à Lilas et à Herbert de l'engagement que vous venez de prendre, et l'espoir de vous remercier de vive voix les comblera de satisfaction.

« Dès le lendemain de mon arrivée, continua sir Richard, je me présentai à l'abbaye de Sainte-Marie.

« J'appris plus tard que, à l'heure même où je m'acheminais vers le couvent, l'abbé et le prieur, réunis dans la salle du réfectoire, parlaient de moi en ces termes :

« – Il y a aujourd'hui un an, disait l'abbé au prieur,

un chevalier dont le domaine touche aux limites du couvent m'a emprunté quatre cents pièces d'or ; il doit me rembourser cet argent avec l'intérêt, ou me laisser la libre disposition de tous ses biens. Selon moi, le jour commencé finit à midi ; je considère donc l'heure de l'échéance comme arrivée, et je me crois maître absolu de la totalité de son héritage.

« – Mon frère, répondit le prieur d'un ton indigné, vous êtes cruel ; un pauvre homme qui a une dette à payer doit en toute justice avoir un dernier délai de vingt-quatre heures. Il serait honteux à vous de réclamer une propriété sur laquelle vous n'avez encore aucun droit. En agissant ainsi, vous ruinerez un malheureux, vous le réduirez à la misère, et votre devoir comme membre de la très sainte Eglise vous fait une obligation d'alléger autant que possible le fardeau de chagrin qui pèse sur nos malheureux frères.

« – Gardez vos conseils pour ceux qui veulent bien les recevoir, dit l'abbé avec colère ; je ferai ce que bon me semble sans prendre souci de vos réflexions hypocrites. En ce moment, le grand cellérier entra dans le réfectoire. Avez-vous reçu des nouvelles de sir Richard de la Plaine ? lui demanda l'abbé.

« – Non, mais cela ne m'importe guère. Tout ce que je sais, monsieur l'abbé, c'est que sa propriété est maintenant la nôtre.

« – Le grand-juge est ici, reprit l'abbé ; je vais apprendre de lui si je puis réclamer comme m'appartenant le château de sir Richard.

« L'abbé alla trouver le grand-juge, et celui-ci, moyennant finance, répondit au moine :

« – Sir Richard ne viendra pas aujourd'hui ; en conséquence tu peux te considérer comme étant le possesseur de tous ses biens.

« Ce jugement inique venait d'être rendu lorsque je me présentai à la porte du couvent.

« Afin de mettre à l'épreuve la générosité de mon créancier, je m'étais vêtu d'un habit mesquin, et les hommes qui m'accompagnaient étaient aussi fort pauvrement accoutrés.

« Le portier de l'abbaye vint à ma rencontre. J'avais eu des bontés pour lui au temps heureux de ma prospérité, et le brave homme en avait conservé un souvenir reconnaissant. Le portier me fit part de la conversation qui venait d'avoir lieu entre l'abbé et le prieur. Je n'en fus pas surpris : je savais bien que je n'avais à attendre aucune grâce du saint homme.

« – Soyez le bienvenu, continua le moine ; votre arrivée va surprendre très agréablement le prieur. Milord abbé sera moins satisfait sans doute, car il se croit déjà propriétaire de votre belle habitation. Vous trouverez beaucoup de monde dans la grande salle, des gentilshommes, plusieurs lords. J'espère, sir Richard, que vous n'avez accordé aucune confiance aux mielleuses paroles de notre supérieur, et que vous apportez de l'argent, ajouta le brave portier d'un ton d'affectueuse inquiétude.

« Je rassurai le bon moine, et je pénétrai seul dans la salle, où toute la communauté réunie en grand conseil prenait ses arrangements pour me faire signifier l'expropriation de mes terres.

« La noble assemblée fut si désagréablement surprise à mon aspect qu'on eût dit que j'étais un horrible fantôme venu tout exprès de l'autre monde pour leur ravir une proie si ardemment convoitée.

« Je saluai humblement l'honorable compagnie, et, d'un air de fausse humilité, je dis à l'abbé :

« – Vous le voyez, sir abbé, j'ai tenu ma promesse ; me voici.

« – M'apportez-vous de l'argent ? demanda vivement le saint homme.

« – Hélas ! pas un penny...

« Un sourire de joie entr'ouvrit les lèvres de mon généreux créancier.

« – Alors que viens-tu faire ici, si tu n'es pas en mesure de pouvoir acquitter ta dette ?

« – Je viens vous supplier de m'accorder un délai de quelques jours.

« – C'est impossible ; selon nos conventions tu dois payer aujourd'hui même. Si tu ne peux le faire, tes propriétés m'appartiennent ; du reste, le grand-juge en a décidé ainsi. N'est-il pas vrai, milord ?

« – Oui, répondit le juge. Sir Richard, ajouta-t-il en

me jetant un regard de dédain, les terres de vos ancêtres sont la propriété de notre digne abbé.

« Je feignis un grand désespoir, et je suppliai l'abbé d'avoir compassion de moi, de m'accorder trois jours ; je lui dépeignis le sort misérable qui attendait ma femme et mes enfants s'il les chassait de leur demeure. L'abbé resta sourd à mes prières, il se lassa de ma présence, et me donna impérieusement l'ordre de quitter la salle.

« Exaspéré par cet indigne traitement, je relevai fièrement la tête, et, m'avançant au milieu de la pièce, je déposai sur la table un sac plein d'argent.

« – Voici les quatre cents pièces d'or que vous m'avez prêtées ; le cadran n'a pas encore marqué l'heure de midi ; j'ai donc satisfait à toutes les exigences de nos conventions, et, en dépit de vos subterfuges, mes propriétés ne changent pas de maître.

« Tu ne saurais concevoir, Robin, ajouta le chevalier en riant, la stupéfaction, la rage et la fureur de l'abbé ; il tournait la tête à droite et à gauche, il ouvrait les yeux, murmurait d'indistinctes paroles ; il ressemblait à un fou. Après avoir joui un instant du spectacle de cette muette fureur, je sortis de la salle et je gagnai la loge du portier. Là, je revêtis des vêtements convenables, mes hommes s'habillèrent, et, accompagné d'une escorte digne de mon rang, je rentrai dans la salle.

« La métamorphose de mon extérieur sembla frapper tout le monde d'une vive surprise ; je m'avançai d'un air calme vers le siège occupé par le grand-juge.

« – Je m'adresse à vous, milord, dis-je d'une voix haute et ferme, pour vous demander en présence de l'honorable compagnie qui vous entoure, si, ayant rempli toutes les conditions de mon traité, les terres et le château de la Plaine ne sont pas à moi ?

« – Ils sont à vous, répondit le juge à contrecœur.

« Je m'inclinai devant la justice de cette décision, et je sortis du couvent la joie dans le cœur.

« Sur la route qui conduisait à ma demeure, je rencontrai ma femme et mes enfants.

« – Soyez heureux, mes chers cœurs, leur dis-je en les embrassant, et priez pour Robin Hood, car sans lui nous serions des mendiants. Et maintenant, tâchons de montrer au généreux Robin Hood que nous n'oublions pas le service qu'il nous a rendu.

« Nous nous mîmes au travail dès le lendemain, et, bien cultivées, mes terres produisirent bientôt la valeur de l'argent que tu m'avais prêté. Je t'apporte cinq cents pièces d'or, mon cher Robin, une centaine d'arcs du meilleur if, autant de flèches et de carquois, et, de plus, je te fais cadeau de la troupe d'hommes dont tu admirais tout à l'heure la belle tenue. Ces hommes sont solidement armés, et chacun possède un excellent cheval de guerre. Accepte-les pour serviteurs, ils te serviront avec reconnaissance et fidélité.

— Je me ferais un grand tort dans ma propre estime si j'acceptais ce riche présent, mon cher chevalier, répondit Robin avec émotion. Je ne veux même pas recevoir l'argent que tu m'apportes. Le grand pourvoyeur de l'abbaye de Sainte-Marie a déjeuné avec moi ce matin, et la dépense qu'il a faite ici nous a mis en caisse huit cents pièces d'or. Je ne reçois jamais de l'argent deux fois le même jour ; j'ai pris l'or du moine à la place du tien, et tu es quitte envers moi. Je sais, mon cher chevalier, que les ressources de ta propriété ont été appauvries par les exigences du roi, et qu'elles demandent à être ménagées. Songe à tes enfants ; je suis riche, moi, les Normands affluent dans nos parages, et ils sont cousus d'or. Ne parlons plus entre nous de service et de reconnaissance, à moins que je puisse être utile à la prospérité de ta fortune et au bonheur de ceux que tu aimes.

— Tu as une manière d'agir si noble et si généreuse, répondit sir Richard d'une voix attendrie, que je croirais commettre une indiscrétion en persistant à te faire accepter les présents que tu refuses.

— Oui, sir chevalier, n'en parlons plus, dit gaiement Robin ; et dites-moi comment il se fait que vous soyez arrivé si tard à notre rendez-vous.

— En venant ici, répondit sir Richard, j'ai traversé un village où se tenait une réunion des meilleurs yeomen du pays de l'Ouest ; ils étaient occupés à lutter de force les uns contre les autres. Les prix destinés au vainqueur étaient un taureau blanc, un cheval, une selle et une bride garnies de clous d'or, une paire de gantelets, un anneau d'argent et un tonneau de vieux vin. Je m'arrêtai un instant pour assister à ce combat. Un yeoman de taille ordinaire donnait des preuves d'une vigueur si admirable qu'il était évident que les prix allaient couronner son triomphe ; en effet, après avoir terrassé tous ses adversaires, il resta debout et maître absolu du champ de bataille. On allait lui donner les objets qu'il avait si légitimement conquis lorsqu'il fut reconnu pour être de ta bande.

— C'était vraiment un de mes hommes ? demanda vivement Robin.

— Oui, on l'appelait Gaspard le Drouineur.

— Alors il a gagné les prix, ce brave Gaspard ?

— Il les a tous gagnés ; mais, sous le prétexte qu'il faisait partie de la troupe des joyeux hommes, on lui disputait ses droits. Gaspard défendait vaillamment sa cause ; alors deux ou trois des combattants se mirent à joindre à ton nom d'injurieuses épithètes. Il fallait voir avec quelle vigueur de poumons et de muscles Gaspard prenait ta défense ; il parlait si haut et gesticulait si bien que des couteaux furent tirés. Ton pauvre Gaspard allait être vaincu par le nombre ou par la traîtrise de ses ennemis, lorsque, aidé de mes hommes, je mis tout le monde en fuite ; ce petit service rendu au pauvre garçon, je lui donnai cinq pièces d'or pour son vin, et j'engageai les fuyards à faire connaissance avec le contenu du tonneau. Comme tu dois le penser, ils ne refusèrent pas, et j'emmenai Gaspard, afin de le soustraire à une vengeance rétrospective.

— Je te remercie d'avoir protégé un de mes braves serviteurs, mon cher chevalier, dit Robin ; celui qui prête l'appui de sa force à mes compagnons a des droits éternels à mon amitié. Si jamais tu as besoin de moi, viens me demander l'objet de ton désir, mon bras et ma bourse sont à ta disposition.

— Je te traiterai toujours en véritable ami, Robin, répondit le chevalier, et j'espère que tu en agiras de même à mon égard.

Les dernières heures de l'après-midi s'écoulèrent joyeusement, et, vers le soir, sir Richard accompagna Robin, Will et Petit-Jean au château de Barnsdale, où tous les membres de la famille Gamwell se trouvaient rassemblés.

Sir Richard ne put s'empêcher de sourire en admirant les dix charmantes femmes qui lui furent présentées. Après avoir attiré l'attention du chevalier sur sa bien-aimée Maude, Will entraîna son hôte à l'écart, et lui demanda à l'oreille s'il lui était jamais arrivé de voir un visage aussi ravissant que l'était celui de Maude.

Le chevalier se mit à rire, et répondit tout bas à Will que ce serait manquer de galanterie envers les autres dames d'oser se permettre d'avancer hautement ce qu'il pensait de l'adorable Maude.

William, enchanté de cette gracieuse réponse, alla embrasser sa femme avec la conviction qu'il était le plus favorisé des maris et l'homme le plus heureux de la terre.

A la tombée de la nuit, sir Richard quitta Barnsdale, et, escorté par une partie des hommes de Robin qui devaient guider sa marche à travers la forêt, il rentra bientôt avec ses nombreux serviteurs dans les murs du château de la Plaine.

10

Le shérif de Nottingham (nous parlons de lord Fitz-Alwine, d'heureuse mémoire) ayant appris que Robin Hood et une partie de ses hommes se trouvaient dans le Yorkshire, crut qu'il lui serait possible, avec l'aide d'une forte troupe de ses vaillants soldats, de débarrasser la forêt de Sherwood des bandits qui, séparés de leur chef, devaient être dans l'impossibilité de se défendre. Tout en projetant cette adroite expédition, lord Fitz-Alwine se promettait de faire surveiller les abords du vieux bois, afin d'arrêter Robin au moment de son retour. Les soldats du baron n'étaient point, on le sait, des héros de courage ; aussi le baron fit-il venir de Londres une troupe de braves et les dressa lui-même à la chasse qu'ils allaient tenter contre les proscrits.

Les joyeux hommes connaissaient tant de monde à

Nottingham qu'ils furent avertis du sort que leur préparait la bienveillance du baron avant même que celui-ci eût fixé le jour qui devait éclairer la sanglante bataille.

Ce laps de temps donna aux forestiers le loisir de se mettre sur la défensive et de se préparer à recevoir les troupes du grand shérif.

Fortement surexcités par l'appât d'une riche récompense, les hommes du baron marchèrent à l'attaque avec un air de bravoure indomptable. Mais à peine eurent-ils pénétré sous bois qu'ils reçurent une volée de flèches si terrible que la moitié de leurs rangs joncha le sol de cadavres.

A cette première volée succéda une seconde, plus vive, plus pressée, plus meurtrière ; chaque flèche atteignait son but, et les tireurs restaient invisibles.

Après avoir jeté l'épouvante et la confusion dans le corps ennemi, les forestiers s'élancèrent hors de leurs cachettes en jetant de grands cris, et terrassèrent tous ceux qui essayaient de résister à leur puissante étreinte.

Alors une panique effroyable dispersa la troupe, et, dans un état de désordre indescriptible, elle regagna le château de Nottingham.

Il n'y eut pas un seul des joyeux hommes de blessé dans cet étrange combat, et, vers le soir, reposés de leurs fatigues, frais et dispos comme ils l'étaient avant l'attaque, ils réunirent sur des brancards les corps des soldats tués, et allèrent les déposer aux portes extérieures du château de lord Fitz-Alwine.

Furieux et désespéré, le baron passa la nuit à gémir sur son malheur ; il accusa ses hommes, il se dit abandonné de son saint patron, il s'en prit à tout le monde du mauvais succès de ses armes et se proclama un chef vaillant, mais victime du mauvais vouloir de ses subordonnés.

Le lendemain de ce triste jour, lord Fitz-Alwine reçut la visite d'un Normand de ses amis, qui vint le soir accompagné d'une cinquantaine d'hommes. Le baron lui raconta sa pitoyable mésaventure, en ajoutant, sans doute pour motiver ses éternelles défaites, que la bande de Robin Hood était invisible.

– Mon cher baron, répondit tranquillement sir Guy

de Gisborne (c'était le nom du visiteur), Robin Hood serait-il le diable en personne que, s'il me prenait fantaisie de lui arracher ses cornes, je les lui arracherais.

— Des paroles ne sont pas des faits, mon ami, répondit aigrement le vieux seigneur, et il est très facile de dire : Si je voulais, je ferais ceci, je ferais cela ; je vous mets au défi de vous emparer de Robin Hood.

— Si mon plaisir était de le prendre, répondit le Normand avec nonchalance, je n'aurais pas besoin d'y être excité. Je me sens assez fort pour dompter un lion, et, après tout, votre Robin Hood n'est rien de plus qu'un homme ; un homme habile, je l'admets, mais non un personnage diabolique et insaisissable.

— Vous en direz ce que vous voudrez, sir Guy, ajouta le baron visiblement décidé à pousser le Normand à tenter une entreprise contre Robin Hood ; mais il n'existe pas en Angleterre un homme qui soit capable, paysan, soldat ou grand seigneur, de courber devant lui la tête de cet héroïque outlaw. Il ne craint rien, il n'a peur de rien ; une armée tout entière ne l'intimiderait pas.

Sir Guy de Gisborne sourit avec dédain.

— Je ne doute pas le moins du monde, dit-il, de la vaillance de ce brave proscrit ; mais avouez, baron, que jusqu'à présent Robin Hood n'a eu à combattre que des fantômes.

— Comment ! s'écria le baron cruellement blessé dans son amour-propre de général en chef.

— Eh ! oui, des fantômes je le répète, mon vieil ami. Vos soldats sont pétris, non de chair et d'os, mais de boue et de lait. Qui a vu de pareils drôles ? ils fuient devant les flèches des outlaws, et le nom seul de Robin Hood leur donne le frisson. Oh ! si j'étais à votre place !

— Que feriez-vous ? demanda avidement le baron.

— Je ferais pendre Robin Hood.

— Ce n'est ni le désir ni la bonne volonté qui me manquent à cet égard-là, répondit le baron d'un air sombre.

— Je m'en aperçois bien, baron : c'est le pouvoir. Eh bien ! il est fort heureux pour votre ennemi qu'il ne se soit jamais trouvé face à face avec moi.

— Ah ! ah ! s'écria le baron en riant, vous lui auriez

passé votre lance au travers du corps, n'est-ce pas ? Vous m'amusez beaucoup, mon ami, avec toutes vos fanfaronnades. Laissez donc, vous trembleriez de la tête aux pieds si je vous disais seulement : Voilà Robin Hood !

Le Normand bondit sur son siège.

— Sachez bien, dit-il d'une voix furieuse, que je n'ai peur ni des hommes, ni du diable, ni de qui que ce soit au monde, et, à mon tour, je vous mets au défi de me placer dans une situation au-dessus de mon courage. Puisque le nom de Robin Hood a servi de point de départ à notre entretien, je vous demande comme une faveur de me mettre sur les traces de cet homme, qu'il vous plaît de croire invincible parce que vous n'avez pu le vaincre ; je me fais fort de le saisir, de lui couper les oreilles et de le pendre par le pied, ni plus ni moins qu'un pourceau. Dans quel endroit peut-on rencontrer cet homme puissant ?

— Dans la forêt de Barnsdale.

— A quelle distance cette forêt se trouve-t-elle de Nottingham ?

— Deux jours de marche peuvent nous y conduire par des chemins détournés, et comme je serais désolé, mon cher sir Guy, qu'il vous arrivât malheur par ma faute, si vous voulez bien le permettre, je joindrai mes hommes aux vôtres, et nous irons de compagnie à la recherche de ce coquin. J'ai appris de bonne source que pour le moment il se trouve séparé de la meilleure partie de ses hommes ; il nous sera donc facile, si nous agissons avec prudence, de cerner le repaire de ces bandits, de nous emparer de leur chef, et d'abandonner la troupe à la juste vengeance de nos soldats. Les miens ont grandement souffert dans la forêt de Sherwood, et ils seront fort heureux de prendre une éclatante revanche.

— J'accepte de grand cœur votre offre obligeante, mon cher ami, répliqua le Normand ; car elle me donnera la satisfaction de vous prouver que Robin Hood n'est ni un diable ni un homme invisible, et afin, non seulement d'égaliser la partie entre ce proscrit et moi, mais encore de vous montrer que je n'ai pas l'intention d'agir en dessous main, je vais prendre un costume de yeoman, et je combattrai corps à corps avec Robin Hood.

Le baron dissimula le plaisir que lui causait l'orgueilleuse réponse de son hôte, et hasarda d'un ton craintif et affectueux quelques timides observations sur le danger qu'allait courir son excellent ami, sur l'imprudence d'un déguisement qui allait le mettre en contact direct avec un homme renommé pour son adresse et sa force de corps.

Le Normand, tout gonflé de vaniteuse confiance en lui-même, arrêta court les fausses doléances du baron, et celui-ci courut avec une prestesse remarquable pour son âge donner l'ordre à sa troupe de se mettre sous les armes.

Une heure après, sir Guy de Gisborne et lord Fitz-Alwine, accompagnés d'une centaine d'hommes, prenaient d'un air conquérant le chemin de traverse qui devait les conduire à la forêt de Barnsdale.

Il avait été convenu entre le baron et son nouvel allié que celui-ci laisserait Fitz-Alwine diriger sa troupe vers une partie du bois désignée d'avance, et que, protégée contre toute apparence de mauvaise intention par son costume de yeoman, sir Guy prendrait une autre direction, chercherait Robin Hood, et se battrait avec lui de gré ou de force, et bien entendu l'enverrait dans l'autre monde. Le succès du Normand (ajoutons que ce succès n'était pas un doute pour lui) serait annoncé au baron par une fanfare particulière sonnée avec un cor de chasse. A l'appel triomphant de ce cor, le shérif devait proclamer la victoire du Normand et accourir au triple galop des chevaux sur le lieu du combat. La victoire constatée par la vue du cadavre de Robin Hood, les soldats devaient fouiller les taillis, les fourrés, les retraites souterraines et tuer ou faire prisonniers, le choix leur était bénévolement laissé, tous les outlaws assez malheureux pour leur tomber entre les mains.

Tandis que la troupe gagnait avec mystère les abords de la forêt de Barnsdale, Robin Hood, nonchalamment étendu sous l'épais feuillage de l'arbre du Rendez-Vous, dormait d'un profond sommeil.

Petit-Jean, assis aux pieds de son chef, veillait sur son repos en pensant aux qualités de cœur et d'esprit de sa charmante femme, la douce Winifred, quand il fut troublé dans cette tendre rêverie par le chant aigu d'une grive qui, perchée sur une basse branche de l'arbre du Rendez-Vous, s'égosillait à siffler en battant des ailes.

Ce ramage strident réveilla brusquement Robin, qui se leva avec un geste d'épouvante.

– Eh bien ! dit Jean, qu'y a-t-il, mon cher Robin ?

– Rien, reprit le jeune homme en se remettant un peu ; j'ai rêvé, et, je ne sais si je dois le dire, j'ai eu peur. Je me croyais attaqué par deux yeomen ; ils me battaient à outrance, et je leur rendais les coups avec une générosité sans pareille. Cependant j'allais être vaincu, je voyais la mort me tendre les bras, lorsqu'un oiseau venant je ne sais d'où, me dit dans son langage chanteur : Prends courage, je vais t'envoyer du secours. Je me suis éveillé, je ne vois ni le danger ni l'oiseau ; donc, tout songe est mensonge, ajouta Robin en souriant.

– Je ne suis pas de votre avis, capitaine, répondit Jean d'un air soucieux ; car une partie de votre rêve s'est réalisée. Il y avait tout à l'heure, sur la branche qui vous touche, une grive qui chantait à tue-tête. Votre réveil l'a mise en fuite. Peut-être vous donnait-elle un avertissement.

– Sommes-nous donc superstitieux, ami Jean ? demanda Robin avec gaieté. Allons, à notre âge ce serait ridicule ; il faut laisser cet enfantillage aux jeunes filles et aux petits garçons, mais nous ! Cependant, continua Robin, il est peut-être sage, dans le cours d'une existence aussi aventureuse que la nôtre, de faire attention à tout ce qui se passe. Qui sait, la grive nous a peut-être dit : Sentinelles, garde à vous ! Et nous sommes les sentinelles avancées d'une troupe de braves gens. En avant donc, un danger prévu est en partie évité.

Robin sonna du cor, et les joyeux hommes, dispersés dans les clairières voisines, accoururent à son appel.

Robin les envoya dans le chemin qui descendait de York, car de ce côté seulement une attaque pouvait être à craindre, et, accompagné de Jean, il alla fouiller la partie opposée du bois. William et deux vigoureux forestiers se rendirent sur la route de Mansfeld.

Après avoir parcouru du regard les sentiers et les routes vers lesquels ils s'étaient dirigés, Robin et Jean s'engagèrent dans le chemin suivi par Will Ecarlate. Là, au détour d'une vallée, ils rencontrèrent un yeoman, le corps enveloppé dans une peau de cheval qui lui servait de manteau. A cette époque, ce bizarre vêtement était en grande faveur près des yeomen du Yorkshire, qui pour la plupart s'occupaient de l'élève des chevaux.

Le nouveau venu portait à ses côtés une épée et une dague et sa physionomie, à l'expression cruelle, disait assez l'usage homicide qu'il avait l'habitude de faire de ses armes.

— Ah ! ah ! cria Robin en l'apercevant, voici, sur mon âme, un fieffé coquin ; il suinte le crime. Je vais l'interroger, et, s'il ne répond pas en honnête homme à ma question, je tenterai de voir la couleur de son sang.

— Il ressemble à un molosse pourvu de bonnes dents, mon cher Robin ; prenez garde, restez sous cet arbre, je me charge de lui demander ses nom, prénoms et qualités.

— Mon cher Jean, repartit vivement Robin, je me sens un caprice pour ce gaillard-là. Laissez-moi l'étriller à ma manière. Il y a longtemps que je ne me suis battu, et, par la sainte Mère, ma bonne protectrice ! je ne pourrais jamais échanger une gourmade avec personne si je prêtais l'oreille à vos prudentes réflexions. Prends garde, ami Jean, ajouta Robin d'une voix empreinte d'affection, il viendra une heure où, à défaut d'adversaire, je serai obligé de te rouer de coups, oh ! seulement pour m'entretenir la main ; mais tu n'en seras pas moins la victime de ta bienveillante générosité. Va rejoindre Will, et ne revenez auprès de moi qu'à l'appel d'une fanfare de triomphe.

— Votre volonté est une loi pour moi, Robin Hood, répondit Jean d'un ton fâché, et je me fais un devoir d'y obéir, quoique ce soit à contrecœur.

Nous laisserons Robin continuer son chemin à la rencontre de l'étranger, et nous suivrons Petit-Jean, qui, en esclave fidèle des ordres de son chef, hâtait le pas afin d'atteindre William, lancé avec deux hommes sur la grande route de Mansfeld.

A trois cents mètres environ de l'endroit où Petit-Jean abandonnait Robin en tête à tête avec le yeoman, il trouva Will Ecarlate et ses deux compagnons occupés à ferrailler de toute la vigueur de leurs muscles contre une dizaine de soldats. Jean jeta un cri, et d'un bond se trouva aux côtés de ses amis. Mais le danger déjà si difficile à combattre le devint bien davantage lorsqu'un cliquetis d'armes et un bruit de pas de chevaux eurent attiré l'attention du jeune homme vers l'extrémité de la route.

Au bout du chemin, et dans la demi-pénombre projetée par les arbres parut une compagnie de soldats, et, à sa tête, caracolait un cheval richement caparaçonné. Sur ce cheval, l'air hautain et la lance en arrêt, le shérif de Nottingham.

Jean s'élança à la rencontre des nouveaux venus, prépara son arc et visa le baron. Les mouvements du jeune homme s'étaient succédé avec tant de rapidité et de violence que l'arc trop tendu se brisa comme un fil de verre.

Jean laissa échapper une malédiction sur la flèche inoffensive, et saisit un nouvel arc que venait de lui tendre un proscrit blessé à mort par les soldats que combattait William.

Le baron avait compris le geste et les intentions de l'archer ; il se courba sous son cheval de manière à ne faire qu'un corps avec l'animal, et la flèche destinée à lui donner la mort envoya rouler dans la poussière un homme qui se trouvait derrière lui.

La chute exaspéra la troupe entière, qui, fermement décidée à remporter la victoire, et se voyant en nombre, éperonna les chevaux et s'avança rapidement.

Des deux compagnons de William, un était mort, l'autre se battait encore ; mais il était facile de comprendre que le moment de sa défaite était près de sonner. Jean s'aperçut du péril auquel son cousin était exposé : il tomba sur le groupe des combattants, arracha Will de leurs mains en lui criant de fuir.

— Jamais ! répondit énergiquement Will.

— Par pitié, Will, disait Jean tout en continuant de frapper ses agresseurs, va chercher Robin Hood, appelle les joyeux hommes. Hélas ! il y aura aujourd'hui sur l'herbe verte des ruisseaux de sang ; le chant de la grive était un avertissement du ciel.

William se rendit à la prière de son cousin ; il était

facile d'en comprendre toute la portée en considérant le nombre de soldats qui commençaient à envahir la clairière. Il porta un coup terrible à un homme qui essayait de lui barrer le passage, et disparut dans un fourré.

Petit-Jean se battait comme un lion ; mais c'était folie que de vouloir lutter seul contre tant d'ennemis ; Jean fut vaincu ; il tomba, les soldats lui lièrent les pieds et les mains, et l'adossèrent contre un arbre.

L'arrivée du baron allait décider du sort de notre pauvre ami.

Lord Fitz-Alwine, appelé à grands cris, s'empressa d'accourir.

A la vue du prisonnier, un sourire de haine satisfaite donna aux traits du baron une expression de férocité.

– Ah ! ah ! dit-il en savourant avec un bonheur indicible la joie de son triomphe, vous voilà donc entre mes mains, grande perche de la forêt ! Je vous ferai payer cher votre insolence avant de vous envoyer dans l'autre monde.

– Ma foi ! dit Jean d'un ton dégagé tout en mordant avec fureur sa lèvre inférieure, quelles que soient les tortures qu'il vous plaira de m'infliger, elles ne pourront vous faire oublier que j'ai tenu votre vie entre mes mains, et que si vous avez encore la puissance de martyriser les Saxons c'est à ma bonté que vous le devez. Maintenant, tenez-vous sur vos gardes : Robin Hood va venir, et vous n'aurez pas avec lui la victoire aussi facile que vous l'avez eue avec moi.

– Robin Hood ! reprit le baron en ricanant, Robin Hood va bientôt entendre sonner sa dernière heure. J'ai donné l'ordre de lui couper la tête et de laisser son corps ici afin qu'il serve de pâture aux loups carnassiers. Soldats, ajouta le baron en se tournant vers deux hommes, esclaves serviles de mes commandements, placez ce coquin sur le dos d'un cheval, et attendons sans nous écarter de cet endroit le retour de sir Guy ; il est à présumer qu'il nous apportera la tête du misérable Robin Hood.

Les hommes descendus de cheval se tinrent prêts à remonter en selle, et le baron, commodément assis sur un tertre de verdure, attendit sans impatience l'appel du cor de sir Guy de Gisborne.

Laissons Sa Seigneurie se reposer de ses fatigues, et allons voir ce qui se passait entre Robin Hood et l'homme revêtu d'une peau de cheval.

— Bon matin ! messire, dit Robin, en s'approchant de l'étranger. On pourrait croire, à en juger par l'excellent arc que vous tenez à la main, que vous êtes un brave et honnête archer.

— J'ai perdu ma route, repartit le promeneur dédaignant de répondre à la réflexion interrogatoire qui lui était adressée, et je crains fort de m'égarer dans ce dédale de carrefours, de clairières et de sentiers.

— Les chemins de la forêt me sont tous connus, messire, répondit Robin Hood avec politesse, et si vous voulez bien me dire à quelle partie du bois vous désirez vous rendre, je vous servirai de guide.

— Je ne vais pas précisément à un endroit déterminé, répondit l'étranger en examinant son interlocuteur avec attention ; je désire me rapprocher du centre du bois ; car j'ai lieu d'espérer la rencontre d'un homme avec lequel je serais bien aise de causer un peu.

— Cet homme est sans doute de vos amis ? demanda Robin d'un ton aimable.

— Non, repartit vivement l'étranger ; c'est un coquin de la plus dangereuse espèce, un proscrit qui mérite la corde.

— Ah ! ah ! dit Robin toujours souriant, et peut-on vous demander sans indiscrétion le nom de ce gibier de potence ?

— Certainement ; il s'appelle Robin Hood, et voyez-vous, jeune homme, je donnerais de grand cœur une dizaine de pièces d'or pour avoir le plaisir de me rencontrer avec lui.

— Mon cher monsieur, dit Robin Hood, félicitez-vous du hasard qui vous a placé sur ma route ; car je puis, sans mettre votre générosité à l'épreuve, vous conduire en présence de Robin Hood. Permettez-moi seulement de vous demander votre nom.

— Je m'appelle sir Guy de Gisborne, je suis riche, et je possède un grand nombre de vassaux. Mon costume, comme vous devez bien le comprendre, est un habile déguisement. Robin Hood, ne pouvant se mettre en garde contre un pauvre diable si piètrement accoutré, me laissera arriver jusqu'à lui. La question est donc tout simplement de savoir où il se trouve. Ah ! une fois à portée de ma main, il mourra, je vous le jure, sans avoir le temps ni la possibilité de se défendre ; je le tuerai sans miséricorde.

– Robin Hood vous a donc fait beaucoup de mal ?

– A moi ? jamais ! Je ne le connaissais pas même de nom il y a quelques heures, et, comme vous le verrez si vous me conduisez auprès de lui, mon visage lui est totalement inconnu.

– Alors pour quelle raison désirez-vous attenter à son existence ?

– Je n'ai pas de raison ; c'est mon plaisir, voilà tout.

– Un plaisir singulier, permettez-moi de vous le dire, et, de plus, je vous plains grandement d'avoir les idées aussi sanguinaires.

– Eh bien ! c'est ce qui vous trompe, je ne suis pas méchant, et, sans cet idiot de Fitz-Alwine, je serais, à l'heure où je vous parle, tranquillement en chemin pour rentrer chez moi. C'est lui qui m'a poussé à tenter l'aventure, en me mettant au défi de vaincre Robin Hood. Mon amour-propre est engagé, il faut donc à tout prix que je remporte la victoire. Mais à propos, ajouta sir Guy, maintenant que je vous ai dit mon nom, mes qualités et mes projets, à votre tour de répondre à mes questions. Qui êtes-vous ?

– Qui je suis ? répéta Robin la voix haute et le regard sérieux ; tu vas le savoir : je suis le comte de Hunting-don, le roi de la forêt ; je suis l'homme que tu cherches, je suis Robin Hood !

Le Normand fit un bond en arrière.

– Alors prépare-toi à recevoir la mort ! cria-t-il en tirant son épée. Sir Guy de Gisborne n'a qu'une parole : il a juré de te tuer, tu vas mourir ! Fais ta prière, Robin Hood, car dans quelques minutes le son de mon cor de chasse annoncera à mes compagnons, qui se trouvent ici près, que le chef des outlaws n'est plus qu'un cada-vre informe, un cadavre sans tête.

– Au vainqueur appartiendra le droit et le devoir de disposer du corps de son adversaire, répondit froidement Robin Hood. En garde donc ! Tu as juré de ne pas m'épargner, je jure à mon tour, si la sainte Vierge m'accorde la victoire, de te traiter comme tu le mérites. Allons, point de quartier ni pour l'un ni pour l'autre ; la vie et la mort se trouvent en présence.

Cela dit, les deux adversaires croisèrent l'épée.

Le Normand était non seulement un véritable Hercule, mais encore d'une force supérieure dans l'art de l'escrime. Il attaqua Robin avec tant de fureur que le jeune homme, serré de près, fut contraint de reculer, et s'enchevêtra les jambes dans les racines d'un chêne. Sir Guy, l'œil aussi alerte qu'il avait la main prompte, s'aperçut bientôt de l'avantage qu'il venait d'obtenir ; il redoubla ses coups, et plusieurs fois Robin sentit son épée vaciller sous la nerveuse étreinte de sa main. La position de Robin devenait inquiétante ; gêné dans ses mouvements par les rugueuses racines de l'arbre qui heurtaient ses chevilles, il ne pouvait ni avancer ni reculer ; il prit alors le parti de bondir hors du cercle où il se trouvait enfermé, et, par un élan de cerf aux abois, il franchit le revers du sentier ; mais en faisant ce saut, Robin rencontra une branche rampante qui enlaça son pied gauche et l'envoya rouler dans la poussière.

Sir Guy n'était pas homme à laisser échapper une semblable occasion de vengeance ; il jeta un cri de triomphe et se précipita sur Robin avec la pensée de lui fendre la tête.

Robin vit le danger ; il ferma les yeux et murmura avec une ardente ferveur :

— Sainte mère de Dieu, venez à mon aide ! Chère Dame de Bon-Secours, me laisseriez-vous tuer par la main de ce misérable Normand ? Robin achevait à peine de prononcer ces paroles que sir Guy n'osa interrompre, les prenant sans doute pour un acte de contrition, qu'il sentit une force nouvelle pénétrer dans ses membres ; il tourna vers son ennemi la pointe de son épée, et, tandis que celui-ci cherchait à écarter l'arme menaçante, Robin bondissait sur ses pieds et se retrouvait debout, libre et fort au milieu du chemin. Le combat, un instant suspendu, recommença avec une nouvelle fureur ; mais la victoire avait changé de face, elle s'était mise avec Robin. Sir Guy, désarmé et atteint en pleine poitrine, tomba sans pousser un cri : il était mort. Après avoir remercié Dieu du succès de ses armes, Robin s'assura que sir Guy avait bien réellement rendu le dernier soupir, et, en examinant les traits du Normand, Robin se rappela que cet homme n'était pas venu seul à sa recherche, qu'il avait amené avec lui une troupe de compagnons, et que cette troupe, cachée dans quelque partie du bois, attendait l'appel du cor de chasse. Je crois qu'il serait sage, se dit mentalement Robin, d'aller voir si ces braves gens ne sont pas les soldats du baron Fitz-Alwine, et de me rendre personnellement compte de tout le plaisir que pourrait lui donner la nouvelle de ma mort. Je vais revêtir les vêtements de sir Guy, lui couper la tête et attirer ici ses patients compagnons.

Robin Hood dépouilla le corps du Normand des principales pièces de son costume, les endossa, non sans éprouver une sorte de dégoût, et, lorsqu'il eut jeté sur ses épaules la peau de cheval, il ressembla à s'y méprendre à sir Guy de Gisborne.

Le déguisement opéré, la tête du Normand rendue méconnaissable à première vue, Robin Hood sonna du cor.

Un hourra de triomphe répondit à l'appel du jeune homme, qui s'élança en courant vers l'endroit où les voix joyeuses se faisaient entendre.

— Écoutez, écoutez encore, cria Fitz-Alwine en se levant ; est-ce bien le son du cor de sir Guy ?

— Oui, milord, répondit un homme appartenant au chevalier, il n'y a pas à s'y tromper ; le cor de mon maître possède un son particulier.

— Victoire, alors ! reprit le vieux seigneur ; le brave et digne sir Guy a tué Robin.

— Une centaine de sir Guy ne pourraient réussir à frapper Robin Hood, s'ils l'attaquaient un à un et loyalement ! rugit le pauvre Jean, bien qu'une terrible angoisse lui serrât le cœur.

— Taisez-vous, idiot aux longues jambes ! répondit brutalement le baron, et si vous avez de bons yeux, regardez à l'extrémité de la clairière, vous y verrez, se dirigeant vers nous au pas de course, le vainqueur de votre misérable chef, le vaillant sir Guy de Gisborne.

Jean se souleva et vit, ainsi que l'annonçait le baron,

un yeoman, le corps à demi enveloppé dans une peau de cheval. Robin imitait si bien la démarche du chevalier que Jean crut reconnaître l'homme qu'il avait laissé en tête à tête avec son ami.

Un cri de rage impuissante s'échappa de la poitrine de Jean.

– Ah ! le bandit ! ah ! le mécréant ! vociféra le jeune homme au désespoir ; il a tué Robin Hood ! il a tué le plus brave Saxon de toute l'Angleterre ! Vengeance ! vengeance ! vengeance ! Robin Hood a des amis, et il se trouve dans le comté de Nottingham des milliers de mains qui parviendront à punir son meurtrier.

– Dis tes prières, chien ! cria le baron, et laisse-nous en repos ; ton maître est mort, et tu vas mourir comme lui. Dis tes prières, et tâche de préserver ton âme des tortures qui attendent ton corps. Crois-tu acquérir des droits à notre miséricorde en poursuivant de tes vaines menaces le noble chevalier qui a purgé la terre d'un infâme bandit ? Approche, brave sir Guy, continua lord Fitz-Alwine en s'adressant à Robin Hood qui s'avançait avec rapidité ; tu mérites tous nos éloges et toute notre reconnaissance : tu as débarrassé ton pays de l'invasion du brigandage, tu as tué un homme que la terreur populaire avait déclaré invincible, tu as tué le célèbre Robin Hood ! Demande-moi la récompense due à tes bons offices ; je mets à ta disposition ma faveur à la cour, l'appui de mon éternelle amitié ; demande ce que tu désires, noble chevalier, je suis prêt à te satisfaire.

Robin avait jugé la situation d'un coup d'œil, et le féroce regard que Jean dardait sur lui révélait mieux encore que les protestations de gratitude du vieux seigneur la réussite de sa métamorphose.

– Je ne mérite pas tant de remerciements, répondit Robin en rendant comme un écho fidèle le son de voix du chevalier. J'ai tué dans un combat loyal celui qui m'avait attaqué, et, puisque vous voulez bien me permettre, mon cher baron, de vous réclamer le prix de ma victoire, je vous demande, en récompense du service que je viens de vous rendre, la permission de me battre avec le coquin que vous avez arrêté ; il me dévore des yeux et son regard me fatigue ; je vais l'envoyer tenir compagnie dans l'autre monde à son aimable compagnon.

– A votre aise ! répondit lord Fitz-Alwine en se frottant les mains d'un air joyeux ; tuez-le si bon vous semble, sa vie vous appartient.

La voix de Robin Hood n'avait pu tromper Petit-Jean, et un soupir d'indicible satisfaction avait enlevé de son cœur le poids de la terrible angoisse qu'il venait de ressentir.

Robin s'approcha de Jean, le baron le suivit.

– Milord, dit Robin en riant, veuillez me laisser seul avec ce coquin ; j'ai l'entière conviction que la peur d'une mort ignominieuse le décidera à me confier le secret de la retraite des hommes qui font partie de la bande. Eloignez-vous, et faites écarter vos gens, sinon je me charge de traiter les curieux de la même manière que j'ai traité l'homme dont voici la tête.

En achevant ces mots, Robin lança son sanglant trophée dans les bras de lord Fitz-Alwine. Le vieillard jeta un cri d'horreur : la tête défigurée de sir Guy roula sur le sol, le front dans la poussière.

Les soldats effrayés s'éloignèrent vivement.

Robin Hood, resté seul avec Petit-Jean, s'empressa de couper ses liens, et lui mit entre les mains l'arc et les flèches appartenant à sir Guy ; puis il sonna du cor.

A peine le son s'était-il répandu dans les profondeurs du bois qu'une clameur furieuse se fit entendre, et les branches des arbres, violemment repoussées, livrèrent passage, d'abord à Will Ecarlate, dont la figure était d'un rouge si vif que pour le moment elle paraissait de pourpre, puis à un corps de joyeux hommes, l'épée à la main.

Cette foudroyante apparition se montra au shérif plutôt semblable à un rêve qu'à une réalité. Il regarda sans voir, il écouta sans entendre, il avait l'esprit et le corps entièrement paralysés par une accablante terreur. Cette minute de suprême angoisse parut avoir la durée d'un siècle ; il fit un pas vers celui qu'il avait pris pour le chevalier normand, et se trouva en face de Robin, qui, débarrassé de la peau du cheval et l'épée à la main, tenait en respect les soldats non moins abattus que leur chef.

Le baron, les dents serrées, incapable de prononcer une seule parole, se détourna brusquement, remonta à cheval, et, sans donner d'ordre à sa troupe, s'éloigna ventre à terre.

Les soldats, entraînés par un exemple si digne d'éloges, imitèrent leur chef et s'élancèrent à toute bride sur les traces du baron.

– Puisse le démon te tenir bientôt dans ses griffes ! cria Jean d'une voix furieuse, et ta couardise ne te sauvera pas ; mes flèches portent assez loin pour t'atteindre à la tête.

– Ne tire pas, Jean, dit Robin en retenant le bras de son ami ; tu vois bien que, suivant les lois de la nature, cet homme a peu de temps à vivre, pourquoi hâter de quelques jours la mort d'un vieillard ? Laisse-le à ses remords, à son isolement de tout lien de famille, à son impuissance haineuse.

– Ecoutez, Robin, je ne puis laisser le vieux brigand se sauver ainsi ; permettez-moi de lui donner une bonne leçon, un souvenir de son passage dans la forêt ; je ne le tuerai pas, je vous en donne ma parole.

– Soit alors ; tire, mais tire vite, il va disparaître au détour du sentier.

Jean envoya sa flèche, et, à en juger par le saut que le baron fit sur sa selle, par l'empressement qu'il mit à la retirer de l'endroit qu'elle avait atteint, il était impossible de mettre en doute que de longtemps le baron ne remonterait à cheval ou ne resterait tranquillement assis sur sa chaise.

Petit-Jean serra avec reconnaissance les mains de son sauveur ; Will demanda à Robin le récit de ses prouesses, et les dernières heures de ce jour mémorable s'écoulèrent joyeusement.

11

Le baron Fitz-Alwine regardait Robin Hood comme le cauchemar de son existence, et l'insatiable désir qu'il avait de se venger largement de toutes les humiliations que le jeune homme lui avait fait subir ne perdait point de sa ténacité. Sans cesse battu par son ennemi, le baron revenait à la charge, se jurant, aussi bien avant l'attaque qu'après la défaite, d'exterminer toute la bande des outlaws.

Lorsque le baron se vit contraint de reconnaître qu'il lui serait éternellement impossible de vaincre Robin par la force, il résolut d'avoir recours à la ruse. Ce nouveau plan de conduite longuement médité, il espéra avoir découvert un moyen pacifique d'attirer Robin dans ses filets. Sans perdre une minute, le baron envoya chercher un riche marchand de la ville de Nottingham, et lui confia ses projets en lui recommandant de garder sur eux le plus profond silence.

Cet homme, qui était d'un caractère faible et irrésolu, fut facilement amené à partager la haine que le baron paraissait ressentir contre celui qu'il dénommait un détrousseur de grand chemin.

Dès le lendemain de son entrevue avec lord Fitz-Alwine, le marchand, fidèle à la promesse qu'il avait faite à l'irascible vieillard, réunit dans sa maison les principaux citoyens de la ville, et leur proposa de venir avec lui demander au shérif la faveur d'établir un tir public où viendraient lutter d'adresse les hommes du Nottinghamshire et ceux du Yorkshire.

– Ces deux comtés se jalousent quelque peu, ajouta le marchand, et, pour l'honneur de la ville, je serais heureux d'offrir à nos voisins un moyen de prouver leur habileté d'archers, ou, pour mieux dire une occasion de faire ressortir l'incontestable supériorité de nos adroits tireurs ; et, afin d'égaliser la partie entre les camps rivaux, nous établirons le tir aux limites des deux pays, la récompense du vainqueur serait une flèche au dard en argent et aux plumes en or.

Les citoyens convoqués par l'allié du baron accueillirent la proposition qui leur était faite avec un généreux empressement, et, accompagnés du marchand, ils allèrent demander à lord Fitz-Alwine la permission d'annoncer un concours au jeu de l'arc entre les deux pays rivaux.

Le vieillard, enchanté de la prompte réussite de la première partie de son projet, dissimula son intime satisfaction, et, d'un air de profonde indifférence, donna le consentement demandé, ajoutant même que si sa présence pouvait être de quelque charme ou de quelque utilité à l'éclat de la fête, il se ferait à la fois un plaisir et un devoir de présider les jeux.

Les citoyens s'écrièrent d'une voix unanime que la présence de leur seigneur lige serait une bénédiction du ciel, et ils parurent aussi heureux de recevoir la promesse de venue du baron que si celui-ci leur eût été attaché par les liens les plus tendres. Ils sortirent du château le cœur en joie, et firent part à leurs concitoyens de la complaisance du baron avec des gestes d'enthousiasme, des yeux béants de surprise et une bouche plus grande encore que ne l'était leur étonnement. Ils étaient si peu habitués, les bonnes gens, à rencontrer un semblant de politesse dans les procédés du seigneur normand !

Une proclamation savamment rédigée annonça qu'une joute allait être ouverte aux habitants des comtés de Nottingham et de York. Le jour était fixé, le lieu choisi entre la forêt de Barnsdale et le village de Mansfeld. Comme on avait pris soin que la nouvelle de cette joute publique fût répandue dans tous les coins des pays pour lesquels elle était préparée, elle arriva aux oreilles de Robin Hood. Aussitôt le jeune homme résolut de se mettre sur les rangs et de soutenir l'honneur de la ville de Nottingham. De nouvelles informations apprirent également à Robin que le baron Fitz-Alwine devait présider les jeux. Cette condescendance, si peu en harmonie avec le caractère morose du vieillard, fit comprendre à Robin le but secret vers lequel tendaient les désirs du noble lord.

— Eh bien ! se dit notre ami, tentons l'aventure avec toutes les précautions nécessaires à une vaillante défense. La veille du jour où la lutte d'adresse devait avoir lieu, Robin réunit ses hommes, et leur annonça que son intention était d'aller gagner le prix de l'arc en l'honneur de la ville de Nottingham. Mes garçons, ajouta Robin, écoutez bien ceci : le baron Fitz-Alwine assiste à la fête, et bien certainement il a une cause toute particulière pour se montrer si désireux de plaire aux yeomen. Cette cause, je crois la connaître ; c'est une tentative d'arrestation contre moi. Je vais donc amener au tir cent quarante compagnons ; j'en prendrai six pour concurrents au prix de l'arc, les autres se disperseront dans la foule de manière à se réunir au premier appel en cas de trahison. Tenez vos armes prêtes, et disposez-vous à soutenir un combat à outrance.

Les ordres de Robin Hood furent ponctuellement exécutés, et, à l'heure du départ, les hommes prirent par petits groupes le chemin de Mansfeld, et arrivèrent sans encombre sur la place, où une nombreuse foule était déjà rassemblée.

Robin Hood, Petit-Jean, Will Ecarlate, Much et cinq autres joyeux hommes devaient prendre part à la lutte ; ils s'étaient tous différemment vêtus et se parlaient à peine, afin d'éviter tout danger d'être reconnus.

L'endroit choisi pour le jeu de l'arc était une vaste clairière située sur les bords de la forêt de Barnsdale et peu éloignée de la grand'route. Une foule immense, venue des pays circonvoisins, se pressait tumultueusement dans l'enceinte au centre de laquelle étaient placées les targes. Une estrade avait été élevée en face du tir ; elle attendait le baron, à qui était dévolu l'honneur de juger les coups et de donner le prix.

Bientôt le shérif parut, accompagné d'une escorte de soldats. Une cinquantaine d'hommes d'armes appartenant au baron s'étaient glissés, vêtus du costume des yeomen, au milieu de la foule, avec ordre d'arrêter les gens qui leur paraîtraient suspects et de les conduire devant le shérif.

Ces précautions prises, lord Fitz-Alwine avait lieu d'espérer que Robin Hood, dont le caractère aventureux se jouait du danger, viendrait à la fête sans escorte, et qu'il aurait enfin la satisfaction de prendre une revanche qui s'était fait attendre au-delà du terme de la patience humaine.

Le tir s'ouvrit : trois hommes de Nottingham rasèrent les targes, chacun d'eux toucha la marque sans atteindre le centre. A leur suite vinrent trois yeomen du Yorkshire ; ils obtinrent un succès identique à celui de leurs adversaires. Will Ecarlate se présenta à son tour, et il transperça le centre du point avec la plus grande facilité.

Un hourra de triomphe proclama l'adresse de Will, que Petit-Jean venait de remplacer. Le jeune homme envoya sa flèche dans le trou qu'avait fait celle de William ; puis, avant même que le garde-targe eût eu le temps de retirer la flèche, Robin Hood la brisa en morceaux et prit sa place.

La foule enthousiasmée s'agita tumultueusement, et les hommes de Nottingham engagèrent des paris considérables.

Les trois meilleurs tireurs du Yorkshire s'avancèrent et, d'une main ferme, ils frappèrent le milieu de l'œil-de-bœuf.

Ce fut alors au tour des hommes du Nord à crier victoire et à accepter les paris des citoyens de Nottingham.

Pendant ce temps-là, le baron, fort peu intéressé au succès de l'un ou de l'autre pays, surveillait attentivement les archers. Robin Hood avait attiré son attention ; mais comme sa vue s'était depuis longtemps affaiblie, il lui était impossible, à une pareille distance, de reconnaître les traits de son ennemi.

Much et les joyeux hommes désignés par Robin pour tirer à la cible touchèrent la marque sans effort ; quatre yeomen leur succédèrent et firent la même chose.

La plupart des archers avaient une telle habitude du tir à la cible que la victoire pouvait, en se morcelant ainsi, devenir nulle ou générale ; on décida donc qu'il fallait élever des baguettes et choisir sept hommes parmi les vainqueurs des deux camps rivaux.

Les citoyens de Nottingham désignèrent pour soutenir l'honneur de leur pays Robin Hood et ses hommes, et les habitants du Yorkshire prirent pour leurs champions les yeomen qui s'étaient montrés les meilleurs archers.

Les yeomen commencèrent : le premier fendit la baguette, le second l'effleura, la flèche du troisième la rasa de si près qu'il paraissait impossible que leurs adversaires en arrivassent à surpasser leur adresse.

Will Ecarlate s'avança, et, prenant nonchalamment son arc, il tira sous main et fendit en deux morceaux la baguette de saule.

— Hourra pour le Nottinghamshire ! crièrent les citoyens de Nottingham en jetant leurs bonnets en l'air, sans songer le moins du monde qu'il leur serait impossible de les retrouver.

On prépara de nouvelles baguettes ; les hommes de Robin, depuis Petit-Jean jusqu'au dernier des archers, les fendirent aisément. Le tour de Robin arriva ; il envoya trois flèches aux baguettes, et cela avec une telle rapidité que, si l'on n'avait pas vu que les baguettes étaient brisées, il eût été impossible de croire à une pareille adresse.

Plusieurs épreuves furent encore tentées, Robin triompha de tous ses adversaires, quoiqu'ils fussent d'habiles tireurs.

Quelques personnes se mirent à lui dire que le célèbre Robin Hood lui-même ne pourrait lutter avec le yeoman à la jaquette rouge : c'est ainsi que, dans la foule, on désignait Robin.

Cette réflexion si dangereuse pour l'incognito du jeune homme se transforma promptement en affirmation, et le bruit circula que le vainqueur au jeu de l'arc n'était autre chose que Robin Hood lui-même.

Les hommes du Yorkshire, fort humiliés de leur défaite, s'empressèrent aussitôt de crier que la partie n'était pas égale entre eux et un homme de la force de Robin Hood. Ils se plaignirent de l'atteinte portée à leur honneur d'archers, de la perte de leur argent (ce qui était pour eux la plus puissante considération), et ils essayèrent, dans l'espoir sans doute d'éluder leurs paris, de changer la discussion en querelle.

Dès que les joyeux hommes s'aperçurent du mauvais vouloir de leurs adversaires, ils se réunirent en corps, et formèrent, sans intention apparente, un groupe composé de quatre-vingt-six hommes.

Tandis que la discorde jetait ses brandons dans la foule des parieurs, Robin Hood était conduit vers le shérif, au milieu des joyeuses acclamations des citoyens de Nottingham.

– Place au vainqueur ! hourra pour l'habile archer ! criaient deux cents voix ; voilà celui qui a gagné le prix !

Robin Hood, le front modestement baissé, se tenait devant lord Fitz-Alwine dans une attitude des plus respectueuses.

Le baron ouvrit démesurément les yeux pour chercher à découvrir les traits du jeune homme. Une certaine ressemblance de taille, peut-être même de costume, portait le baron à croire qu'il avait devant les yeux l'insaisissable outlaw ; mais, pris entre deux sentiments opposés, le doute et une faible certitude, il ne pouvait, sans compromettre la réussite de son plan, montrer une trop grande précipitation. Il tendit la flèche à Robin, espérant reconnaître le jeune homme au son de sa voix ; mais Robin trompa l'espoir du baron : il prit la flèche, s'inclina poliment, et la passa à sa ceinture.

Une seconde s'écoula ; Robin fit une fausse sortie, puis, au moment où le baron désespéré allait tenter un coup décisif en le voyant s'éloigner, il leva la tête, regarda fixement le baron, et lui dit en riant :

– De vaines paroles seraient impuissantes à vous exprimer tout le prix que j'attache au don que vous venez de me faire, mon excellent ami. Je vais regagner, le cœur plein de reconnaissance, les grands arbres verts de ma solitaire demeure, et j'y garderai avec soin le précieux témoignage de vos bontés. Je vous souhaite affectueusement le bonjour, noble seigneur de Nottingham.

– Arrêtez ! arrêtez ! rugit le baron ; soldats, faites votre devoir ! cet homme est Robin Hood ; emparez-vous de lui !

– Misérable lâche ! repartit Robin, vous avez proclamé que ce jeu était public, ouvert à tous, destiné au plaisir de tout le monde, sans danger et sans exception !

– Un proscrit n'a aucun droit, dit le baron ; tu n'étais pas compris dans l'appel qu'on a fait aux bons citoyens. Allons, soldats, saisissez ce brigand !

– Je tue le premier qui avance ! cria Robin d'une voix de stentor, en dirigeant son arc vers un gaillard qui marchait vers lui ; mais, à la vue de cette menaçante attitude, l'homme recula et disparut dans la foule.

Robin sonna du cor, et ses joyeux hommes, déjà préparés à soutenir une lutte sanglante, s'avancèrent vivement pour le protéger. Robin se replia au centre de sa troupe, lui ordonna de tendre les arcs et de se retirer lentement ; car le nombre des soldats du baron était trop considérable pour qu'il fût possible d'engager la bataille sans redouter une dangereuse effusion de sang.

Le baron se précipita à la tête de ses hommes et, d'une voix furieuse, leur intima l'ordre d'arrêter les outlaws ; les soldats obéirent, et les citoyens du Yorkshire, irrités de leur défaite, exaspérés par la perte des paris qu'ils avaient engagés, se joignirent aux hommes du baron et s'élancèrent avec eux à la poursuite des forestiers. Mais les citoyens de Nottingham devaient à Robin Hood trop d'amitié et de reconnaissance pour les laisser sans secours à la merci des soldats de leur seigneur. Ils ouvrirent un large passage aux joyeux hommes, et, tout en les saluant de leurs acclamations affectueuses, ils refermèrent derrière eux le chemin qu'ils avaient ouvert.

Malheureusement, les protecteurs de Robin Hood n'étaient ni assez nombreux ni assez forts pour protéger longtemps sa prudente fuite ; ils furent obligés de rompre leurs rangs, et les hommes d'armes gagnèrent la route dans laquelle les forestiers s'étaient engagés au pas de course.

Alors commença une poursuite acharnée ; de temps en temps les forestiers faisaient volte-face et envoyaient une volée de flèches aux soldats ; ceux-ci ripostaient tant bien que mal, et, malgré les ravages opérés dans leurs rangs, ils continuaient avec courage à poursuivre les fuyards.

Depuis une heure déjà les deux troupes échangeaient des flèches, lorsque Petit-Jean, qui marchait avec Robin à la tête des forestiers, s'arrêta brusquement et dit au jeune chef :

– Mon cher ami, mon heure est venue ; je suis gravement blessé et les forces me manquent, je ne puis plus marcher.

– Comment ! s'écria Robin, tu es blessé ?

– Oui, répondit Jean ; j'ai le genou atteint, et je perds depuis une demi-heure une si grande quantité de sang que mes membres sont épuisés. Il m'est impossible de me tenir plus longtemps debout.

En achevant ces mots, Jean tomba à la renverse.

– Ô mon Dieu ! s'écria Robin qui s'agenouilla auprès de son brave ami ; Jean, mon brave Jean, reprends courage, essaye de te soulever, de t'appuyer sur moi ; je ne suis pas fatigué, je dirigerai ta marche ; encore quelques minutes, et nous serons hors d'atteinte. Laisse-moi envelopper ta blessure, tu en ressentiras un grand soulagement.

— Non, Robin, c'est inutile, répondit Jean d'une voix faible ; ma jambe est comme paralysée, il me serait impossible de faire un mouvement ; ne t'arrête pas, abandonne un malheureux qui ne demande qu'à mourir.

— T'abandonner, moi ! s'écria Robin ; tu sais bien que je suis incapable de commettre cette mauvaise action.

— Ce ne sera point une mauvaise action, Rob, mais un devoir. Tu réponds devant Dieu de l'existence des braves gens qui se sont donnés à toi corps et âme. Laisse-moi donc ici ; mais, si tu m'aimes, si tu m'as jamais aimé, ne permets pas à cet infâme shérif de me trouver vivant : enfonce-moi dans le cœur ton couteau de chasse, afin que je puisse mourir comme un honnête et brave Saxon. Ecoute ma prière, Robin, tue-moi, tu m'épargneras de cruelles souffrances et la douleur de revoir nos ennemis ; ils sont si lâches, ces misérables Normands, qu'ils prendraient plaisir à insulter ma dernière heure.

— Voyons, Jean, répondit Robin en essuyant une larme, ne me demande pas une chose impossible ; tu sais bien que je ne te laisserai pas mourir sans secours et loin de moi, tu sais bien que je sacrifierais ma vie et celle de mes hommes à la conservation de ton existence. Tu sais bien encore que, loin de t'abandonner, je verserais pour te défendre la dernière goutte de mon sang. Quand je tomberai, Jean, ce sera à tes côtés, je l'espère, et alors nous partirons pour l'autre monde les mains et le cœur unis comme ils l'ont été ici-bas.

— Nous nous battrons et nous mourrons à tes côtés, si le ciel nous retire son appui, dit Will en embrassant son cousin, et tu vas voir qu'il y a encore de braves garçons sur la terre. Mes enfants, dit Will en se tournant vers les forestiers qui avaient fait halte, voici votre ami, votre compagnon, votre chef, qui est mortellement blessé ; pensez-vous qu'il faille l'abandonner à la vengeance des coquins qui nous poursuivent ?

– Non ! non ! cent fois non ! répondirent les joyeux hommes d'une seule voix. Rangeons-nous autour de lui, et mourons pour le défendre.

– Permettez, dit le vigoureux Much en s'avançant, il me semble qu'il est inutile au besoin de la cause de risquer notre peau. Jean n'est blessé qu'au genou, il peut donc, sans que nous ayons à craindre un épanchement du sang, supporter un transport. Je vais le prendre sur mes épaules, et je le porterai tant que mes jambes me porteront moi-même.

– Si tu tombes, Much, dit Will, je te remplacerai, et après moi un autre, n'est-ce pas, mes garçons ?

– Oui, oui, répondirent bravement les forestiers.

En dépit de la résistance que Jean tenta d'opposer, Much l'enleva d'une main ferme, et, aidé de Robin, il plaça le blessé sur ses épaules. Ce soin pris, les fugitifs continuèrent rapidement leur route. La halte forcée faite par la petite troupe avait donné aux soldats le loisir de gagner du terrain, et ils commençaient à apparaître. Les joyeux hommes envoyèrent une volée de flèches, et redoublèrent de vitesse dans l'espoir d'atteindre leur demeure, bien persuadés que les soldats n'auraient ni la force ni le courage de les suivre jusque-là. A un embranchement de la grande route qui allait se perdre dans les terres, les forestiers découvrirent au milieu du feuillage des arbres les tourelles d'un château.

– A qui peut appartenir ce domaine ? demanda Robin ; quelqu'un de vous en connaît-il le propriétaire ?

– Moi, capitaine, dit un homme nouvellement enrôlé dans la bande.

– Bien. Sais-tu si nous serions convenablement accueillis par ce seigneur ? Car nous sommes perdus si les portes de sa maison nous restent fermées.

– Je réponds de la bienveillance de sir Richard de la Plaine, répondit le forestier ; c'est un brave Saxon.

– Sir Richard de la Plaine ! s'écria Robin, alors nous sommes sauvés. En avant, mes garçons, en avant ! Que la sainte Vierge soit bénie ! continua Robin en se signant avec reconnaissance ; elle n'abandonne jamais les malheureux à l'heure du danger. Will Ecarlate, prends les devants, et dis au gardien du pont-levis que Robin Hood et une partie de ses hommes, poursuivis par des Normands, demandent à sir Richard la permission d'entrer dans son château.

William descendit avec la rapidité d'une flèche l'espace qui le séparait du domaine de sir Richard.

Pendant que le jeune homme remplissait son message, Robin et ses compagnons se dirigeaient vers le château.

Bientôt un drapeau blanc fut hissé sur le mur d'enceinte ; un cavalier sortit du château, et, suivi de Will, s'élança à toute bride à la rencontre de Robin Hood. Arrivé en face du jeune chef, il sauta à terre et lui tendit les deux mains.

— Messire, dit le jeune homme en serrant avec une visible émotion les mains de Robin Hood, je suis Herbert Gower, le fils de sir Richard. Mon père me charge de vous dire que vous êtes le bienvenu dans notre maison, et qu'il se trouvera le plus heureux des hommes si vous lui donnez l'occasion de se libérer un peu des grandes obligations que nous avons contractées envers vous. Je vous appartiens corps et âme, sir Robin, ajouta le jeune homme avec un élan de profonde gratitude, disposez de moi à votre bon plaisir.

— Je vous remercie de grand cœur, mon jeune ami, répondit Robin en embrassant Herbert ; votre offre est tentante, car je serais fier de pouvoir mettre au rang de mes lieutenants un aussi aimable cavalier. Mais pour le moment il nous faut penser au danger qui menace ma troupe. Elle est épuisée de fatigue, le plus cher de mes compagnons a été atteint à la jambe par la flèche d'un Normand, et, depuis près de deux heures, nous sommes poursuivis par les soldats du baron Fitz-Alwine. Tenez, mon enfant, continua Robin en montrant au jeune homme une bande de soldats qui commençait à envahir la route ; ils vont nous atteindre si nous ne nous hâtons pas de chercher un abri derrière les murs du château.

— Le pont-levis est déjà baissé, dit Herbert ; dépêchons-nous, et dans dix minutes vous n'aurez plus rien à craindre de vos ennemis.

Le shérif et ses hommes arrivèrent assez promptement pour assister au défilé de la petite troupe sur le pont-levis du château. Exaspéré par cette nouvelle défaite, le baron prit aussitôt l'audacieuse résolution de demander au nom du roi à sir Richard de lui livrer les hommes qui, en abusant sans doute de sa crédulité, étaient parvenus à se placer sous sa protection. Alors, à la demande de lord Fitz-Alwine, le chevalier parut sur les remparts.

– Sir Richard de la Plaine, dit le baron, à qui ses gens avaient appris le nom du propriétaire du château, connaissez-vous les hommes qui viennent de pénétrer dans votre maison ?

– Je les connais, milord, répondit froidement le chevalier.

– Eh, quoi ! vous savez que le misérable qui commande cette troupe de bandits est un outlaw, un ennemi du roi, et vous lui donnez asile ? Savez-vous que vous encourez la peine des traîtres ?

– Je sais que ce château et les terres qui l'environnent sont ma propriété ; je sais que je suis le maître d'agir ici à ma guise et d'y recevoir qui bon me semble. Voilà ma réponse, monsieur ; veuillez donc vous éloigner sur-le-champ si vous désirez éviter un combat dans lequel vous n'auriez pas l'avantage ; car j'ai à ma disposition une centaine d'hommes de guerre et les flèches les mieux appointées de tout le pays. Bonjour, monsieur.

En achevant cette ironique réponse, le chevalier quitta les remparts.

Le baron, qui se sentait trop mal appuyé par ses soldats pour tenter une attaque contre le château, se décida à la retraite, et ce fut, comme on doit bien le penser, la rage dans le cœur qu'il reprit, avec ses hommes, le chemin de Nottingham.

– Sois mille fois le bienvenu dans la maison que je dois à ta bonté, mon cher Robin Hood ! dit le chevalier en embrassant son hôte ; sois mille fois le bienvenu !

– Merci, chevalier, dit Robin ; mais, de grâce, ne me parle plus du faible service que j'ai eu la satisfaction de te rendre. Ton amitié l'a déjà payé au centuple, et tu me sauves aujourd'hui d'un véritable danger. Dis-moi, je t'amène un blessé, et je désire que tu le traites avec affection.

– Il sera considéré comme toi-même, mon cher Robin.

– Ce digne garçon ne t'est pas inconnu, chevalier, reprit Robin : c'est Petit-Jean, mon premier lieutenant, le plus cher et le plus fidèle de mes compagnons.

– Ma femme et Lilas vont s'occuper de lui, répondit sir Richard, et elles le soigneront bien, tu peux être tranquille à cet égard-là.

– Si vous voulez parler de Petit-Jean, ou, pour mieux dire, du plus grand Jean qui ait jamais manié un bâton, dit Herbert, il est déjà entre les mains d'un habile médecin de York qui est ici depuis hier au soir ; il a déjà pansé la blessure et promis au malade une prompte guérison.

– Dieu soit loué ! dit Robin Hood ; mon cher Jean est hors de danger. Maintenant, chevalier, ajouta-t-il, je suis tout à vous et à votre chère famille.

– Ma femme et Lilas désirent impatiemment ta visite, mon cher Robin, dit le chevalier, et elles t'attendent dans la chambre voisine.

– Mon cher père, dit Herbert en riant, je viens d'apprendre à mon ami, et, en parlant ainsi, le jeune homme désignait Will Ecarlate, que j'étais l'heureux époux de la plus belle femme du monde ; et savez-vous ce qu'il m'a répondu ? (Sir Richard et Robin Hood échangèrent un sourire.) Il m'a affirmé, continua Herbert, qu'il possédait une femme dont l'admirable beauté n'avait pas de rivale. Mais il va voir Lilas, et alors...

– Ah ! si vous aviez vu Maude, vous ne parleriez pas ainsi, jeune homme ; n'est-il pas vrai, Robin ?

– Bien certainement Herbert trouverait Maude fort jolie, répondit Robin d'un ton conciliant.

– Sans doute, sans doute, dit Herbert, mais Lilas est belle à miracle, et à mes yeux il n'existe pas une femme qui puisse lui être comparée.

Will Ecarlate écoutait Herbert en fronçant le sourcil. Le pauvre garçon se sentait quelque peu blessé dans son amour-propre de mari.

Mais il faut rendre à Will cette justice que, aussitôt que ses regards purent contempler la femme d'Herbert, il jeta un cri d'admiration.

Lilas avait tenu toutes les promesses de son jeune âge ; la jolie enfant que nous avons vue au couvent de Sainte-Marie était devenue une ravissante femme.

223

Grande, svelte et gracieuse comme l'est un jeune faon, Lilas s'avança le front baissé et un divin sourire épanoui sur ses lèvres roses au-devant des visiteurs. Elle leva sur Robin Hood deux grands yeux bleus timides, et lui tendit la main.

– Notre sauveur n'est pas un étranger pour moi, dit-elle d'une voix suave..

Robin Hood, muet d'admiration, porta à ses lèvres la blanche main de Lilas.

Herbert qui s'était glissé auprès de Robin dit alors à Will avec un sourire d'orgueilleuse tendresse :

– Ami William, je vous présente ma femme...

– Elle est bien belle, dit tout bas Will Ecarlate ; mais Maude... ajouta-t-il plus bas encore.

Il n'en dit pas davantage, Robin Hood lui avait intimé d'un regard l'ordre de ne rien voir au-delà de la charmante femme d'Herbert.

Après un mutuel échange d'affectueux compliments entre la femme de sir Richard et ses hôtes, le chevalier laissa Will et son fils causer avec les dames, et, entraînant Robin Hood à l'écart, il lui dit :

– Mon cher Robin, je désire te donner la preuve qu'il n'existe pas dans le monde un homme que j'aime autant que toi, et je te renouvelle l'affirmation de mon amitié afin de te mettre en demeure d'agir à ta guise et suivant tes projets. Tu seras en sûreté ici tant que cette maison pourra te protéger, et je défierai les armes à la main tous les shérifs du royaume. J'ai donné l'ordre de fermer les portes et de ne permettre à personne l'entrée du château sans ma permission. Mes gens sont sous les armes et prêts à opposer à toute attaque la plus vigoureuse résistance. Tes hommes se reposent ; laisse-les jouir en paix d'une semaine de bonheur, et, ce laps de temps écoulé, nous aviserons au parti que tu dois prendre.

– Je consens volontiers à rester ici pendant quelques jours, répondit Robin, mais à une condition.

– Laquelle ?

– Mes joyeux hommes regagneront demain la forêt de Barnsdale ; Will Ecarlate les accompagnera, et il reviendra ici avec sa chère Maude, Marianne et la femme du pauvre Jean.

Sir Richard acquiesça de grand cœur au désir de Robin, et tout fut arrangé à la mutuelle satisfaction des deux amis.

Quinze jours s'écoulèrent fort joyeusement au château de la Plaine, et, à la fin de ces quinze jours, Robin, Petit-Jean entièrement remis de sa blessure, Will Ecarlate, et l'incomparable Maude, Marianne et Winifred se retrouvèrent une fois encore sous les grands arbres verts de la forêt de Barnsdale.

Dès le lendemain de son retour à Nottingham, le baron Fitz-Alwine se rendit à Londres, obtint une audience du roi, et lui raconta sa pitoyable aventure.

— Votre Majesté, dit le baron, trouvera sans doute bien étrange qu'un chevalier à qui Robin Hood avait demandé asile ait refusé de me livrer ce grand coupable lorsque je lui en intimai l'ordre au nom du roi.

— Comment, un chevalier a manqué à ce point au respect dû à son souverain ! s'écria Henri d'une voix irritée.

— Oui, sire, le chevalier Richard Gower de la Plaine a repoussé ma juste demande ; il m'a répondu qu'il était le roi de ses domaines, et qu'il se souciait fort peu de la puissance de Votre Majesté.

Comme on le voit, le digne baron mentait effrontément pour le bien de sa cause.

— Eh bien ! répondit le roi, nous allons juger par nous-mêmes de l'impudence de ce coquin. Nous serons à Nottingham dans quinze jours. Emmenez avec vous autant d'hommes que vous jugerez nécessaire pour livrer bataille, et si un hasard malencontreux ne nous permettait pas de vous rejoindre, agissez le mieux que vous le pourrez ; emparez-vous de cet indomptable Robin Hood, du chevalier Richard, emprisonnez-les dans le plus sombre de vos cachots, et, lorsque vous les tiendrez sous les verrous, avertissez notre justice. Nous réfléchirons alors à ce qu'il nous restera à faire.

Le baron Fitz-Alwine obéit à la lettre aux ordres du roi. Il rassembla une nombreuse troupe d'hommes et marcha à leur tête contre le château de sir Richard. Mais le pauvre baron jouait de malheur, car il y arriva le lendemain du départ de Robin Hood.

L'idée de poursuivre Robin jusque dans sa retraite

ne vint pas un instant à l'esprit du vieux seigneur. Certain souvenir et certaine douleur qui lui rendaient encore pénibles les promenades à cheval, mettaient de ce côté-là des bornes à son ardeur. Il résolut, ne pouvant mieux faire, de prendre sir Richard, et comme un assaut de la place était chose difficile à tenter et dangereuse à mettre en exécution, il prit le parti de demander à la ruse un succès plus certain.

Le baron dispersa ses hommes, garda auprès de lui une vingtaine de vigoureux gaillards, et se plaça en embuscade à une petite distance du château.

L'attente fut de courte durée : le lendemain matin, sir Richard, son fils et quelques serviteurs tombèrent dans l'invisible piège qui leur était tendu, et malgré la vaillante défense qu'ils opposèrent, ils furent vaincus, bâillonnés, attachés sur des chevaux, et emportés à Nottingham.

Un serviteur de sir Richard parvint à s'échapper et alla, tout meurtri des coups qu'il avait reçus, annoncer à sa maîtresse la triste nouvelle.

Lady Gower, éperdue de douleur, voulait aller rejoindre son mari ; mais Lilas fit comprendre à la malheureuse femme que cette démarche n'amènerait aucun résultat favorable à la situation des deux hommes ; elle conseilla à sa mère de s'adresser à Robin Hood ; lui seul était capable de juger sainement la position de sir Richard et d'opérer sa délivrance.

Lady Gower se rendit à la prière de la jeune femme, et, sans perdre un instant, elle fit choix de deux serviteurs fidèles, monta à cheval, et se rendit en toute hâte à la forêt de Barnsdale.

Un forestier qui était resté malade au château se trouva assez fort pour lui servir de guide jusqu'à l'arbre du Rendez-Vous.

Par un hasard providentiel, Robin Hood était à son poste.

– Que Dieu vous bénisse, Robin ! s'écria lady Gower en se jetant avec une vivacité fébrile à bas de son cheval, je viens vers vous en suppliante, je viens vous demander, au nom de la sainte Vierge, une nouvelle faveur.

– Vous m'effrayez, lady ; de grâce, qu'avez-vous ?

s'écria Robin au comble de l'étonnement. Dites-moi ce que vous désirez, je suis prêt à vous obéir.

– Ah ! Robin, sanglota la pauvre femme, mon mari, mon fils ont été enlevés par votre ennemi, le shérif de Nottingham. Ah ! Robin, sauvez mon mari, sauvez mon enfant, faites arrêter les misérables qui les emmènent ; ils sont peu nombreux et viennent à l'instant de partir du château.

– Rassurez-vous, madame, dit Robin Hood, votre mari vous sera bientôt rendu. Songez donc que sir Richard est chevalier, et qu'à ce titre il relève de la justice du royaume. Quelle que soit la puissance du baron Fitz-Alwine, elle ne lui permet pas cependant de frapper de mort un noble Saxon. Il faut faire le procès de sir Richard, si la faute qu'on lui reproche offre matière à un procès. Rassurez-vous, séchez vos larmes, votre mari et votre fils seront bientôt dans vos bras.

– Que le ciel vous entende ! s'écria lady Gower en joignant les mains.

– Maintenant, madame, veuillez me permettre de vous donner un conseil : rentrez au château, tenez-en toutes les portes fermées, et ne laissez pénétrer jusqu'à vous aucun étranger. De mon côté, je vais réunir mes hommes et courir à leur tête à la poursuite du baron de Nottingham.

Lady Gower, à demi rassurée par les consolantes paroles du jeune homme, se sépara de lui le cœur plus tranquille.

Robin Hood annonça à ses hommes la capture de sir Richard et son désir d'arrêter la marche du shérif. Les forestiers jetèrent un cri, moitié d'indignation contre la traîtrise du baron, moitié de joie d'avoir une nouvelle occasion de jouer de l'arc, et ils firent joyeusement leurs préparatifs de départ.

Robin se mit à la tête de sa vaillante troupe, et, accompagné de Petit-Jean, de Will Ecarlate et de Much, il s'élança à la poursuite du shérif.

Après une longue et fatigante marche, la troupe atteignit la ville de Mansfeld, et là, Robin apprit d'un aubergiste que, après s'être reposés, les soldats du baron avaient continué leur route vers Nottingham. Robin Hood fit rafraîchir ses hommes, laissa Much et Petit-

Jean avec eux, et, accompagné de Will, il gagna au triple galop d'un bon cheval l'arbre du Rendez-Vous de la forêt de Sherwood. Arrivé aux abords de la demeure souterraine, Robin fit retentir les joyeuses fanfares de son cor de chasse, et, à cet appel bien connu, une centaine de forestiers accoururent.

Robin emmena avec lui cette nouvelle troupe et la dirigea de manière à placer entre deux troupes l'escorte du baron ; car les hommes laissés à Barnsdale devaient, après une heure de repos, prendre le chemin qui conduisait à Nottingham.

Les joyeux hommes atteignirent bientôt un endroit peu éloigné de la ville, et, à leur grande satisfaction, ils apprirent que la troupe du shérif n'était pas encore passée. Robin choisit une position avantageuse, fit disparaître une partie de ses hommes, et plaça l'autre sur le revers du chemin.

L'apparition d'une demi-douzaine de soldats annonça bientôt l'approche du shérif et de sa cavalcade. Les forestiers se préparèrent alors en silence à leur faire une chaleureuse réception. Les batteurs d'estrade franchirent sans obstacle les limites de l'embuscade, et lorsqu'ils furent assez éloignés pour que la troupe qu'ils précédaient crût n'avoir rien à craindre, le son d'un cor traversa l'air et une volée de flèches salua le rang pressé des premiers soldats.

Le shérif ordonna une halte, et envoya une trentaine d'hommes battre les halliers. C'était les envoyer à leur perte.

Divisés en deux groupes, les soldats furent attaqués de deux côtés à la fois, et contraints par la force de déposer leurs armes et de se rendre à merci.

Cet exploit terminé, les joyeux hommes s'élancèrent sur l'escorte du baron, qui, bien montée et habile au maniement des armes, se défendit avec vigueur.

Robin et ses hommes combattirent en vue de délivrer sir Richard et son fils. De leur côté, les cavaliers venus de Londres cherchaient à gagner la récompense promise par le roi à celui qui s'emparerait de Robin Hood.

La lutte était donc furieuse et acharnée des deux parts, la victoire incertaine, quand tout à coup les cris d'une seconde troupe de forestiers annoncèrent que la situation allait changer de face. C'était Petit-Jean et sa bande qui, venant de Barnsdale, se jetaient dans la mêlée avec une violence irrésistible.

Une dizaine d'archers entouraient déjà sir Richard et son fils, détachaient leurs liens, leur donnaient des armes, et, sans effroi du danger auquel ils s'exposaient, se battaient corps à corps avec des hommes bardés de fer et revêtus de cottes de mailles.

Avec l'étourderie et l'impétuosité de la jeunesse, Herbert s'était élancé, suivi de quelques joyeux hommes, au centre même de l'escorte du baron. Pendant près d'un quart d'heure le courageux enfant tint tête aux cavaliers ; mais, vaincu par le nombre, il allait expier sa téméraire imprudence, lorsqu'un archer, soit pour secourir le jeune homme, soit pour hâter l'issue de la bataille, visa rapidement le baron et lui transperça le cou d'une flèche, le précipita à bas de son cheval et lui trancha la tête ; puis, l'élevant en l'air sur la pointe de son épée, il cria d'une voix de stentor :

– Chiens normands, regardez votre chef, contemplez une dernière fois la laide figure de votre orgueilleux shérif, et mettez bas les armes, ou préparez-vous à subir le même s... !

Le forestier n'acheva pas : un Normand lui fendit le crâne et l'envoya rouler dans la poussière.

La mort de lord Fitz-Alwine obligea les Normands à déposer leurs armes et à demander quartier.

Sur un ordre de Robin, une partie des joyeux hommes conduisit les vaincus jusqu'à Nottingham, tandis que, à la tête de la troupe qui lui restait, le jeune homme faisait relever les morts, secourir les blessés, et disparaître les traces du combat.

– Adieu pour toujours, homme de fer et de sang ! dit Robin en jetant un regard de dégoût sur le cadavre du baron. Tu as enfin rencontré la mort et tu vas recevoir la récompense de tes mauvaises actions. Ton cœur a été avide et impitoyable, ta main s'est étendue comme un fléau sur les malheureux Saxons ; tu as martyrisé tes vassaux, trahi ton roi, abandonné ta fille ; tu mérites toutes les tortures de l'enfer. Cependant, je prie le Dieu des miséricordes infinies d'avoir pitié de ton âme et de t'accorder le pardon de tes fautes. Sir Richard, dit

Robin lorsque le corps du vieux seigneur eut été enlevé par les soldats et emporté dans la direction de Notting-ham, voilà une triste journée. Nous t'avons arraché à la mort, mais non à la ruine, car tes biens vont être confisqués. Je voudrais, mon bon Richard, ne t'avoir jamais connu.

— Pourquoi donc ? demanda le chevalier avec une vive surprise.

— Parce que sans mon aide tu aurais réussi bien cer-tainement à payer ta dette à l'abbé de Sainte-Marie, et que la reconnaissance ne t'eût pas mis dans l'obligation de me rendre service. Je suis l'involontaire cause de tout ton malheur : tu seras banni, proscrit du royaume, ta maison deviendra la propriété d'un Normand, ta chère famille souffrira, et cela par ma faute... Tu le vois, Richard, mon amitié est dangereuse.

— Mon cher Robin, dit le chevalier avec une expres-sion d'ineffable tendresse, ma femme et mes enfants existent, tu es mon ami, que puis-je avoir à regretter ? Si le roi me condamne, je sortirai du château de mes pères dénué de tout, mais encore heureux et bénissant l'heure qui m'a conduit auprès du noble Robin Hood !

Le jeune homme secoua doucement la tête.

— Parlons sérieusement de ta situation, mon cher Richard, reprit-il ; la nouvelle des événements qui vien-nent de se passer sera envoyée à Londres, et le roi sera impitoyable. Nous nous sommes attaqués à ses propres soldats, et il te fera payer leur défaite, non seulement par le bannissement, mais par une mort ignominieuse. Quitte ta demeure, viens avec moi, je te donne ma parole d'honnête homme que, tant qu'un souffle de vie sortira de mes lèvres, tu seras en sûreté sous la garde de mes joyeux hommes.

— J'accepte de grand cœur ton offre généreuse, Robin Hood, répondit sir Richard, je l'accepte avec joie et reconnaissance ; mais, avant de m'établir dans la forêt, je vais essayer (l'avenir de mes enfants m'en fait un devoir) d'adoucir la colère du roi. L'offre d'une somme considérable le décidera peut-être à épargner la vie d'un noble chevalier.

Le soir même, sir Richard envoya un message à Lon-dres pour demander à un membre puissant de sa famille de le protéger auprès du roi. Le courrier revint de Londres ventre à terre, et il annonça à son maître que Henri II, fort irrité de la mort du baron Fitz-Alwine, avait envoyé une compagnie entière de ses meilleurs soldats au château du chevalier, avec mission de le pendre ainsi que son fils au premier arbre du chemin. Le chef de cette troupe, qui était un Normand sans fortune, avait reçu de la main du roi le don du château de la Plaine, pour lui et ses descendants jusqu'à la dernière génération.

Le parent de sir Richard faisait encore savoir au condamné qu'on envoyait une proclamation dans les pays de Nottingham, de Derbyshire et de Yorkshire, ayant pour but d'offrir une récompense extraordinaire à l'homme assez adroit pour parvenir à s'emparer de Robin Hood, et le remettre, mort ou vivant, entre les mains du shérif de l'un ou de l'autre de ces trois pays.

Sir Richard fit aussitôt prévenir Robin Hood du danger qui menaçait sa vie, et lui annonça son arrivée immédiate au milieu des siens.

Activement aidé par ses vassaux, le chevalier dépouilla le château de tout ce qu'il contenait, et envoya ses meubles, ses armes et sa vaisselle au Rendez-Vous de Barnsdale.

Lorsque le dernier fourgon eut traversé le pont-levis, sir Richard, sa femme, Herbert et Lilas sortirent à cheval de leur chère demeure, et gagnèrent sans encombre la verte forêt.

Quand la troupe envoyée par le roi arriva au château, les portes en étaient ouvertes et les chambres complètement vides.

Le nouveau propriétaire des domaines de sir Richard parut fort désappointé de trouver la place déserte ; mais comme il avait passé la meilleure partie de son existence à lutter contre les caprices de la fortune, il s'arrangea de manière à ne pas trop souffrir de la situation. En conséquence, il renvoya les soldats, et, au grand désespoir des vassaux, il s'établit en maître au château de la Plaine.

12

Trois années de calme suivirent les événements que nous venons de raconter. La bande de Robin Hood avait pris un développement extraordinaire, et la renommée de son intrépide chef s'était répandue par toute l'Angleterre.

La mort de Henri II avait fait monter son fils Richard sur le trône, et celui-ci, après avoir dilapidé les trésors de la Couronne, était parti pour les croisades, abandonnant la régence du royaume au prince Jean son frère, homme de mœurs dissolues, d'une avarice extrême, et qu'une grande faiblesse d'esprit rendait impropre à remplir les devoirs de la haute mission qui lui était confiée.

La misère, déjà si grande dans la classe du peuple sous le règne de Henri II, devint un dénuement complet pendant la longue période de cette sanguinaire régence. Robin Hood soulageait avec une générosité inépuisable les cruelles souffrances des pauvres du Nottinghamshire et du Derbyshire ; aussi était-il l'idole de tous ces malheureux. Mais, s'il donnait aux pauvres, en revanche il prenait aux riches, et Normands, prélats et moines contribuaient largement, à leur grand désespoir, aux bonnes œuvres du noble proscrit.

Marianne habitait toujours la forêt, et les deux époux s'aimaient aussi tendrement qu'aux premiers jours de leur heureuse union.

Le temps n'avait point amoindri la passion de William pour sa charmante femme, et, aux yeux du fidèle Saxon, Maude gardait comme un pur diamant son immuable beauté.

Petit-Jean et Much se félicitaient encore du choix qu'ils avaient fait en prenant pour femme l'un la douce Winifred, l'autre l'espiègle Barbara ; et quant aux frères de Will, ils n'avaient eu aucune raison pour se repentir de leur brusque mariage. Ils étaient heureux, et voyaient la vie dans un prisme couleur de rose.

Avant de nous séparer à jamais de deux personnages qui ont joué un rôle important dans notre récit, nous allons leur rendre une amicale visite au château du Val, dans la vallée de Mansfeld.

Allan Clare et lady Christabel vivaient toujours heureux l'un par l'autre. Leur habitation, construite en grande partie sous les ordres du chevalier, était une merveille de confort et de bon goût. Une ceinture de vieux arbres interdisait la vue des jardins à tout regard indiscret, et semblait mettre une barrière infranchissable autour de cette poétique demeure.

De beaux enfants au doux visage, fleurs vivantes de cette oasis de l'amour, animaient de leur turbulente activité le calme repos du vaste domaine. Leurs voix rieuses en réveillaient l'écho, et les pas agiles de leurs petits pieds laissaient leur fugitive empreinte sur le sable des allées du parc. Allan et Christabel étaient restés jeunes de cœur, d'esprit et de visage, et pour eux les semaines avaient la courte durée d'un jour, le jour passait rapide comme une heure.

Christabel n'avait pas revu son père depuis l'époque de son mariage avec Allan Clare dans l'abbaye de Linton ; car l'irascible vieillard s'était cruellement obstiné à repousser les tentatives de réconciliation faites par sa fille et par le chevalier. La mort du baron affecta profondément Christabel : mais combien sa douleur eût été plus vive si, en perdant l'auteur de ses jours, elle eût perdu un véritable père.

Allan avait manifesté l'intention de faire valoir ses droits à la baronnie et au comté de Nottingham, et, sur le conseil de Robin, qui lui recommandait de hâter le moment de cette juste réclamation, il allait écrire au roi, lorsqu'il apprit que le château de Nottingham avec ses revenus et ses dépendances était devenu la propriété du prince Jean.

Allan était trop heureux pour risquer son repos et la perte de son bonheur dans une lutte que la supériorité de son adversaire pouvait rendre aussi dangereuse qu'inutile. Il ne fit donc aucune démarche, et ne regretta point la perte de ce magnifique héritage.

Les attaques dirigées par Robin Hood contre les Normands et les ecclésiastiques devinrent si nombreuses et si préjudiciables à la fortune des riches personnages, qu'elles arrivèrent à réveiller l'attention du grand chancelier d'Angleterre, Longchamp, évêque d'Ely.

L'évêque résolut de mettre fin à l'existence des joyeux archers, et il prépara une sérieuse expédition. Cinq cents hommes, à la tête desquels se mit le prince Jean, descendirent au château de Nottingham, et là, après quelques jours de repos, ils prirent des dispositions pour s'emparer de Robin Hood. Celui-ci, promptement informé des intentions de la respectable troupe, ne fit qu'en rire, et se prépara à déjouer toutes les tentatives sans exposer ses hommes aux hasards d'un combat.

Il fit cacher sa bande, habilla une douzaine de forestiers de différentes façons, et les envoya au château, où ils se présentèrent pour servir de guides à la troupe dans les inextricables détours de la forêt.

Ces offres de service furent acceptées avec empressement par les chefs de la troupe, et comme la forêt couvrait à peu près trente milles de terrain, il est facile de se rendre compte des tours et des détours que les guides firent faire aux malheureux soldats. Tantôt la troupe entière s'engouffrait dans le creux des vallons, tantôt elle s'enfonçait jusqu'à mi-jambes dans l'eau bourbeuse des marécages, tantôt enfin, éparpillée sur toutes les hauteurs, elle maugréait avec désespoir contre les devoirs du soldat, envoyant à tous les diables le grand chancelier d'Angleterre, Robin Hood et son invisible bande ; car il est utile de faire observer que pas un seul pourpoint vert ne parut à l'horizon.

A la chute du jour, les soldats se trouvaient invariablement à sept ou huit milles du château de Nottingham, qu'il fallait regagner, à moins de passer la nuit à la belle étoile. Ils rentraient alors épuisés de fatigue, mourants de faim et n'ayant rien vu qui pût révéler la présence des joyeux hommes.

Pendant quinze jours on renouvela ces fatigantes promenades, et leur résultat fut constamment le même. Le prince Jean, rappelé à Londres par ses plaisirs, abandonna la partie, et reprit avec sa troupe le chemin de la ville.

Deux ans après cette dernière expédition, Richard rentra en Angleterre, et le prince Jean, qui redoutait à bon droit la présence de son frère, vint chercher un refuge contre la colère du roi derrière les murs du vieux château de Nottingham.

Richard Cœur-de-Lion, qui avait appris l'odieuse conduite du régent, ne resta que trois jours à Londres, et, accompagné d'une faible troupe, marcha résolument contre le rebelle.

Le château de Nottingham fut mis en état de siège ; après trois jours de combat, il se rendit à discrétion, et le prince Jean parvint à s'évader.

Tout en combattant comme le dernier de ses soldats, Richard remarquait qu'une troupe de vigoureux yeomen lui prêtait main-forte, et que c'était grâce à son vaillant concours qu'il avait obtenu la victoire.

Après le combat, et une fois installé au château, Richard demanda des renseignements sur les habiles archers qui étaient venus à son aide ; mais personne ne put lui répondre et il fut obligé d'adresser sa question au shérif de Nottingham.

Ce shérif était le même homme à qui Robin Hood avait joué le mauvais tour de l'amener dans la forêt et de lui faire payer sa visite trois cents écus d'or.

Sous l'influence de ce cuisant souvenir, le shérif répondit au roi que les archers dont il était question n'étaient autres bien certainement que ceux du terrible Robin Hood.

— Ce Robin Hood, ajouta le rancunier aubergiste, est un fieffé coquin ; il nourrit sa bande aux dépens des voyageurs, il dévalise les honnêtes gens, tue les cerfs du roi, et commet journellement toutes sortes de brigandages.

Halbert Lindsay, le frère de lait de la jolie Maude, qui avait eu la bonne fortune de conserver la place de gardien du château, se trouvait par hasard auprès du roi au moment de cet entretien. Entraîné par un sentiment de reconnaissance envers Robin et par l'élan naturel à un caractère généreux, il oublia sa modeste condition, fit un pas vers l'auguste auditeur du shérif, et dit d'un ton pénétré :

— Sire, Robin Hood est un honnête Saxon, un malheureux proscrit. S'il dépouille les riches du superflu de leur fortune, il soulage toujours la misère des pauvres, et du comté de Nottingham à celui de York le nom de Robin Hood est prononcé avec le respect d'une éternelle reconnaissance.

– Connaissez-vous personnellement ce brave archer ? demanda le roi à Halbert.

Cette question rappela Halbert à lui-même ; il devint pourpre et répondit avec embarras :

– J'ai vu Robin Hood, mais il y a longtemps, et je répète à Votre Majesté le bien que disent les pauvres de celui qui les empêche de mourir de faim.

– Allons, mon brave garçon, dit le roi en souriant, relève la tête et ne renie pas ton ami. Par la sainte Trinité ! si sa conduite est telle que tu viens de nous l'apprendre, c'est un homme dont l'amitié doit être précieuse. Je serais, je l'avoue, très enchanté de voir ce proscrit, et, comme il m'a rendu service, il ne sera pas dit que Richard d'Angleterre se soit montré ingrat, même envers un outlaw. Demain matin, je descendrai dans la forêt de Sherwood.

Le roi tint parole : dès le lendemain, accompagné d'une escorte de chevaliers et de soldats, conduit par le shérif, qui ne trouvait pas cette promenade fort attrayante, il explora les sentiers, les routes, les clairières du vieux bois ; mais la recherche fut complètement inutile, Robin Hood ne se montra pas.

Fort mécontent de l'insuccès de sa démarche, Richard fit appeler un homme qui remplissait les fonctions de garde forestier dans les bois de Sherwood, et lui demanda s'il connaissait un moyen de rencontrer le chef des proscrits.

– Votre Majesté pourrait fouiller la forêt pendant un an, répondit cet homme, sans apercevoir l'ombre même d'un outlaw, si elle s'y présente accompagnée d'une escorte. Robin Hood évite de se battre autant que possible, non par crainte, car il connaît si bien la forêt qu'il n'a rien à redouter, même de l'attaque de cinq ou six cents hommes, mais par modération et par prudence. Si Votre Majesté désire voir Robin Hood, qu'elle s'habille en moine, ainsi que quatre ou cinq chevaliers, je servirai de guide à Votre Majesté. Je jure, par saint Dunstan, que tout le monde sera en sûreté ! Robin Hood arrête les ecclésiastiques, il les héberge, il les dépouille, mais il ne les maltraite pas.

– De par la sainte croix ! forestier, tu parles d'or ! dit le roi en riant, et je vais suivre ton ingénieux conseil. Le costume d'un moine me siéra fort mal : n'importe ! Qu'on aille me chercher une robe de religieux.

L'impatient monarque revêtit bientôt un costume d'abbé, fit choix de quatre chevaliers, qui se couvrirent d'une robe de moine, et d'après un nouveau stratagème indiqué par le forestier, on harnacha trois chevaux, de manière à laisser supposer qu'ils portaient la charge d'un trésor.

A trois milles environ du château, le garde forestier qui servait de guide aux prétendus moines s'approcha du roi et lui dit :

– Monseigneur, regardez à l'extrémité de la clairière, vous y verrez Robin Hood, Petit-Jean et Will Ecarlate, les trois chefs de la bande.

– Bon, dit joyeusement le roi. Et, faisant hâter le pas de son cheval, Richard feignit de vouloir s'échapper.

Robin Hood bondit sur la route, saisit la bride de l'animal et le maintint immobile.

– Mille pardons, sir abbé, dit-il ; veuillez vous arrêter un peu et recevoir mes compliments de bienvenue.

– Pécheur profane ! s'écria Richard cherchant à imiter le langage habituel aux gens d'Eglise ; qui es-tu pour te permettre d'arrêter la marche d'un saint homme qui va accomplir une mission sacrée ?

– Je suis un yeoman de cette forêt, répondit Robin Hood, et mes compagnons vivent ainsi que moi des produits de la chasse et de la générosité des pieux membres de la sainte Eglise.

– Tu es, sur mon âme ! un hardi coquin, répondit le roi en dissimulant un sourire, d'oser me dire à mon nez et à ma barbe que tu manges mes... les cerfs du roi et dévalises les membres du clergé. Par saint Hubert ! tu possèdes du moins le mérite de la franchise.

– La franchise est la seule ressource des gens qui ne possèdent rien, repartit Robin Hood ; mais ceux auxquels appartiennent les rentes, les domaines, les monnaies d'or et d'argent peuvent s'en passer, car ils n'en sauraient que faire. Je crois, noble abbé, continua Robin d'un ton de persiflage, que vous êtes du nombre des heureux dont je parle. C'est pourquoi je me permets de vous demander de venir en aide à nos modestes besoins, à la misère des pauvres gens qui sont nos amis et nos protégés. Vous oubliez trop souvent, mes frères, qu'il y a aux alentours de vos riches demeures des maisons dépourvues de pain, et cependant vous possédez encore plus d'or que vous n'avez de fantaisies à satisfaire.

– Tu dis peut-être la vérité, yeoman, répondit le roi, oubliant à demi le caractère religieux dont il s'était revêtu, et l'expression de loyale franchise que respire ta physionomie me plaît singulièrement. Tu as l'air beaucoup plus honnête que tu ne l'es en réalité ; néanmoins, en faveur de ta bonne mine, et pour l'amour de la charité chrétienne, je te fais don de tout l'argent que je possède en ce moment-ci, quarante pièces d'or. Je suis fâché de n'en point avoir davantage ; mais le roi, qui, tu l'as appris sans doute, habite depuis quelques jours le château de Nottingham, a presque entièrement vidé mes poches. Cet argent est donc à ton service, parce que j'aime la belle figure et les têtes énergiques de tes robustes compagnons.

En achevant ces mots, le roi tendit à Robin Hood un petit sac de cuir qui contenait quarante pièces d'or.

– Vous êtes le phénix des ecclésiastiques, messire abbé, dit Robin en riant, et si je n'avais fait le vœu de pressurer plus ou moins tous les membres de la sainte Église, je refuserais d'accepter votre généreuse offrande ; cependant il ne sera pas dit que vous aurez eu à souffrir trop cruellement de votre passage dans la forêt de Sherwood ; votre escorte et vos chevaux passeront en toute liberté, et, de plus, vous me permettrez de ne recevoir que vingt pièces d'or.

– Tu agis noblement, forestier, répondit Richard qui parut sensible à la courtoisie de Robin, et je me ferai un plaisir de parler de toi à notre souverain. Sa Majesté te connaît un peu, car elle m'a dit de te saluer de sa part si j'avais la bonne fortune de te rencontrer. Je crois, entre nous soit dit, que le roi Richard, qui aime la bravoure dans quelque lieu qu'il la rencontre, ne serait pas fâché de remercier de vive voix le brave yeoman qui l'a aidé à ouvrir les portes du château de Nottingham, et de lui demander pour quelle raison il a disparu, avec ses vaillants compagnons, aussitôt après la bataille.

— Si j'avais un jour le bonheur de me trouver en présence de Sa Majesté, je n'hésiterais pas à répondre à cette dernière question ; mais, pour le moment, sir abbé, parlons d'autre chose. J'aime tendrement le roi Richard, parce qu'il est anglais de cœur et d'âme, quoiqu'il appartienne par les liens du sang à une famille normande. Nous sommes tous ici, prêtres et laïques, les fidèles serviteurs de Sa Majesté Très Gracieuse, et, si vous voulez bien y consentir, sir abbé, nous boirons de compagnie à la santé du noble Richard. La forêt de Sherwood sait être gratuitement hospitalière quand elle reçoit sous l'ombrage de ses vieux arbres des cœurs saxons et des moines généreux.

— J'accepte avec plaisir ton aimable invitation, Robin Hood, répondit le roi, et je suis prêt à te suivre où il te plaira de me conduire.

— Je vous remercie de cette confiance, bon religieux, dit Robin en dirigeant le cheval monté par Richard vers un sentier qui allait aboutir à l'arbre du Rendez-Vous.

Petit-Jean, Will Ecarlate et les quatre chevaliers déguisés en moines suivirent le roi précédé par Robin.

La petite escorte était à peine engagée dans le sentier, quand un cerf effrayé par le bruit traversa le chemin avec rapidité ; mais, plus alerte encore que le pauvre animal, la flèche de Robin lui transperça le flanc d'un coup mortel.

— Bien frappé ! bien frappé ! cria joyeusement le roi.

— Ce coup n'a rien de merveilleux, sir abbé, dit Robin en regardant Richard d'un air quelque peu surpris ; tous mes hommes sans exception peuvent tuer un cerf de cette façon-là, et ma femme elle-même sait tirer de l'arc et accomplir des tours d'adresse bien supérieurs au faible exploit que je viens d'accomplir sous vos yeux.

— Ta femme ? répéta le roi d'un ton interrogateur ; tu as une femme ? Par la messe ! je suis curieux de faire connaissance avec celle qui partage les périls de ton aventureuse carrière.

— Ma femme n'est pas la seule de son sexe, messire abbé, qui préfère un cœur fidèle et une sauvage demeure à un amour perfide et au luxe de l'existence des villes.

— Je te présenterai ma femme, sir abbé, cria Will Ecarlate, et si tu ne reconnais pas que sa beauté est digne d'un trône, tu me permettras de déclarer que tu es aveugle ou bien que ton goût est des plus détestables.

— Par saint Dunstan ! repartit Richard, la voix populaire touche juste en vous appelant les joyeux hommes ; rien ne vous manque ici : jolies femmes, gibier royal, fraîche verdure, liberté entière.

— Aussi sommes-nous très heureux, messire, répondit Robin en riant.

L'escorte atteignit bientôt la pelouse où le repas, déjà préparé, attendait les convives, et ce repas, somptueusement fourni des viandes parfumées de la venaison, excita par son seul aspect le vigoureux appétit de Richard Cœur-de-Lion.

— Par la conscience de ma mère ! s'écria-t-il (hâtons-nous de dire que dame Eléonore avait si peu de conscience que c'était pure plaisanterie d'en appeler à elle), voici un dîner véritablement royal.

Puis le prince prit place à table et se mit à manger avec un plaisir extrême. Vers la fin du repas, Richard dit à son hôte :

— Tu m'as donné le désir de faire connaissance avec les jolies femmes qui peuplent ton vaste domaine ; présente-les-moi, je suis curieux de voir si elles sont dignes, ainsi que me l'a fait entendre ton compagnon aux cheveux rouges, d'orner la cour du roi d'Angleterre.

Robin envoya Will à la recherche des belles nymphes du bois, et dit à ses hommes de préparer les jeux auxquels ils se livraient les jours de repos.

— Mes gens vont essayer de vous divertir un peu, sir abbé, dit Robin en reprenant place auprès du roi, et vous verrez que nos plaisirs et le genre quelque peu extraordinaire de notre existence n'ont rien en eux-mêmes de fort répréhensible ; et, lorsque vous vous trouverez en présence du bon roi Richard, vous lui direz, je vous demande cela comme une faveur, que les joyeux hommes de la forêt de Sherwood ne sont ni à craindre pour les braves Saxons, ni méchants à l'égard de ceux qui compatissent aux inévitables misères de leur rude existence.

– Sois tranquille, brave yeoman, Sa Majesté sera instruite de tout ce qui se passe ici aussi bien que si elle eût à ma place partagé ton repas.

– Vous êtes, messire, le plus gracieux abbé que j'aie rencontré de ma vie, et je suis fort aise d'avoir le plaisir de vous traiter comme un frère. Maintenant, veuillez accorder votre attention à mes archers ; ils sont d'une adresse que rien n'égale, et, afin de vous amuser, ils vont, j'en suis certain, accomplir des merveilles.

Les hommes de Robin commencèrent alors à tirer de l'arc avec une sûreté de main et de coup d'œil si extraordinaire, que le roi les complimenta avec une expression de réelle surprise.

L'exercice durait depuis une demi-heure environ, lorsque Will Ecarlate parut, amenant avec lui Marianne et Maude, revêtues d'un costume d'amazone vert de drap de Lincoln, et portant l'une et l'autre un arc et un carquois de flèches.

Derrière ce trio marchaient Barbara, Winifred, la blanche Lilas et les jolies femmes des jeunes Gamwell.

Le roi ouvrit de grands yeux étonnés et contempla sans mot dire les charmants visages qui rougissaient sous son regard.

– Sir abbé, dit Robin en prenant la main de Marianne, je vous présente la reine de mon cœur, ma femme bien-aimée.

– Tu peux hardiment ajouter la reine de tes joyeux hommes, brave Robin, s'écria le roi, et tu as raison d'être fier d'inspirer un tendre amour à une aussi charmante créature. Chère dame, continua le roi, permettez-moi de saluer en vous la souveraine du grand bois de Sherwood, et de vous rendre les hommages d'un sujet fidèle.

En achevant ces mots, le roi mit un genou en terre, prit la blanche main de Marianne et l'effleura respectueusement.

– Votre courtoisie est grande, sir abbé, dit Marianne d'un ton modeste, mais veuillez vous souvenir, je vous prie, qu'il ne sied pas à un homme de votre saint caractère de s'incliner ainsi devant une femme ; vous ne devez rendre qu'à Dieu ce témoignage d'humilité et de respect.

— Voilà une réprimande bien morale pour la femme d'un simple forestier, murmura le roi en allant reprendre sa place sous l'arbre du Rendez-Vous.

— Sir abbé, voici ma femme ! cria Will en entraînant Maude sur les pas de Richard.

Le prince regarda Maude, et dit en souriant :

— Cette belle personne est sans doute la dame qui ferait honneur au palais d'un roi ?

— Oui, messire, dit Will.

— Eh bien ! mon ami, reprit Richard, je partage ton opinion, et si tu veux bien me le permettre, je prendrai un baiser sur les belles joues de celle que tu aimes.

William sourit, et le roi, qui prit ce sourire pour une réponse affirmative, embrassa galamment la jeune femme.

— Laissez-moi vous dire un mot à l'oreille, sir abbé, dit Will en se rapprochant du roi qui se prêta avec complaisance aux désirs du jeune homme. Vous êtes un homme de goût, continua Will, et vous n'aurez jamais rien à craindre dans la forêt de Sherwood. A dater d'aujourd'hui, je vous promets une réception cordiale chaque fois qu'un heureux hasard vous conduira au milieu de nous.

— Je te rends grâce pour ta courtoisie, bon yeoman, dit le roi avec gaieté. Ah ! ah ! mais que vois-je encore ? s'écria Richard les yeux attachés sur les sœurs de Will, qui, accompagnées de Lilas, se présentaient devant lui ; en vérité, mes garçons, vos dryades sont de véritables fées. (Le roi prit la main de la jeune Lilas.) Par Notre-Dame ! murmura-t-il, je ne croyais pas qu'il pût exister une femme aussi belle que l'est ma douce Bérengère ; mais, sur mon âme, je suis forcé de reconnaître que cette enfant l'égale en candeur et en beauté. Ma mignonne, dit le roi en serrant la petite main qu'il tenait dans les siennes, tu as fait choix d'une existence bien dure, bien dépourvue des plaisirs de ton âge. Ne crains-tu pas, pauvre enfant, que les vents orageux de cette forêt ne viennent à détruire ta frêle vie, comme ils détruisent les jeunes fleurs ?

— Mon père, répondit doucement Lilas, le vent se

mesure à la force des arbrisseaux ; il épargne les plus faibles. Je suis heureuse ici : une personne qui m'est chère habite le vieux bois, et auprès d'elle je ne connais pas la douleur.

— Tu as raison d'avouer ton amour si l'homme que tu aimes est digne de toi, ma douce enfant, répondit Richard.

— Il est digne d'un amour plus grand encore que celui que je lui porte, mon père, répondit Lilas, et cependant je l'aime aussi tendrement qu'il m'est possible d'aimer.

En achevant ces mots, la jeune femme rougit ; les grands yeux bleus de Richard attachaient sur elle un regard si ardent, que, saisie d'une indéfinissable crainte, elle retira doucement sa main de l'étreinte du roi, et alla s'asseoir auprès de Marianne.

— Je t'avoue, maître Robin, dit le roi, que, dans l'Europe entière, il n'y a pas une seule cour qui puisse se vanter de réunir autour d'un trône autant de femmes jeunes et belles que j'en vois autour de nous. J'ai vu les femmes de divers pays, et je n'ai rencontré nulle part la tranquille et suave beauté des femmes saxonnes. Je veux être maudit si une seule des fraîches figures qu'embrasse mon regard ne vaut pas une centaine des filles de l'Orient ou de toute autre race étrangère.

— Je suis heureux de vous entendre parler ainsi, sir abbé, dit Robin ; vous me prouvez une fois de plus que le pur sang anglais coule dans vos veines. Je ne puis me poser en juge sur un point aussi délicat, parce que j'ai peu voyagé, et que, au-delà du Derbyshire et du Yorkshire, je n'en connais rien. Néanmoins, je suis fort porté à dire avec vous que les femmes saxonnes sont les plus belles femmes du monde.

— Bien certainement, elles sont les plus belles ! s'écria Will d'un ton décidé. J'ai traversé une grande partie du royaume de France, et je puis certifier que je n'ai pas rencontré une seule dame ou demoiselle qui puisse être comparée à Maude. Maude est l'idéal de la beauté anglaise ; voilà mon opinion.

— Vous avez servi ? demanda le roi en attachant sur le jeune homme un regard attentif.

— Oui, messire, répondit William ; j'ai servi le roi

Henri en Aquitaine, en Poitou, à Harfleur, à Evreux, à Beauvais, à Rouen, et dans bien d'autres places.

– Ah ! ah ! exclama le roi en détournant la tête, dans la crainte que Will ne finît par reconnaître son visage. Robin Hood, continua-t-il, vos gens se disposent à recommencer les jeux ; je serais bien aise d'assister à de nouveaux exercices.

– Il va être fait selon votre désir, messire ; je vais vous montrer comment je m'y prends pour former la main de mes archers. Much, cria Robin, faites placer sur les baguettes du tir des guirlandes de roses.

Much exécuta l'ordre qu'il venait de recevoir, et bientôt le haut de la baguette se montra perpendiculairement à travers le cercle formé par les fleurs.

– Maintenant, mes garçons, cria Robin, visez la baguette ; celui qui manquera son coup me fera don d'une bonne flèche et recevra un soufflet. Attention, car, par Notre-Dame, je n'épargnerai pas les nigauds ; il est bien entendu que je tire avec vous, et que, en cas de maladresse, je subirai la même punition.

Plusieurs forestiers manquèrent le but et reçurent avec bonne grâce un vigoureux soufflet. Robin Hood brisa la baguette en morceaux, une autre fut mise à sa place ; Will et Petit-Jean manquèrent le but, et, au milieu des éclats de rire de tous les assistants, ils reçurent la récompense de leur maladresse.

Robin envoya le dernier coup ; mais, désirant montrer au faux abbé que dans un pareil cas il n'y avait aucune distinction entre ses hommes et lui, il manqua volontairement la baguette.

– Ah ! ah ! cria un yeoman étonné, vous vous êtes écarté du but, maître !

– C'est ma foi vrai, et je mérite la punition. Lequel de vous se charge de me caresser la joue ? Toi, Petit-Jean, tu es le plus fort de nous tous, et tu sauras frapper ferme.

– Je n'y tiens pas le moins du monde, répondit Jean ; la mission est désagréable, en ce sens qu'elle me brouillerait à jamais avec ma main droite.

– Eh bien ! Will, je m'adresse à toi.

– Merci, Robin ; je refuse de tout mon cœur de te faire ce plaisir.

– Je refuse également, dit Much.

– Moi aussi ! cria un homme.

– Et nous de même, ajoutèrent les forestiers d'une commune voix.

– Tout cela est d'un enfantillage ridicule, dit Robin d'un ton sévère ; je n'ai pas hésité à punir ceux qui s'étaient mis en faute, vous devez me traiter avec la même égalité, et par conséquent avec autant de rigueur. Puisque aucun de mes hommes n'ose porter la main sur moi, c'est à vous, sir abbé, qu'il appartient de vider la question. Voici ma meilleure flèche, et je vous prie, messire, de me servir aussi largement que j'ai servi mes archers maladroits.

– Je n'ose prendre sur moi de te satisfaire, mon cher Robin, répondit le roi en riant ; car j'ai la main lourde et je frappe un peu fort.

– Je ne suis ni sensible ni délicat, sir abbé ; prenez-en à votre aise.

– Tu le veux absolument ? dit le roi en mettant à découvert son bras musculeux ; eh bien ! tu vas être servi à souhait.

Le coup fut si rudement appliqué que Robin tomba à la renverse ; mais il se releva aussitôt.

– Je confesse à Dieu, dit-il, les lèvres souriantes et le visage tout empourpré, que vous êtes le plus robuste moine de la joyeuse Angleterre. Il y a trop de force dans votre bras pour la tranquillité d'un homme qui exerce une sainte profession, et je parie ma tête (elle est estimée quatre cents écus d'or) que vous savez mieux tenir un arc ou jouer du bâton que porter une croix.

– C'est possible, répondit le roi en riant ; ajoutons même, si tu veux, manier une épée, une lance ou un bouclier.

– Votre discours et votre manière d'être révèlent plutôt un homme habitué à la vie aventureuse du soldat qu'un pieux serviteur de la très sainte Eglise, reprit Robin en examinant le roi avec attention ; je désirerais beaucoup savoir qui vous êtes, car d'étranges pensées me viennent à l'esprit.

– Chasse ces pensées, Robin Hood, et ne cherche pas à découvrir si je suis ou non l'homme que je représente devant toi, répondit vivement le prince.

Le chevalier Richard de la Plaine, qui était absent depuis le matin, parut en ce moment au centre du groupe et s'approcha de Robin. En apercevant le roi, le chevalier tressaillit, car la figure du prince lui était parfaitement connue. Il regarda Robin, le jeune homme paraissait ignorer complètement le rang élevé de son hôte.

– Connais-tu le nom de celui qui porte le costume d'un moine supérieur ? demanda sir Richard à voix basse.

– Non, répondit Robin ; mais je crois avoir découvert depuis quelques minutes que ces cheveux roux et ces grands yeux bleus ne peuvent appartenir qu'à un seul homme au monde, à...

– Richard Cœur-de-Lion, roi d'Angleterre ! s'écria involontairement le chevalier.

– Ah ! ah ! fit le faux moine en se rapprochant.

Robin Hood et sir Richard tombèrent à genoux.

– Je reconnais maintenant l'auguste visage de mon souverain, dit le chef des outlaws ; c'est bien celui de notre bon roi Richard d'Angleterre. Que Dieu protège Sa Vaillante Majesté ! (Un bienveillant sourire épanouit les lèvres du roi.) Sire, continua Robin sans quitter l'humble posture qu'il avait prise, Votre Majesté connaît maintenant qui nous sommes : des proscrits chassés de la demeure de nos pères par une injuste et cruelle oppression. Pauvres et sans abri, nous avons cherché un refuge dans la solitude des bois ; nous avons vécu de chasse, d'aumônes, exigées sans doute, mais sans violence et avec les formes de la plus prévenante courtoisie ; on nous donnait de bonne ou de mauvaise grâce, mais nous ne prenions pas sans être bien certains que celui qui refusait de venir au secours de notre misère portait dans son escarcelle la rançon d'un chevalier. Sire, j'implore de Votre Majesté la grâce de mes compagnons et celle de leur chef.

– Lève-toi, Robin Hood, répondit le prince avec bonté, et fais-moi connaître la raison qui t'a engagé à me prêter le secours de tes braves archers à l'assaut de la baronnie de Nottingham.

– Sire, reprit Robin Hood qui, tout en obéissant à l'ordre du roi, se tint respectueusement incliné devant lui, Votre Majesté est l'idole des cœurs vraiment anglais. Vos actions, si dignes de l'estime générale, vous ont fait conquérir la gracieuse qualification du plus brave des braves, de l'homme au cœur de lion, qui en loyal chevalier, triomphe en personne de ses ennemis et étend sur les malheureux sa généreuse protection. Le prince Jean méritait la disgrâce de Votre Majesté, et lorsque j'ai appris la présence de mon roi devant les murs du château de Nottingham, je me suis secrètement placé sous ses ordres. Votre Majesté a pris le château qui servait de refuge au prince rebelle, ma tâche était remplie, et je me suis retiré sans rien dire, parce que la conscience d'avoir loyalement servi mon roi satisfaisait mes plus intimes désirs.

— Je te remercie cordialement de ta franchise, Robin Hood, répondit Richard, et l'affection que tu me portes m'est fort agréable. Tu parles et tu agis en honnête homme ; je suis content, et j'accorde grâce pleine et entière aux joyeux hommes de la forêt de Sherwood. Tu as eu entre les mains un bien grand pouvoir, celui de faire le mal, et tu n'as pas mis en œuvre cette dangereuse puissance. Tu as secouru les pauvres, et ils sont nombreux dans le pays de Nottingham. Tu n'as prélevé de courtoises contributions que sur les riches Normands, et cela pour subvenir aux besoins de ta bande. J'excuse tes fautes, elles ont été les naturelles conséquences d'une position tout à fait exceptionnelle : seulement, comme les lois forestières ont été violées, comme les princes de l'Eglise et les seigneurs suzerains se sont trouvés dans l'obligation de laisser entre tes mains quelques bribes de leurs immenses trésors, ton pardon demande la validité d'un écrit pour que tu puisses vivre désormais à l'abri de tout reproche et de toute poursuite. Demain, en présence de mes chevaliers, je proclamerai hautement que le ban de proscription qui te place plus bas que le dernier des serfs du royaume est annulé. Je te rends, à toi et à tous ceux qui ont partagé ton aventureuse existence, les droits et les privilèges d'un homme libre. J'ai dit, et je jure de maintenir ma parole par la grâce du Dieu tout-puissant.

— Vive Richard Cœur-de-Lion ! crièrent les chevaliers.

– Que la sainte Vierge protège à jamais Votre Majesté, dit Robin Hood d'une voix émue ; et, mettant un genou en terre, il baisa respecteuesement la main du généreux prince.

Cet acte de gratitude accompli, Robin se releva, sonna du cor, et les joyeux hommes, différemment occupés, les uns à tirer de l'arc, les autres à exercer leur adresse au maniement du bâton, abandonnèrent aussitôt leurs occupations respectives et vinrent se grouper en cercle autour de leur jeune chef.

– Braves compagnons, dit Robin, mettez tous un genou en terre et découvrez vos têtes : vous êtes en présence de notre légitime souverain, du roi bien-aimé de la joyeuse Angleterre, de Richard Cœur-de-Lion ! Rendez hommage à notre noble maître et seigneur ! (Les proscrits obéirent à l'ordre de Robin, et, tandis que la troupe se tenait humblement inclinée devant Richard, Robin lui fit connaître la clémence du souverain.) Et maintenant, ajouta le jeune homme, faites retentir la vieille forêt de vos hourras joyeux ; un grand jour s'est levé pour nous, mes garçons ; vous êtes libres par la grâce de Dieu et du noble Richard !

Les joyeux hommes n'eurent pas besoin de recevoir un nouvel encouragement à la manifestation de leur joie intérieure ; ils poussèrent un hourra tellement formidable qu'il n'y a rien d'extraordinaire à supposer qu'il ait été entendu à deux milles de l'arbre du Rendez-Vous.

Cette bruyante clameur apaisée, Richard d'Angleterre reprit la parole et invita Robin à l'accompagner au château de Nottingham avec toute sa troupe.

– Sire, répondit Robin, le flatteur désir que Votre Majesté daigne me témoigner remplit mon cœur d'une indicible joie. J'appartiens corps et âme à mon souverain, et, s'il veut bien le permettre, je ferai choix parmi mes hommes de cent quarante archers qui seront, avec un dévouement absolu, les humbles serviteurs de Votre Très-Gracieuse Majesté.

Le roi, aussi flatté qu'il était surpris de l'humble maintien en sa présence de l'héroïque outlaw, remercia cordialement Robin Hood, et, en l'engageant à renvoyer ses hommes à leurs jeux un instant interrompus, il prit une coupe sur la table, la remplit jusqu'au bord, l'avala d'un trait, et dit avec une expression de gaieté familière et curieuse :

– Et maintenant, ami Robin, dis-moi, je te prie, qui est ce géant là-bas : car il me serait difficile de désigner autrement le gigantesque garçon qui a été doué par le ciel d'une aussi honnête figure. Sur mon âme, je m'étais cru jusqu'à ce jour d'une taille extraordinaire, et je vois bien que si j'étais placé aux côtés de ce gaillard-là j'aurais l'air d'un innocent poulet. Quelle carrure de membres ! quelle vigueur ! Cet homme est admirablement bâti.

– Il est aussi admirablement bon, sire, répondit Robin ; sa force est prodigieuse : il arrêterait à lui seul la marche d'un corps d'armée, et il s'attendrit avec la naïve candeur d'un enfant au récit d'une histoire touchante. L'homme qui a l'honneur d'attirer l'attention de Votre Majesté est mon frère, mon compagnon, mon meilleur ami ; il a un cœur d'or, un cœur fidèle comme l'acier de son invincible épée. Il manie le bâton avec une adresse tellement surprenante qu'il n'y a pas d'exemple qu'il ait jamais été vaincu ; avec cela, il est le plus habile archer de tout le pays, et le plus brave garçon de toute la terre.

– Voilà, en vérité, des éloges qui me sont doux à entendre, Robin, répondit le roi ; car celui qui te les inspire est digne d'être mon ami. Je désire causer un peu avec cet honnête yeoman. Comment le nommes-tu ?

– Jean Naylor, sire ; mais nous l'appelons Petit-Jean, en considération de la médiocrité de sa taille.

– Par la messe ! s'écria le roi en riant, une bande de semblables Petits-Jean eût fort épouvanté ces chiens d'infidèles. Hé ! bel arbre forestier, tour de Babylone, Petit-Jean, mon garçon, viens auprès de moi, je désire t'examiner de plus près.

Jean s'approcha la tête découverte, et attendit d'un air de tranquille assurance les ordres de Richard.

Le roi adressa au jeune homme quelques questions relatives à la force extraordinaire de ses muscles, essaya de lutter avec lui, et fut respectueusement vaincu par son gigantesque partner. Après cet essai, le roi se mêla aux jeux et aux exercices des joyeux hommes aussi naturellement que s'il eût été un de leurs camarades, et déclara enfin que depuis bien longtemps il n'avait passé une journée aussi agréable.

Cette nuit-là, le roi d'Angleterre dormit sous la garde des outlaws de la forêt de Sherwood, et le lendemain, après avoir fait honneur à un excellent déjeuner, il se prépara à reprendre le chemin de Nottingham.

— Mon brave Robin, dit le prince, peux-tu mettre à ma disposition des vêtements semblables à ceux que portent tes hommes ?

— Oui, sire.

— Eh bien ! fais-moi donner, ainsi qu'à mes chevaliers, un costume pareil au tien, et nous aurons à notre entrée à Nottingham une scène quelque peu divertissante. Nos gens d'office sont toujours extraordinairement empressés lorsqu'ils sentent que le voisinage d'un supérieur le met à même de surveiller leur conduite, et je suis certain que le brave shérif et ses vaillants soldats nous donneront des preuves de leur invincible bravoure.

Le roi et ses chevaliers revêtirent les costumes choisis par Robin, et après un galant baiser donné à Marianne en l'honneur de toutes les dames, Richard, entouré de Robin Hood, de Jean, de Will Ecarlate, de Much et de cent quarante archers, s'achemina gaiement vers sa seigneuriale demeure.

Aux portes de la ville de Nottingham, Richard donna l'ordre à sa suite de pousser un hourra de victoire.

Ce hourra formidable attira les citoyens sur le seuil de leurs maisons respectives, et, à la vue d'un corps de joyeux hommes armés jusqu'aux dents, ils pensèrent que le roi avait été tué par les outlaws, et que les proscrits, aguerris par leur sanglant triomphe, descendaient sur la ville pour massacrer tous les habitants. Eperdus d'épouvante, les pauvres gens s'élancèrent en désordre, les uns dans le recoin le plus obscur de leur demeure, les autres tout droit devant eux. D'autres sonnèrent le tocsin, firent un appel aux troupes de la ville et cherchèrent le grand shérif, qui, par un miracle étrange, devint tout à fait invisible.

Les troupes du roi allaient faire une sortie dangereuse pour les outlaws, lorsque leurs chefs, peu désireux d'entrer en lutte sans connaître la cause du combat, mirent un frein à leur belliqueuse ardeur.

– Voici nos guerriers, dit Richard en considérant d'un air narquois les craintifs défenseurs de la ville ; il me semble que les citoyens ainsi que les soldats tiennent à l'existence. Le shérif est absent, les chefs tremblent ; vive Dieu ! ces lâches mériteraient une correction exemplaire.

A peine le roi achevait-il cette réflexion peu flatteuse pour les citoyens de Nottingham, que ses troupes personnelles, précédées d'un capitaine, sortirent en toute hâte du château, en ligne de bataille et la lance en arrêt.

– Par saint Denis ! mes gaillards ne plaisantent pas ! s'écria le roi en portant à ses lèvres le cor qui lui avait été remis par Robin.

Il sonna deux fois, un appel désigné à l'avance au capitaine de ses gardes, et celui-ci, reconnaissant le signal noté par le prince, fit mettre bas les armes et attendit respectueusement l'approche de son souverain. La nouvelle du retour de Richard d'Angleterre, triomphalement accompagné par le prince des proscrits, se répandit aussi rapidement que s'était répandue la nouvelle de l'approche des outlaws en disposition sanguinaire. Les citoyens, qui s'étaient prudemment séquestrés dans les profondeurs de leurs maisons, en sortirent le visage pâle, mais le sourire sur les lèvres ; et, sitôt qu'ils eurent acquis la certitude que Robin Hood et sa bande avaient gagné la faveur du roi, ils s'empressèrent amicalement autour des joyeux hommes, complimentant celui-ci, serrant les mains à celui-là, se proclamant à l'envi les amis et les protecteurs de tous. Du sein de la foule s'échappaient des cris de joie et de félicitation, et de toute part on entendait ces mots complaisamment répétés : Gloire au noble Robin Hood ! au brave yeoman, au beau proscrit ! Gloire au tendre et gentil Robin Hood ! Les voix, peu à peu enhardies, acclamèrent si hautement la présence du chef des outlaws, que Richard, fatigué de cette ascendante clameur, en arriva à s'écrier :

– Par ma couronne et par mon sceptre, il me semble que c'est toi qui es le roi ici, Robin Hood !

– Ah ! sire, répondit le jeune homme en souriant avec

amertume, n'attachez ni importance ni valeur aux témoignages de cette apparente amitié ; elle n'est qu'un vague effet de la précieuse faveur dont Votre Majesté comble le proscrit. Un mot du roi Richard peut changer en vociférations de haine ces clameurs enthousiastes qu'excite ici ma présence, et ces mêmes hommes passeront aussitôt, sans remords ni réflexion, de l'éloge au blâme, de l'admiration au mépris.

— Tu dis vrai, mon cher Robin, répondit le roi en riant ; les coquins sont partout les mêmes, et j'ai déjà acquis la preuve du manque de cœur des citoyens de Nottingham. Lorsque je me suis présenté ici avec l'intention de punir le prince Jean, ils ont accueilli mon retour en Angleterre avec une réserve pleine de prudence. Pour eux le droit est celui du plus fort, et ils ignoraient qu'avec ton aide il me serait facile de m'emparer du château et d'en expulser mon frère. Maintenant, ils nous montrent le beau côté de leur vilaine figure et nous éclaboussent de leur vile flatterie. Ainsi va le monde. Laissons là ces misérables et pensons à nous. Je t'ai promis, mon cher Robin, une noble récompense pour le service que tu m'as rendu ; formule ton désir ; le roi Richard n'a qu'une parole, il tient et réalise toujours les engagements qu'il contracte.

— Sire, répondit Robin, Votre Gracieuse Majesté me rend heureux au-delà de toute expression en me renouvelant l'offre de son généreux appui : je l'accepte pour moi, pour mes hommes et pour un chevalier qui, frappé de disgrâce par le roi Henri, a été obligé de chercher un refuge dans l'asile protecteur de la forêt de Sherwood. Ce chevalier, sire, est un homme plein de cœur, un digne père de famille, un brave Saxon, et si Votre Majesté veut me faire l'honneur d'écouter l'histoire de sir Richard Gower de la Plaine, je suis assuré qu'elle voudra bien m'accorder la demande que je me permettrai de lui faire.

— Nous t'avons donné notre parole de roi de t'accorder toutes les grâces qu'il te plaira d'implorer de nous, ami Robin, répondit affectueusement Richard ; parle sans crainte, et dis-nous par quel concours de circonstances ce chevalier est tombé dans la disgrâce de mon père.

Robin s'empressa d'obéir aux ordres du roi, et il raconta le plus brièvement possible l'histoire du chevalier de la Plaine.

— Par Notre-Dame ! s'écria Richard, ce bon chevalier a été cruellement traité, et tu as noblement agi en lui venant en aide. Mais il ne sera pas dit, brave Robin Hood, que tu puisses, dans ce cas encore, avoir surpassé le roi d'Angleterre en grandeur d'âme et en générosité. Je veux, à mon tour, protéger ton ami ; fais-le venir en notre présence. (Robin appela le chevalier, et celui-ci, le cœur agité par les émotions d'une douce espérance, se présenta respectueusement devant le prince.) Sir Richard de la Plaine, dit gracieusement le roi, ton vaillant ami Robin Hood vient de m'apprendre les malheurs qui ont frappé ta famille, les dangers auxquels tu as été exposé. Je suis heureux de pouvoir, en te rendant justice, témoigner à Robin l'admiration sincère et l'estime profonde que m'inspire sa conduite. Je te remets en possession de tes biens et pendant un an tu seras libéré de tout impôt et de toute contribution. Outre cela, j'anéantis le décret de bannissement lancé contre toi, afin que le souvenir de cet acte injuste soit complètement effacé même de la mémoire de tes concitoyens. Rends-toi au château ; les lettres de grâce pleine et entière te seront délivrées par nos ordres. Quant à toi, Robin Hood, demande encore quelque chose à celui qui ne croira jamais avoir payé sa dette de reconnaissance, même après avoir satisfait à tous tes désirs.

— Sire, dit le chevalier en mettant un genou en terre, comment puis-je vous témoigner la gratitude qui remplit mon cœur ?

— En me disant que tu es heureux, répondit gaiement le roi ; en me promettant de ne plus offenser les membres de la très-sainte Eglise. (Sir Richard baisa la main du généreux prince et s'effaça discrètement dans les groupes réunis à quelques pas du roi.) Eh bien ! mon brave archer, reprit le prince en se tournant vers Robin Hood, que désires-tu de moi ?

— Rien pour le moment, sire ; plus tard, si Votre Majesté veut bien me le permettre, je lui demanderai une dernière faveur.

— Elle te sera accordée. Maintenant, rendons-nous au

château ; nous avons reçu dans la forêt de Sherwood une généreuse hospitalité, et il faut espérer que le château de Nottingham offrira quelques ressources pour composer un royal festin. Tes hommes ont une excellente manière de préparer la venaison, et la fraîcheur de l'air, la fatigue de la marche nous avaient singulièrement aiguisé l'appétit, car nous avons mangé en véritable gourmand.

— Votre Majesté avait le droit de manger à sa guise, répondit Robin en riant, puisque le gibier était son propre bien.

— Notre bien ou celui du premier chasseur venu, repartit gaiement le roi ; et si tout le monde fait semblant de croire que les daims de la forêt de Sherwood sont notre exclusive propriété, il y a bien un certain yeoman de ton intime connaissance, mon Robin, et les trois cents compagnons qui forment sa joyeuse troupe, qui se sont fort peu inquiétés des prérogatives de la couronne.

Tout en causant, Richard se dirigeait vers le château, et les acclamations enthousiastes de la populace accompagnèrent de leur bruyante clameur le roi d'Angleterre et le célèbre proscrit jusqu'aux portes du vieux manoir.

Le généreux prince réalisa le jour même la promesse qu'il avait faite à Robin Hood ; il signa un acte qui annulait le ban de proscription et remettait le jeune homme en possession de ses droits et de ses titres aux biens et aux dignités de la famille de Huntingdon.

Dès le lendemain de cet heureux jour, Robin réunit ses hommes dans une des cours du château et leur annonça le changement inespéré de sa fortune. Cette nouvelle remplit les cœurs des braves yeomen d'une joie sincère ; ils aimaient tendrement leur chef, et ils refusèrent d'un commun accord la liberté que Robin voulait leur rendre. Il fut donc arrêté, séance tenante, que les joyeux hommes cesseraient à l'avenir de lever des contributions sur les Normands et sur les ecclésiastiques, et qu'ils seraient nourris et vêtus aux frais de leur noble maître, Robin Hood, devenu le riche comte de Huntingdon.

— Mes garçons, ajouta Robin, puisque vous désirez vivre auprès de moi et m'accompagner à Londres si les ordres de notre bien-aimé souverain m'y conduisent, vous allez me jurer de ne jamais révéler à personne la situation de notre cave. Réservons-nous ce précieux refuge en prévision de nouveaux malheurs.

Les hommes firent à haute voix le serment demandé par leur chef, et Robin les engagea à faire sans retard leurs préparatifs de départ.

Le 30 mars 1194, la veille de son départ pour Londres, Richard tint conseil au château de Nottingham, et, au nombre des choses importantes qui furent traitées, se trouva l'établissement des droits de Robin Hood au comté de Huntingdon. Le roi témoigna d'une façon péremptoire son désir de rendre à Robin les propriétés détenues par l'abbé de Ramsey, et les conseillers de Richard lui promirent formellement de terminer à son entière satisfaction l'acte de justice qui devait réparer les malheurs si courageusement supportés par le noble proscrit.

13

Avant de s'éloigner, peut-être pour toujours, de l'antique forêt qui lui avait servi d'asile, Robin Hood éprouva un regret si vif du passé, une appréhension de l'avenir si peu en harmonie avec la perspective que lui avaient fait entrevoir les généreuses promesses de Richard, qu'il résolut d'attendre sous l'abri protecteur de sa demeure de feuillage le résultat définitif des engagements contractés par le roi d'Angleterre.

Ce fut pour Robin une heureuse détermination que celle qui le retint à Sherwood, car le sacre de Richard, qui eut lieu à Winchester peu de temps après son retour à Londres, absorba si bien les esprits, qu'il rendit inopportune toute démarche tendant à rappeler les droits reconnus, mais non proclamés, du jeune comte de Huntingdon.

Les fêtes du couronnement terminées, Richard partit pour le continent, où l'appelait un vif désir de vengeance contre Philippe de France, et, confiant en la parole donnée par ses conseillers, il leur laissa le soin de rétablir la fortune du brave Robin Hood.

Le baron de Broughton (l'abbé de Ramsey), qui jouissait toujours des biens de la famille de Huntingdon, mit en œuvre tout son crédit et les ressources de son immense fortune, pour retarder l'exécution du décret rendu par Richard en faveur du véritable héritier des titres et du domaine de ce riche comté ; mais, tout en se ménageant des protecteurs et des amis, le prudent baron ne tentait pas de s'opposer ouvertement aux actes émis par la volonté de Richard, il se contentait de demander du temps, de combler le chancelier des plus riches cadeaux, et d'en arriver ainsi à se maintenir dans la tranquille possession du patrimoine qu'il avait usurpé.

Pendant que Richard se battait en Normandie, pendant que l'abbé de Ramsey gagnait à sa cause la chancellerie tout entière, Robin Hood attendait avec confiance le message qui devait lui apprendre son entrée en possession de la fortune de son père.

Onze mois de passive attente affaiblirent la robuste patience du jeune homme ; il s'arma de courage, et, fort de la bienveillance que lui avait témoignée le roi à son passage à Nottingham, il adressa une requête à Hubert Walter, archevêque de Cantorbéry, gardien des sceaux d'Angleterre et grand justicier du royaume. La demande de Robin Hood parvint à sa destination, l'archevêque en prit connaissance ; mais si cette demande si juste ne fut pas ouvertement repoussée, elle resta sans réponse et fut considérée comme non avenue.

Le mauvais vouloir de ceux qui s'étaient fait fort de rendre à Robin Hood les biens de sa maison se manifestait par cette inertie, et le jeune homme devina sans peine qu'une lutte s'engageait sourdement contre lui. Par malheur, l'abbé de Ramsey, devenu baron de Broughton, comte de Huntingdon, était un adversaire trop redoutable pour qu'il fût possible, en l'absence de Richard, de tenter contre lui la moindre représaille. Aussi Robin résolut-il de fermer les yeux sur les injustices dont il était la victime, et d'attendre sagement le retour du roi d'Angleterre.

Cette décision prise, Robin Hood envoya un second

message au grand justicier. Il lui témoigna un vif mécontentement de la visible protection qu'il accordait à l'abbé de Ramsey, et lui déclara que, tout en espérant une prompte justice de Richard à sa rentrée en Angleterre, il se remettait à la tête de sa bande et continuerait de vivre, comme par le passé, dans la forêt de Sherwood.

Hubert Walter n'accorda aucune attention apparente à la seconde missive de Robin ; mais, tout en prenant de sévères mesures pour rétablir l'ordre et la tranquillité par toute l'Angleterre, tout en détruisant les nombreuses bandes d'hommes rassemblées dans les différentes parties du royaume, l'archevêque laissa en repos le protégé de Richard et ses joyeux compagnons.

Quatre années s'écoulèrent dans le calme trompeur qui précède les orages du ciel et les bouleversements révolutionnaires. Un matin, la nouvelle de la mort de Richard tomba comme la foudre sur le royaume d'Angleterre et jeta l'épouvante dans tous les cœurs. L'avènement au trône du prince Jean, qui semblait avoir pris à tâche de soulever contre lui une haine universelle, fut le signal d'une série de crimes et de honteuses violences.

Pendant le cours de cette désastreuse période, l'abbé de Ramsey traversa, accompagné d'une suite nombreuse, la forêt de Sherwood pour se rendre à York, et fut arrêté par Robin. Fait prisonnier, ainsi que son escorte, l'abbé ne put obtenir sa liberté qu'au prix d'une rançon considérable. Il paya, tout en maugréant, tout en se promettant une éclatante revanche, et cette revanche ne se fit pas attendre.

L'abbé de Ramsey s'adressa au roi, et Jean, qui avait, à cette époque, grandement besoin de l'appui de la noblesse, prêta l'oreille aux plaintes du baron, et envoya, séance tenante, une centaine d'hommes commandés par sir William de Gray, frère aîné de Jean Gray, favori du roi, à la poursuite de Robin Hood, avec ordre de tailler en morceaux la troupe tout entière.

Le chevalier de Gray, qui était normand, exécrait les Saxons, et, mû par ce sentiment de haine, il jura de déposer bientôt aux pieds de l'abbé de Ramsey la tête de son impudent adversaire.

La soudaine arrivée d'une compagnie de soldats revêtus de cottes de mailles et à l'extérieur belliqueux jeta une panique générale dans la petite ville de Nottingham ; mais lorsqu'on apprit d'elle que le but de sa marche était la forêt de Sherwood et l'extermination de la bande de Robin, la terreur fit place au mécontentement, et quelques hommes dévoués aux proscrits coururent les avertir du malheur qui allait fondre sur eux.

Robin Hood reçut la nouvelle en homme qui se tient sur ses gardes et qui attend d'un moment à l'autre les représailles d'un ennemi cruellement offensé, et il ne mit pas un seul instant en doute la coopération que l'abbé de Ramsey avait prise à cette rapide expédition. Robin réunit ses hommes et les prépara à opposer à l'attaque des Normands une vigoureuse défense, puis il envoya sur-le-champ, à la rencontre de ses ennemis, un habile archer qui, déguisé en paysan, devait s'offrir aux soldats pour les conduire à l'arbre connu de tout le comté comme étant le point de ralliement à la bande des joyeux hommes.

Cette ruse si simple, et qui avait déjà rendu à Robin de très grands services, réussit complètement une fois encore, et le chevalier de Gray accepta sans défiance les offres de l'envoyé de Robin. Le complaisant forestier se mit donc à la tête de la troupe, et il la promena à travers les buissons, les halliers et les ronces pendant trois heures, sans paraître s'apercevoir que les cottes de mailles rendaient la marche fort difficile aux malheureux soldats. Enfin, lorsque ceux-ci furent accablés du poids écrasant de leur armure, lorsqu'ils furent anéantis de fatigue, le guide les conduisit, non à l'arbre du Rendez-Vous, mais au centre d'une vaste clairière entourée d'ormes, de hêtres et de chênes séculaires. Sur cet emplacement, dont le terrain était couvert d'un gazon aussi frais et aussi uni que l'est celui d'une pelouse devant la porte d'un château, se tenait, les uns debout, les autres couchés, la bande entière des joyeux hommes.

La vue de l'ennemi en apparence désarmé ranima les forces des soldats ; sans songer au guide, qui s'était déjà glissé dans les rangs des outlaws, ils jetèrent un cri de triomphe et s'élancèrent impétueusement à la rencontre des forestiers. A la grande surprise des Normands, les joyeux hommes quittèrent à peine la pose nonchalante qu'ils avaient prise, et, presque sans changer de place, ils levèrent au-dessus de leurs têtes leurs immenses bâtons et les firent tournoyer en éclatant de rire.

Exaspérés par ce dérisoire accueil, les soldats se jetèrent confusément l'épée à la main sur les forestiers, et ceux-ci, sans manifester la moindre émotion, courbèrent les unes après les autres les armes menaçantes sous de formidables coups de bâton ; puis, avec une rapidité étourdissante, ils sanglèrent de coups mortels la tête et les épaules des Normands. Le bruit sourd que rendaient les cottes de mailles et les casques se mêlait aux cris des soldats terrassés, aux clameurs des yeomen, qui semblaient non défendre leur vie, mais exercer leur adresse contre des corps inertes.

Sir William de Gray, qui dirigeait les mouvements des soldats, voyait avec rage tomber autour de lui la meilleure partie de sa troupe, et il maudissait de tout son cœur l'idée qu'il avait eue de revêtir ses soldats d'un accoutrement aussi lourd. L'adresse et l'agilité du corps étaient les premiers éléments d'une victoire déjà si incertaine dans un combat livré à des hommes d'une force prodigieuse, et les Normands pouvaient à peine se mouvoir sans la fatigue d'un grand effort.

Effrayé du résultat probable d'une déroute complète, le chevalier fit suspendre le combat et, grâce à la générosité de Robin, il put ramener à Nottingham les débris de sa troupe.

Il va sans dire que le reconnaissant chevalier se promettait *in petto* de recommencer l'attaque dès le lendemain avec des hommes plus légèrement vêtus que ne l'étaient les Normands amenés de Londres.

Robin Hood, qui avait deviné les intentions hostiles de sir Gray, rangea ses hommes en ordre de bataille dans le même endroit où avait eu lieu le combat de la veille, et attendit tranquillement l'apparition des soldats qui avaient été rencontrés, à deux milles de l'arbre du Rendez-Vous, par un des forestiers envoyés en batteurs d'estrade dans les différentes parties de la forêt avoisinant Nottingham.

Cette fois-ci, les Normands avaient endossé le léger

costume des archers ; ils étaient armés d'arcs, de flèches, de petites épées et de boucliers.

Robin Hood et ses hommes étaient à leur poste
depuis une heure environ, et les soldats attendus ne
paraissaient pas. Le jeune homme commençait à croire
que ses ennemis avaient changé d'avis, lorsqu'un
archer accourut en toute hâte, d'un poste où il avait été
placé en sentinelle, annoncer à Robin que les Normands, égarés en route, marchaient directement vers
l'arbre du Rendez-Vous, où les femmes s'étaient rassemblées par ordre de Robin.

Cette nouvelle frappa Robin d'un pressentiment
funeste ; il devint très pâle et dit à ses hommes :

– Courons au-devant des Normands, il faut les arrêter en chemin ; malheur à eux et à nous s'ils arrivent
auprès de nos femmes !

Les forestiers s'élancèrent comme un seul homme du
côté de la route suivie par les soldats, se promettant de
leur barrer le chemin ou de gagner avant eux l'arbre
du Rendez-Vous ; mais les soldats avaient déjà une
avance trop considérable pour qu'il fût possible de les
arrêter ou même d'aller assez vite pour prévenir quelque effroyable malheur. Les mœurs, ou pour mieux dire
le dérèglement de cette époque de barbarie, faisaient
craindre à Robin et à ses compagnons les cruelles
représailles d'une réunion de femmes complètement
isolées.

Les Normands atteignirent bientôt l'arbre du Rendez-Vous. A leur vue, les femmes se levèrent épouvantées, jetèrent des cris de terreur et s'enfuirent éperdues
dans toutes les directions qui se trouvaient ouvertes
devant elles. Sir William jugea d'un coup d'œil tout le
parti que sa haine contre les Saxons pouvait tirer de
l'abandon et de la faiblesse de leurs craintives compagnes ; il résolut de s'emparer d'elles et de se venger par
leur mort du mauvais succès de sa première attaque
contre Robin Hood.

Sur l'ordre de leur chef, les soldats firent halte, et sir
William suivit de l'œil pendant une seconde les mouvements tumultueux des pauvres effrayées. Une d'elles
courait en avant, et ses compagnes tentaient à la fois
de la rejoindre et de protéger sa fuite. Cette visible sol-

licitude fit comprendre au Normand la supériorité de celle qui dirigeait la marche ; il pensa aussitôt qu'il serait de bonne guerre de la frapper la première : il prit son arc, y mit une flèche et visa froidement. Le chevalier était bon tireur ; la malheureuse femme, atteinte entre les deux épaules, tomba ensanglantée au milieu de ses compagnes, qui, sans songer à leur propre salut, s'agenouillèrent autour d'elle en poussant des cris déchirants.

Un homme avait vu le geste homicide du misérable Normand, un homme avait, espérant prévenir le coup funeste, visé le chevalier au front. La flèche de cet homme atteignit son but, mais trop tard ; car sir William avait tiré sur Marianne avant de mourir de la main de Robin Hood.

– Lady Marianne a été frappée ! mortellement frappée !

Cette terrible nouvelle vola de bouche en bouche, elle fit monter les larmes aux yeux de tous ces braves Saxons qui aimaient leur jeune reine avec une tendresse sans bornes. Quant à Robin, sa douleur tenait du délire ; il ne parlait pas, il ne pleurait pas, il se battait. Petit-Jean et lui bondissaient comme des tigres altérés de carnage autour des Normands, et ils semaient la mort dans leurs rangs sans jeter un cri, sans desserrer leurs lèvres pâles ; leurs bras agiles semblaient doués d'une force surhumaine : ils vengeaient Marianne, et ils la vengeaient cruellement !

Ce sanglant combat dura deux heures ; les Normands furent taillés en pièces et n'obtinrent ni grâce ni merci ; un soldat parvint seul à fuir, et il alla raconter au frère de sir William de Gray le dénouement fatal de l'expédition.

Marianne avait été transportée dans une clairière éloignée du champ de bataille, et Robin trouva Maude tout en pleurs, essayant, mais en vain, d'arrêter le sang qui s'échappait à flots d'une affreuse blessure.

Robin se jeta à genoux auprès de Marianne ; le cœur du jeune homme était gonflé d'angoisse ; il ne pouvait ni parler ni faire un mouvement, et une sorte de râle soulevait sa poitrine ; il étouffait.

A l'approche de Robin, Marianne avait ouvert les yeux et avait tourné vers lui un tendre regard.

– Tu n'es pas blessé, n'est-ce pas, mon ami ? demanda la jeune femme d'une voix faible et après une seconde de muette contemplation.

– Non, non, murmura Robin, qui pouvait à peine desserrer les dents.

– Que la sainte Vierge soit bénie ! ajouta Marianne en souriant ; j'ai prié pour toi Notre chère Dame et elle a exaucé ma prière. Ce terrible combat est-il terminé, cher Robin ?

– Oui, chère Marianne ; nos ennemis ont disparu, ils ne reviendront plus... Mais parlons de toi, pensons à toi, tu es... je... Sainte mère de Dieu ! s'écria Robin, cette douleur est au-dessus de mes forces !

– Allons ! du courage, mon cher, mon bien-aimé Robin ; lève la tête, regarde-moi, dit Marianne en essayant encore de sourire ; ma blessure est peu profonde, elle guérira ; la flèche a été retirée. Tu sais bien, mon ami, que si j'avais quelque chose à craindre, je serais la première à m'apercevoir que mon heure est venue... Voyons, regarde-moi, cher Robin.

En parlant ainsi, Marianne essayait d'attirer à elle la tête de Robin ; mais cet effort épuisa ses dernières forces, et, lorsque le jeune homme leva ses yeux en pleurs sur la pauvre blessée, elle était évanouie.

Marianne revint bientôt à elle, et, après avoir doucement consolé son mari, elle manifesta le désir de prendre quelques instants de repos, et tomba bientôt dans un profond sommeil.

Dès que Marianne fut endormie sur le lit de mousse ombragé de feuillage, qui lui avait été arrangé par ses compagnes, Robin Hood alla s'informer de l'état de sa troupe. Il trouva Jean, Will Ecarlate et Much occupés à soigner les blessés et à faire entrer les morts. Le nombre des blessés était peu considérable, car il se réduisait à une dizaine d'hommes dangereusement atteints, et il n'y avait pas une seule mort à déplorer parmi les outlaws. Quant aux Normands, comme on le sait, ils avaient vécu, et plusieurs grandes fosses creusées aux coins de la clairière devaient leur servir de sépulcres.

En se réveillant, après trois heures d'un profond sommeil, Marianne trouva son mari auprès d'elle, et l'angélique créature, voulant encore donner quelque espoir consolateur à celui qui l'aimait d'un si tendre amour, se prit doucement à dire qu'elle ne ressentait aucune faiblesse, et que sa guérison était prochaine.

Marianne souffrait, Marianne éprouvait un accablement mortel, et elle savait qu'il n'y avait plus rien à espérer ; mais l'angoisse de Robin déchirait son âme, et elle cherchait à adoucir autant qu'il était en son pouvoir de le faire le coup funeste dont il allait bientôt être frappé.

Dès le lendemain, le mal empira, l'inflammation se mit dans la plaie, et tout espoir de guérison dut s'évanouir même dans le cœur de Robin.

— Cher Robin, dit Marianne en posant ses mains brûlantes dans les mains de son mari, ma dernière heure approche, le moment de notre séparation sera cruel, mais non impossible à supporter pour deux êtres qui ont foi en la toute-puissance d'un Dieu de miséricorde et de bonté !

— Ô Marianne, ma bien-aimée Marianne ! s'écria Robin en éclatant en sanglots ; la sainte Vierge nous a-t-elle donc abandonnés à ce point qu'elle puisse permettre l'anéantissement de nos cœurs ! je mourrai de ta mort, Marianne, car il me sera impossible de vivre sans toi.

— La religion et le devoir seront les appuis de ta faiblesse, mon bien-aimé Robin, reprit tendrement la jeune femme ; tu te résigneras à subir le malheur qui nous accable, parce qu'il t'aura été imposé par un décret du ciel, et tu vivras, sinon heureux, du moins calme et fort au milieu des hommes dont le bonheur repose sur ta vie. Je vais donc te quitter, ami ; mais avant de fermer mes regards à la lumière du jour, laisse-moi te dire combien je t'aime, combien je t'ai aimé. Si la reconnaissance qui remplit tout mon être pouvait revêtir une forme visible, tu comprendrais la force et l'étendue d'un sentiment qui n'a d'égal que mon amour. Je t'ai aimé, Robin, avec le confiant abandon d'un cœur dévoué ; je t'ai consacré ma vie en demandant à Dieu de m'accorder le don de toujours te plaire.

— Et Dieu t'a accordé ce don, chère Marianne, dit

Robin en essayant de modérer l'effervescence de sa douleur ; car je puis te dire à mon tour que, seule, tu as occupé mon cœur, que, présente à mes côtés ou éloignée de moi, tu as toujours été mon unique espérance, ma plus douce consolation.

– Si le ciel nous avait permis de vieillir l'un auprès de l'autre, cher Robin, reprit Marianne ; s'il nous avait accordé une longue suite de jours heureux, la séparation serait plus cruelle encore, puisque tu aurais moins de force pour en supporter la poignante douleur. Mais nous sommes jeunes tous deux, et je te laisse seul à une époque de la vie où la solitude se comble par les souvenirs, peut-être aussi par l'espérance... Prends-moi dans tes bras, cher Robin ; c'est cela... laisse-moi appuyer maintenant ma tête contre la tienne. Je veux caresser ton oreille de mes dernières paroles ; je veux que mon âme s'envole légère et souriante ; je veux exhaler sur ton cœur mon dernier soupir...

– Ma bien-aimée Marianne, ne parle pas ainsi ! s'écria Robin d'une voix déchirante. Je ne puis entendre prononcer par tes lèvres ce mot funeste de séparation. Ô sainte mère de Dieu ! sainte protectrice des affligés ! toi qui as toujours exaucé mes humbles prières ! accorde-moi la vie de celle que j'aime, accorde-moi la vie de ma femme ; je t'en prie, je t'en supplie les mains jointes et à deux genoux !

Et Robin, le visage couvert de larmes, étendait vers le ciel ses mains suppliantes.

– Tu adresses à la divine mère du Sauveur des hommes une inutile prière, cher bien-aimé, dit Marianne en appuyant son front pâli sur l'épaule de Robin. Mes jours, que dis-je, mes heures sont comptées. Dieu m'a envoyé un rêve pour m'en avertir.

– Un rêve ! Que veux-tu dire, chère enfant ?

– Oui, un rêve ; écoute-moi. Je t'ai vu, entouré de tes joyeux hommes, dans une vaste clairière de la forêt de Sherwood. Tu donnais sans doute une fête à tes compagnons, car les arbres du vieux bois étaient enlacés de guirlandes de roses et des banderoles de pourpre se gonflaient joyeusement sous le souffle parfumé de la brise. J'étais assise auprès de toi, je tenais une de tes mains pressée entre les miennes et je me sentais le cœur envahi par un sentiment d'indicible joie, lorsqu'un étranger au visage pâle et aux vêtements noirs se plaça devant nous, et, de la main, me fit signe de le suivre. Je me levai malgré moi, malgré moi encore je répondis au singulier appel du sombre visiteur. Néanmoins, avant de m'éloigner, j'interrogeai tes yeux, car ma bouche ne pouvait laisser échapper même un soupir de ma poitrine gonflée d'angoisse : ton regard souriant et calme rencontra le mien ; je te montrai l'inconnu, tu tournas la tête vers lui et tu souris encore ; je te fis comprendre qu'il m'emmenait loin de toi ; une légère pâleur se répandit sur ton visage, mais le sourire ne quittait pas tes lèvres. J'étais désespérée, un tremblement convulsif s'empara de moi et je me pris à sangloter la tête dans mes mains.

« L'inconnu m'entraînait toujours. Lorsque nous nous trouvâmes à quelques pas de la clairière, une femme voilée se présenta devant nous ; l'inconnu se retira en arrière, et cette femme, soulevant le voile qui me cachait ses traits, me montra le doux visage de ma mère.

« Je jetai un cri, et, tremblante de surprise, de bonheur et d'effroi, je tendis les bras vers ma mère.

« – Chère enfant, me dit-elle d'une voix tendre et mélodieuse, ne pleure pas, subis avec la résignation d'une âme chrétienne la destinée commune à tous les mortels. Meurs en paix et abandonne sans douleur un monde qui n'a à t'offrir que de vains plaisirs et d'éphémères joies. Il existe au-delà de la terre un séjour de béatitude infinie, viens l'habiter avec moi ; mais, avant de me suivre, regarde ! (En achevant ces mots, ma mère passa sur mon front sa main blanche et froide comme une main de marbre. A ce contact, mon regard, obscurci par les larmes, se dégagea de ses voiles, et je vis autour de moi un cercle resplendissant de jeunes filles, mais d'une beauté surhumaine, et sur leurs figures éclatantes de fraîcheur s'épanouissait un divin sourire. Elles ne parlaient pas, elles me regardaient et semblaient me faire comprendre que je devais me trouver heureuse de venir augmenter leur nombre. Tandis que j'admirais mes futures compagnes, ma mère s'inclinait vers moi et me disait tendrement :) Chère fille de mon cœur, regarde, regarde encore. (J'obéis à la douce injonction de ma mère. Tout autour de moi s'étendait un immense parterre de fleurs odoriférantes, des arbres surchargés de fruits allongeaient leurs branches sur un épais gazon, et les pommes vermeilles, les poires à la teinte dorée, se cachaient ensemble sous les touffes d'une herbe fleurie de blanches pâquerettes. Un parfum suave se répandait dans l'air, et une multitude d'oiseaux aux couleurs multicolores voltigeaient en chantant dans cette atmosphère embaumée. J'étais ravie ; mon cœur si gonflé de chagrin se dilatait doucement, et ma mère, souriant de ma joie, me dit encore avec une expression de caressante tendresse :) Regarde, chère enfant, regarde.

« Un bruit de pas légers se fit entendre derrière moi. Ce bruit, à peine perceptible, résonna à mon oreille comme une harmonie, et, sans me rendre compte de la sensation qui redoublait les battements de mon cœur, je me retournai.

« Oh ! alors, Robin, mon bonheur fut au comble, car je te vis, tu traversais en courant les allées du parterre, tu venais à moi, les yeux brillants, les bras étendus.

« – Robin ! Robin ! m'écriai-je en faisant un effort pour m'élancer vers toi.

Ma mère me retint.

« – Il va venir, me dit-elle. Il vient, le voilà. (Et, prenant nos deux mains, elle les joignit ensemble, me baisa au front et nous dit :) Mes enfants, vous êtes où le bonheur est éternel, où l'amour n'a jamais de fin, vous êtes dans le séjour des élus ; soyez heureux !

« La fin de mon rêve échappe à ma mémoire, cher Robin, reprit Marianne après un court silence. Je me suis réveillée et j'ai compris que le ciel m'envoyait un avertissement et une espérance. Je dois te quitter pour de longues années, sans doute, mais non pour toujours ; Dieu nous réunira dans la bienheureuse éternité de l'autre monde.

– Chère, chère Marianne !

– Mon bien-aimé, continua la jeune femme, je sens que mes dernières forces s'épuisent ; laisse reposer ma tête sur ton cœur, entoure-moi de tes bras, et, semblable à un enfant fatigué qui s'endort sur le sein de sa mère, je m'endormirai du dernier sommeil. (Robin embrassa

fiévreusement la mourante et des larmes de feu tombèrent sur le front de Marianne.) Que Dieu te bénisse,
mon bien-aimé, reprit la jeune femme d'une voix de
plus en plus faible, que Dieu te bénisse, dans le présent
et dans l'avenir, qu'il répande sur toi et sur ceux que
tu aimes sa divine bénédiction. Tout devient obscur
autour de moi, et cependant je voudrais encore te voir
sourire, je voudrais encore lire dans tes yeux combien
je te suis chère. Robin, j'entends la voix de ma mère ;
elle m'appelle, adieu !...

– Marianne ! Marianne ! s'écria Robin en tombant à
genoux auprès du lit de la jeune femme ; parle-moi !
parle-moi ! parle-moi ! Je ne veux pas que tu meures !
non, je ne le veux pas. Dieu puissant ! venez à mon
aide ! Vierge sainte, prenez pitié de nous.

– Cher Robin, murmura Marianne, je désire être
enterrée sous l'arbre du Rendez-Vous... Je désire que
ma tombe soit couverte de fleurs...

– Oui, ma très chère Marianne, oui, mon doux ange,
tu dormiras sous un tapis de verdure embaumée, et
quand ma dernière heure sera venue, je l'appelle de
tous mes vœux, je demanderai une place auprès de toi
à celui qui me fermera les yeux...

– Merci, mon bien-aimé ; le dernier battement de
mon cœur est pour toi, et je meurs heureuse, puisque
je meurs dans tes bras... Adieu, ad...

Un soupir tomba avec un baiser des lèvres de
Marianne ; ses mains pressèrent faiblement le cou de
Robin autour duquel elles étaient enlacées, puis elle
resta immobile.

Robin demeura longtemps penché sur ce doux
visage ; longtemps il espéra voir s'ouvrir les yeux qui
s'étaient fermés ; longtemps il attendit une parole de
ces lèvres pâles, un tressaillement de cet être si cher ;
mais, hélas ! il attendit en vain, Marianne était morte !

– Sainte mère de Dieu ! s'écria Robin en reposant
sur le lit le corps inerte de la pauvre jeune femme ; elle
est partie ! partie pour toujours, ma bien-aimée, mon
seul bonheur, ma femme !

Et, fou de douleur, le malheureux s'élança hors de la
tente en criant :

– Marianne est morte ! Marianne est morte !

14

Robin Hood accomplit religieusement la dernière volonté de sa femme ; il fit creuser une fosse sous l'arbre du Rendez-Vous, et les dépouilles mortelles de l'ange qui avait été l'égide et le consolateur de sa vie furent ensevelies sous une couche de fleurs. Les jeunes filles du comté, accourues en foule pour assister à la funèbre cérémonie de l'enterrement, couvrirent de guirlandes de roses la tombe de Marianne, et mêlèrent leurs larmes aux sanglots du malheureux Robin.

Allan et Christabel, avertis par message du fatal événement, arrivèrent aux premières heures du jour ; tous deux étaient au désespoir, et ils pleurèrent amèrement la perte irréparable de leur bien-aimée sœur.

Lorsque tout fut achevé, lorsque le corps de Marianne eut disparu à tous les regards, Robin Hood, qui avait présidé aux navrants détails de l'inhumation, jeta un cri déchirant, tressaillit de la tête aux pieds comme le fait un homme atteint en pleine poitrine par une flèche meurtrière, et sans écouter Allan, sans répondre à Christabel, tout effrayés de ce désespoir furieux, il s'échappa de leurs mains et disparut dans le bois. Le pauvre Robin voulait être seul, seul avec sa douleur, seul avec Dieu.

Le temps, qui calme et adoucit les plus grandes blessures, n'eut aucune influence sur celle qui faisait une plaie vive du cœur de Robin Hood. Il pleura sans cesse, il pleura toujours la femme qui avait éclairé de son doux visage la demeure du vieux bois, celle qui avait trouvé le bonheur dans son amour, qui avait été la seule joie de son existence.

Le séjour de la forêt devint bientôt insupportable au jeune homme, et il se retira au hall de Barnsdale ; mais là, les déchirants souvenirs du passé furent plus vifs encore, et Robin Hood tomba dans la morne apathie que donne l'engourdissement de toutes les facultés morales. Il ne vivait plus, ni par l'esprit, ni par la pensée, ni même par le souvenir.

Cette tristesse splénétique, si l'on peut s'exprimer ainsi, jeta sur la bande des joyeux hommes les ombres noires d'une profonde mélancolie. Les larmes du jeune chef avaient éteint toute lueur de gaieté, et dans les sentiers du vieux bois erraient pensivement, comme des âmes en peine, les pauvres forestiers. On n'entendait plus retentir sous l'ombrage des vertes feuilles le gros rire du moine Tuck ; on n'entendait plus résonner au milieu d'un concert de bravos les bâtons agiles luttant de vitesse et d'adresse ; les flèches restaient inoffensives dans les carquois, et le tir était abandonné.

La privation de sommeil, le dégoût de toute nourriture, amenèrent un visible changement dans les traits de Robin ; il pâlit, ses yeux se cerclèrent d'une teinte de bistre, une toux sèche fatigua sa poitrine, et une fièvre lente acheva l'œuvre commencée par le chagrin. Petit-Jean, qui assistait en silence à cette cruelle transformation, parvint un jour à faire comprendre à Robin qu'il devait non seulement s'éloigner de Barnsdale, mais encore du Yorkshire, et chercher dans les distractions d'un voyage un soulagement à sa douleur. Après une heure de résistance, Robin s'était rendu aux sages conseils de Petit-Jean, et, avant de se séparer de ses compagnons, il les avait placés sous le commandement de son excellent ami.

Afin de voyager dans le plus strict incognito, Robin avait revêtu un costume de paysan, et ce fut dans ce modeste équipage qu'il arriva à Scarborough. Il s'arrêta pour prendre quelque repos à la porte d'une pauvre chaumière habitée par la veuve d'un pêcheur, et lui demanda l'hospitalité. La bonne vieille fit un accueil amical à notre héros, et, tout en lui servant son repas, elle lui raconta les petites misères de sa vie, et lui dit qu'elle possédait un bateau équipé par trois hommes, dont l'entretien était pour elle bien lourd, quoique ces hommes fussent insuffisants pour conduire le bateau et le ramener à la berge alors qu'il était chargé de poisson.

Désireux de tuer le temps d'une manière quelconque, Robin Hood offrit à la vieille femme de compléter pour un mince salaire le nombre de ses compagnons, et la paysanne, tout enchantée des bonnes dispositions de son hôte, accepta de grand cœur ses offres de service.

– Comment vous nommez-vous, mon gentil garçon ? demanda la vieille femme lorsque les arrangements de l'installation de Robin Hood dans la chaumière furent terminés.

— Je porte le nom de Simon de Lee, ma brave dame, répondit Robin Hood.

— Eh bien ! Simon de Lee, vous vous mettrez demain à l'ouvrage, et, si le métier vous convient, nous resterons longtemps ensemble.

Dès le lendemain, Robin Hood s'en alla sur mer avec ses nouveaux compagnons ; mais nous sommes obligés de dire que, en dépit de tous les efforts de sa volonté, Robin, qui ignorait même les premiers éléments de la manœuvre, ne put être utile en rien aux habiles pêcheurs. Heureusement pour notre ami, il n'avait point affaire à de mauvais camarades, et, au lieu de le gourmander sur son ignorance, ils se contentèrent de rire de l'idée qu'il avait eue d'apporter avec lui ses flèches et son arc.

— Si je tenais ces gaillards-là dans la forêt de Sherwood, pensait Robin, ils ne seraient pas aussi empressés de rire à mes dépens ; mais, bah ! à chacun son métier ; je ne les vaux pas bien certainement dans celui qu'ils exercent.

Après avoir rempli le bateau de poisson jusqu'au plat-bord, les pêcheurs déferlèrent les voiles et se dirigèrent vers la jetée. Tout en marchant, ils aperçurent une petite corvette française qui se dirigeait sur eux. La corvette paraissait avoir peu de monde à son bord, néanmoins les pêcheurs parurent épouvantés de son approche, et s'écrièrent qu'ils étaient perdus.

— Perdus ! et pourquoi donc ? demanda Robin.

— Pourquoi ? niais que tu es ! répondit un des pêcheurs ; parce que cette corvette est montée par des hommes ennemis de notre nation ; parce que nous sommes en guerre avec eux ; parce que s'ils nous abordent ils nous feront prisonniers.

— J'espère bien qu'ils n'y réussiront pas, répondit Robin ; nous tâcherons de nous défendre.

— Quelle défense pourrions-nous opposer ? Ils sont une quinzaine et nous sommes trois.

— Vous ne me comptez donc pas, mon brave ? demanda Robin.

— Non, mon garçon ; tu as les mains trop blanches

pour en avoir jamais écorché l'épiderme au contact de la rame et de l'aviron. Tu ne connais pas la mer, et si tu tombais à l'eau, il y aurait sur la terre un imbécile de moins. Ne prends pas la mouche, tu es très gentil, je te porte dans mon cœur ; mais tu ne vaux pas le pain que tu manges.

Un demi-sourire effleura les lèvres de Robin.

– Je n'ai pas l'amour-propre chatouilleux, dit-il ; cependant, je désire vous donner la preuve que je puis encore être bon à quelque chose au moment du danger. Mon arc et mes flèches vont vous tirer d'embarras. Attachez-moi au mât ; il faut que j'aie la main sûre, et laissez venir la corvette à portée de mes flèches.

Les pêcheurs obéirent : Robin fut solidement attaché au grand mât, et, son arc tendu, il attendit.

Aussitôt que la corvette se fut rapprochée, Robin visa un homme qui se trouvait à l'avant du vaisseau et l'envoya, une flèche dans le cou, tomber sans vie au milieu du pont. Un second matelot eut le même sort. Les pêcheurs, un instant effarés de surprise et de ravissement, jetèrent un cri de triomphe, et celui qui avait la priorité sur ses compagnons désigna à Robin l'homme qui se tenait au gouvernail de la corvette. Robin le tua aussi rapidement qu'il avait tué les deux autres.

Les deux vaisseaux se placèrent bord à bord ; il ne restait plus que dix hommes sur la corvette, et bientôt Robin eut réduit à trois le nombre des malheureux Français. Aussitôt que les pêcheurs se furent aperçus qu'il ne restait plus que trois hommes sur le bâtiment, ils résolurent de s'en emparer, et cela leur fut d'autant plus facile que les Français, voyant que toute défense était dangereuse et inutile, avaient mis bas les armes et s'étaient rendus à discrétion. Les matelots eurent la vie sauve et la liberté de regagner la France sur un bateau de pêcheur.

La corvette française était de bonne prise, car elle portait au roi de France une grosse somme d'argent : douze mille livres.

Il va sans dire qu'en prenant possession de ce trésor inespéré, les braves pêcheurs adressèrent à celui dont ils s'étaient si bien moqués quelques heures auparavant d'amicales excuses ; puis, avec un désintéressement plein de cœur, ils déclarèrent que la prise appartenait tout entière à Robin, parce que Robin avait seul décidé la victoire par son adresse et son intrépidité.

— Mes bons amis, dit Robin, à moi seul appartient de résoudre la question, et voici comment je désire arranger nos affaires : la moitié de la corvette et de son contenu deviendra la propriété de la pauvre veuve à qui appartient ce bateau, et le reste sera partagé entre vous trois.

— Non, non, dirent les hommes, nous ne souffrirons pas que tu te dépouilles d'un bien que tu as acquis sans l'aide de personne. Le vaisseau t'appartient, et, si tu le veux, nous serons tes serviteurs.

— Je vous remercie, mes braves garçons, répondit Robin, mais je ne puis accepter les témoignages de votre dévouement. Le partage de la corvette aura lieu suivant mon désir, et j'emploierai les douze mille livres à faire bâtir pour vous et pour les plus pauvres habitants de la baie de Scarborough des maisons plus saines que celles que vous possédez.

Les pêcheurs tentèrent, mais inutilement, de modifier le projet de Robin ; ils tentèrent de lui persuader qu'en donnant à la veuve, aux pauvres et à eux-mêmes un quart des douze mille livres, il agirait encore très généreusement ; mais Robin ne voulut rien entendre, et finit par imposer silence à ses honnêtes compagnons.

Robin Hood séjourna pendant quelques semaines au milieu des bonnes gens que sa générosité avait rendus si heureux ; puis un matin, fatigué de la mer, affamé du désir de revoir le vieux bois et ses chers compagnons, il réunit les pêcheurs et leur annonça son départ.

— Mes bons amis, dit Robin, je me sépare de vous le cœur plein de reconnaissance pour les soins et toutes les attentions que vous avez eus pour moi. Nous ne nous reverrons probablement jamais ; cependant, je désire que vous conserviez un bon souvenir à celui qui a été votre hôte, à votre ami Robin Hood.

Avant que les pêcheurs, ébahis de surprise, eussent eu le temps de reprendre l'usage de la parole, Robin Hood avait disparu.

Aujourd'hui encore la petite baie qui a abrité sous

l'humble toit de ses chaumières le célèbre outlaw porte le nom de baie de Robin Hood.

Ce fut aux premières lueurs d'une belle matinée de juin que Robin atteignit les lisières du bois de Barnsdale. Il pénétra, l'esprit agité par une profonde émotion, dans une étroite allée de la forêt, où bien des fois, hélas ! la chère créature dont il devait éternellement pleurer l'absence était venue l'attendre, le cœur en joie et le sourire aux lèvres. Après quelques instants d'une muette contemplation des lieux témoins de son bonheur perdu, Robin respira plus librement ; il se sentit revivre dans le passé, et le souvenir de Marianne glissa léger et suave comme une odorante vapeur le long des allées sombres, sur les pelouses fleuries, dans les clairières largement ombrées par des rideaux de chênes séculaires contre les rayons du soleil. Robin Hood suivit l'ombre chérie, il pénétra avec elle dans les bosquets touffus, il descendit sur ses traces au fond des vallées, et ce fut toujours accompagné par cette douce vision qu'il arriva au carrefour où se tenait d'habitude le corps principal des joyeux hommes.

Ce jour-là, le vaste emplacement était vide : Robin porta un cor de chasse à ses lèvres et fit retentir les profondeurs du bois d'un violent appel.

Un cri, ou plutôt une sorte de clameur, répondit à la voix du cor : les branches des arbres qui entouraient le carrefour s'écartèrent brusquement, et Will Ecarlate, suivi de toute la bande, s'élança les bras étendus au-devant de Robin Hood.

– Cher Rob, très cher ami, murmura le beau Will d'une voix entrecoupée, vous voilà donc enfin de retour ; béni soit le Seigneur ! Nous vous attendions avec une bien vive impatience, n'est-ce pas vrai, Petit-Jean ?

– Oui, c'est vrai, répondit Jean, dont les yeux pleins de larmes contemplaient douloureusement le pâle visage du voyageur ; et Robin a eu pitié de notre inquiétude et de nos angoisses, puisqu'il est revenu.

– Oui, mon cher Jean, et, je l'espère, pour ne plus te quitter.

Jean prit la main de Robin Hood et la lui serra avec une violence si pleine de tendresse que le jeune homme n'osa pas se plaindre de la douleur que cette ardente pression lui fit éprouver.

– Soyez le bienvenu au milieu de nous, Robin Hood ! crièrent joyeusement les forestiers ; soyez mille fois le bienvenu !

Les transports d'allégresse excités par sa présence étendirent un baume rafraîchissant sur l'incurable plaie du cœur de notre héros. Il sentit qu'il ne devait pas s'abandonner plus longtemps à sa douleur et laisser sans appui les braves gens qui s'étaient attachés à sa mauvaise fortune.

Cette courageuse résolution fit monter une rougeur brûlante au front du pauvre Robin. Hélas ! son cœur était en révolte contre sa volonté ; mais celle-ci fut la plus forte, car, après avoir adressé au souvenir de Marianne un adieu mental, il tendit la main vers ses fidèles serviteurs, et leur dit d'une voix calme et forte :

– Désormais, chers compagnons, vous me trouverez en toute chose votre ami, votre guide et votre chef, Robin Hood le proscrit, le capitaine Robin Hood.

– Hourra ! crièrent les forestiers en jetant leurs bonnets en l'air ; hourra ! hourra !

– Ça, qu'on s'amuse, dit Robin Hood, et que la gaieté règne ici encore en souveraine ; aujourd'hui le repos, demain la chasse, et gare aux Normands !

Les nouveaux exploits de Robin Hood devinrent bientôt le sujet de toutes les conversations en Angleterre, et les riches seigneurs du Nottinghamshire, du Derbyshire et du Yorkshire fournirent largement aux besoins des pauvres et à l'entretien de la bande.

De longues années s'écoulèrent sans amener de changement dans la situation des outlaws ; mais, avant de fermer ce livre, nous devons faire connaître à nos lecteurs la destinée de quelques-uns de nos personnages.

Sir Guy de Gamwell et sa femme étaient morts dans un âge très avancé, laissant leurs fils au hall de Barnsdale, où ils s'étaient retirés en cessant de faire partie de la bande de Robin Hood.

Will Ecarlate avait suivi l'exemple donné par ses frères ; il habitait une charmante maison avec sa chère Maude, déjà mère de plusieurs enfants, et toujours aussi tendrement aimée de son mari qu'aux premiers jours de leur union. Much et Barbara étaient venus s'établir auprès de Maude ; mais Petit-Jean, qui avait eu le malheur de perdre Winifred, n'ayant aucune raison pour déserter le bois, restait fidèlement aux ordres de Robin ; du reste, hâtons-nous de le dire, Jean aimait trop tendrement Robin pour avoir jamais eu, même un seul instant, la pensée de le quitter, et les deux compagnons vivaient l'un près de l'autre intimement convaincus que la mort seule aurait la puissance de séparer leurs cœurs.

N'oublions pas de dire quelques mots du brave Tuck, le pieux chapelain qui a béni tant de mariages. Tuck était resté fidèle à Robin ; il était toujours le consolateur spirituel de la bande, et il n'avait rien perdu de ses remarquables qualités : il était toujours le digne moine ivrogne, bruyant et hâbleur.

Halbert Lindsay, le frère de lait de Maude, nommé maréchal du château de Nottingham par Richard Cœur-de-Lion, avait si bien rempli les devoirs de sa charge, qu'il était parvenu à la conserver. La femme de Hal, la jolie Grâce May, était restée charmante en dépit de la marche du temps, et sa petite Maude promettait toujours d'être dans l'avenir le vivant portrait de sa mère.

Sir Richard de la Plaine vivait tranquille et heureux auprès de sa femme et de ses deux enfants Herbert et Lilas. L'honnête Saxon gardait à Robin Hood une reconnaissance et une affection qui ne devaient s'éteindre qu'avec les derniers battements de son cœur, et c'était fête au château lorsque Robin, attiré par cet aimant de tendresse, y venait avec Petit-Jean se reposer de ses fatigues.

Il y avait peu de temps que la *magna charta* était signée, lorsque le roi Jean, après une série d'actions monstrueuses, se mit en personne à la poursuite du jeune roi d'Ecosse, qui fuyait devant lui, et marcha vers Nottingham en semant sur son passage la désolation et la terreur. Jean était accompagné de plusieurs généraux, et les exploits de ces derniers leur ont valu les surnoms énergiques, l'un de Jaleo Sans-Entrailles, l'autre de Mauléon le Sanglant, Walter Much le Meurtrier, Sottim le Cruel, Godeschal au Cœur de Bronze.

Ces misérables étaient les chefs d'une bande de merce-
naires étrangers, et les traces de leurs pas étaient le
viol, la mort et l'incendie. Le bruit de l'approche de
cette armée de brigands sonnait comme un glas funèbre
aux oreilles des populations épouvantées, qui fuyaient
en désordre, abandonnant leurs demeures à la merci
des Normands.

Robin Hood apprit l'odieuse conduite des soldats et
il résolut aussitôt de leur infliger les supplices qu'ils
faisaient subir à leurs faibles victimes.

Les forestiers répondirent à l'appel de leur chef avec
un enthousiasme qui eût fait frissonner les hommes du
roi Jean, tant la haine du vaincu contre le vainqueur,
du Saxon contre le Normand, s'y montrait implacable.

La bande préparée au combat, Robin Hood attendit.

En approchant de la forêt de Sherwood, les chefs
normands envoyèrent en éclaireur une petite troupe de
batteurs d'estrade, et, quand le gros de l'armée pénétra
sous bois, il aperçut, pendus aux branches des arbres,
inanimés sur le chemin, expirant dans la poussière, les
hommes dont ils avaient vainement attendu le retour.
Ce terrifiant spectacle glaça quelque peu l'ardeur guer-
rière des Normands ; néanmoins, comme ils étaient en
nombre, ils continuèrent leur marche. Le plan de Robin
ne pouvait être d'attaquer ouvertement une armée tout
entière, il ne devait demander le succès qu'à la ruse ;
aussi employa-t-il adroitement l'agilité de ses hommes
et leur inimitable adresse. Il harassa les soldats en leur
envoyant la mort par des flèches dont le point de départ
restait invisible ; il se mit à leur suite, tuant les traîneurs
et massacrant sans pitié tous ceux que leur mauvaise
fortune faisait tomber entre ses mains. Une terreur
générale paralysa les mouvements de l'armée ; elle se
vit perdue, et les idées superstitieuses de l'époque lui
permirent de croire qu'elle était la proie des maléfices
d'un génie infernal. Un des chefs étrangers, Sottim le
Cruel, voulut essayer de mettre fin à un massacre qui
menaçait de jeter le désordre et la désunion dans le
corps de l'armée ; il ordonna une halte, engagea ses
hommes, dans l'intérêt de leur propre salut, à se rendre
maîtres de leur épouvante, et, à la tête d'une cinquantaine de Normands déterminés, il alla explorer les pro-

fondeurs des taillis. Mais à peine cette petite troupe se fut-elle enfoncée dans les inextricables détours d'un sentier perdu, qu'une volée de flèches descendit de la cime des arbres, monta du fond des halliers, et frappa de mort Sottim le Cruel et les cinquante soldats.

La disparition de ces batteurs d'estrade et de leur intrépide chef redoubla l'instinctive terreur des Normands et leur donna des ailes pour traverser la forêt de Sherwood et atteindre Nottingham. Arrivés là, brisés de fatigue et exaspérés de colère, ils se livrèrent avec une nouvelle rage aux excès inqualifiables qui avaient signalé leur passage dans la vallée de Mansfeld.

Le lendemain de ces funestes représailles, l'armée, toujours conduite par le roi Jean, se dirigea vers le Yorkshire, incendiant et massacrant à plaisir les inoffensifs habitants des villages qu'elle traversait.

Tandis que les Normands se creusaient ainsi un sillon de larmes, de sang et de feu, les Saxons, qui avaient été les uns dépouillés de leurs biens, les autres violemment séparés de leurs femmes et de leurs enfants, se joignirent, ivres à leur tour de meurtre et de carnage, à la bande de Robin, et notre héros, à la tête de huit cents braves Saxons, se jeta à la poursuite de la sanglante cohorte.

Un bonheur providentiel protégea contre les Normands la paisible demeure d'Allan Clare et le château de sir Richard de la Plaine. Ni l'une ni l'autre de ces deux maisons ne se trouva sur le chemin des pillards, car il va sans dire que Jean n'épargnait point les riches Saxons ; il les chassait de leurs habitations et donnait à ses favoris le droit de s'installer en maîtres aux lieu et place des malheureux gentilshommes. Mais alors arrivaient Robin Hood et ses formidables compagnons, et le nouveau propriétaire, les soldats qu'il avait pris à ses gages pour l'aider à maintenir par la force les droits de cette injuste usurpation, tombaient entre les mains des outlaws qui les tuaient impitoyablement.

Le roi apprit par les clameurs publiques et les plaintes de ses gens la marche triomphante du vengeur des Saxons, et il envoya contre lui une petite fraction de son armée, espérant qu'elle parviendrait à cerner la bande de Robin Hood, qu'on avait dite installée dans un petit bois. Nous croyons inutile de dire que les soldats de Jean n'eurent même pas la satisfaction de revenir confesser leur défaite au roi ; ils furent tués avant même d'avoir gagné le prétendu camp où ils devaient surprendre Robin Hood.

Les prouesses de notre héros firent grand bruit en Angleterre, et son nom devint aussi formidable pour les Normands que l'avait été celui d'Hereward le Wake à leurs prédécesseurs, sous le règne de Guillaume Ier.

Jean gagna Edimbourg ; mais, n'ayant pu s'emparer du roi d'Ecosse, il se rendit à Douvres, en laissant à ses troupes disséminées en plusieurs endroits l'ordre de le rejoindre. Mais la plus grande partie de ces troupes furent arrêtées par les hommes de Robin, les unes dans le Derbyshire, les autres dans le Yorkshire. Sur ces entrefaites, le roi Jean mourut, et son fils Henri lui succéda.

Sous le règne de ce nouveau prince, l'existence de Robin Hood ne fut pas aussi aventureuse et aussi active qu'elle l'avait été pendant la sanglante période du règne de Jean ; car le comte de Pembroke, tuteur du jeune roi, s'occupa sérieusement d'améliorer le sort du peuple, et réussit à maintenir la paix dans toute l'étendue du royaume.

La suspension subite de toute activité physique et morale jeta Robin Hood dans l'abattement et amoindrit ses forces. Il est vrai que notre héros n'était plus jeune : il avait atteint sa cinquante-cinquième année et Petit-Jean venait tout doucement de gagner l'âge respectable de soixante-six ans. Comme nous l'avons dit, le temps ne devait apporter aucun soulagement à la douleur de Robin Hood, et le souvenir de Marianne, aussi frais et aussi vivace qu'au lendemain de la séparation, avait fermé à tout autre amour le cœur de Robin.

La tombe de Marianne, pieusement soignée par les joyeux hommes, se couvrait tous les ans de nouvelles fleurs, et bien des fois, depuis le retour de la paix, les forestiers avaient surpris leur chef, pâle et sombre, agenouillé sur la pelouse de gazon qui s'étendait comme une ceinture d'émeraude autour de l'arbre du Rendez-Vous.

De jour en jour, la tristesse de Robin devint plus lourde et plus accablante, de jour en jour son visage prit une expression plus morne, le sourire disparut de ses lèvres, et Jean, le patient et dévoué Jean, ne parvenait pas toujours à obtenir de son ami une réponse à ses inquiètes questions.

Il arriva cependant que Robin se laissa toucher par les soins de son compagnon, et qu'il consentit, à sa prière, à aller demander des consolations religieuses à une abbesse dont le couvent était peu éloigné de la forêt de Sherwood.

L'abbesse, qui avait déjà vu Robin Hood et qui connaissait toutes les particularités de sa vie, le reçut avec beaucoup d'empressement, et lui offrit tous les secours qu'il était en son pouvoir de lui donner.

Robin Hood se montra sensible au bienveillant accueil de la religieuse, et lui demanda si elle voulait avoir la complaisance de lui ôter à l'instant même quelques palettes de sang. L'abbesse y consentit ; elle emmena le malade dans une cellule, et, avec une adresse merveilleuse, elle fit l'opération demandée ; puis, toujours aussi légèrement qu'eût pu le faire un habile médecin, elle entoura de bandages le bras du malade, et le laissa, à demi épuisé, étendu sur un lit.

Un sourire étrangement cruel desserra les lèvres de la religieuse lorsque, en sortant de la cellule, elle ferma la porte à double tour et en emporta la clef.

Disons quelques mots sur cette religieuse.

Elle était parente de sir Guy de Gisborne, le chevalier normand qui, dans une expédition tentée de concert avec lord Fitz-Alwine contre les joyeux hommes, avait eu la mauvaise chance de mourir de la mort qu'il préméditait de donner à Robin Hood. Cependant, il ne serait pas venu à l'esprit de cette femme de venger son cousin, si le frère de ce dernier, trop lâche pour exposer sa vie dans un combat loyal, ne lui eût persuadé qu'elle accomplirait à la fois un acte de justice et une bonne action en débarrassant le royaume d'Angleterre du trop célèbre proscrit. La faible abbesse se soumit à la volonté du misérable Normand : elle accomplit le meurtre, et coupa l'artère radiale du confiant Robin Hood.

Après avoir abandonné le malade pendant une heure

à l'invincible sommeil qui devait résulter d'une très grande perte de sang, la religieuse monta silencieusement auprès de lui, enleva le bandage qui fermait la veine, et, lorsque le sang eut recommencé à couler, elle s'éloigna sur la pointe des pieds.

Robin Hood dormit jusqu'au matin, sans ressentir aucun malaise ; mais, en ouvrant les yeux, en essayant de se lever, il éprouva une si grande faiblesse qu'il se crut arrivé à sa dernière heure. Le sang, qui n'avait cessé de se répandre par l'ouverture faite à l'artère, inondait le lit, et Robin Hood comprit alors le danger mortel de sa situation. A l'aide d'une volonté presque surhumaine, il parvint à se traîner jusqu'à la porte ; il essaya de l'ouvrir, s'aperçut qu'elle était fermée, et, toujours soutenu par la force de son caractère, force si puissante qu'elle parvenait à raviver l'épuisement de tout son être, il arriva à la fenêtre, l'ouvrit, se pencha pour essayer d'en franchir les bords ; puis, ne pouvant le faire, il jeta vers le ciel un suprême appel, et, comme inspiré par son bon ange, il prit son cor de chasse, le porta à ses lèvres, et en tira péniblement quelques faibles sons.

Petit-Jean, qui n'avait pu se séparer sans douleur de son bien-aimé compagnon, avait passé la nuit sous les murs du couvent. Il venait de se réveiller, et il se préparait à tenter une démarche pour voir Robin Hood, lorsque les mourantes intonations du cor de chasse vinrent frapper son oreille.

– Trahison ! trahison ! cria Jean en courant comme un fou vers un petit bois où une partie des joyeux hommes avaient établi leur camp pour passer la nuit. A l'abbaye ! mes garçons, à l'abbaye !

Les forestiers furent debout en un instant, et s'élancèrent à la suite de Petit-Jean, qui vint frapper à coups redoublés à la porte de l'abbaye. La tourière refusa d'ouvrir ; Jean ne perdit pas une seconde à lui adresser des prières qu'il savait inutiles, il enfonça la porte à l'aide d'un bloc de granit qui se trouvait là, et, guidé par les sons du cor, il gagna la cellule où gisait dans une mare de sang le pauvre Robin Hood. A la vue de Robin expirant, le vigoureux forestier se sentit défaillir ; deux larmes de douleur et d'indignation roulèrent sur son visage bronzé ; il tomba sur ses genoux, et, prenant son vieil ami dans ses bras, il lui dit en sanglotant :

— Maître, cher maître bien-aimé, qui a commis le crime infâme de frapper un malade ? quelle est la main impie qui a tenté un meurtre dans une pieuse maison ? Répondez de grâce, répondez !

Robin secoua doucement la tête.

— Qu'importe, dit-il, maintenant que tout est fini pour moi, maintenant que j'ai perdu jusqu'à la dernière goutte tout le sang de mes veines...

— Robin, reprit Jean, dis-moi la vérité ; je dois la savoir, il faut que je la sache ; c'est à la trahison que je dois demander compte de ce lâche assassinat ? (Robin Hood fit un signe affirmatif.) Cher bien-aimé, continua Jean, accorde-moi la suprême consolation de venger ta mort, permets-moi de porter à mon tour le meurtre et la douleur là où a été commis un meurtre, là où naît pour moi la plus cruelle douleur. Dis un mot, fais un signe, et demain il n'existera pas un vestige de cette odieuse maison : je l'aurai démolie pierre à pierre ; je me sens encore la force d'un géant, et j'ai cinq cents braves pour me venir en aide.

— Non, Jean, non, je ne veux pas que tu portes tes mains pures et honnêtes sur des femmes vouées à Dieu, ce serait un sacrilège. Celle qui m'a tué a sans doute obéi à une volonté plus forte que ne le sont ses sentiments religieux. Elle souffrira les tortures du remords dans cette vie si elle se repent, et elle sera punie dans l'autre si elle n'obtient pas du ciel le pardon que je lui accorde. Tu le sais, Jean, je n'ai jamais fait ni laissé faire de mal à une femme, et pour moi une religieuse est doublement sacrée et respectable. Ne parlons plus de cela, mon ami ; donne-moi mon arc et une flèche, porte-moi à la fenêtre, je veux aller rendre mon dernier soupir là où ira tomber ma dernière flèche.

Robin Hood, soutenu par Petit-Jean, visa au loin, tira la corde de l'arc, et la flèche, rasant comme un oiseau la cime des arbres, alla tomber à une distance considérable.

— Adieu, mon bel arc ; adieu, mes flèches fidèles, murmura Robin d'une voix attendrie en les laissant glisser de ses mains. Jean, mon ami, ajouta-t-il d'un ton plus calme, porte-moi à la place où j'ai dit que je voulais mourir.

Petit-Jean prit Robin entre ses bras et descendit, chargé de ce précieux fardeau, dans la cour du couvent, où, par ses ordres, les joyeux hommes s'étaient paisiblement rassemblés ; mais, à la vue de leur chef couché comme un enfant sur la robuste épaule de Jean, à l'aspect de son visage livide, ils jetèrent un cri de fureur et voulurent sur l'heure même punir celle qui avait frappé Robin.

– Paix, mes garçons ! dit Jean ; laissez à Dieu le soin de faire justice ; pour le moment, la situation de notre bien-aimé maître doit seule nous occuper. Suivez-moi tous jusqu'à l'endroit où nous trouverons la dernière flèche tirée par Robin.

La troupe se divisa en deux rangs afin d'ouvrir au vieillard un passage au milieu d'elle, et Jean le traversa d'un pas ferme, puis il gagna rapidement la place où était fichée en terre la flèche de Robin Hood.

Là, Jean étendit sur le gazon des vêtements apportés par les joyeux hommes, et y coucha avec des précautions infinies le pauvre agonisant.

– Maintenant, dit Robin d'une voix faible, appelle tous mes joyeux hommes ; je veux une fois encore être entouré des braves cœurs qui m'ont servi avec tant d'affection et de fidélité. Je veux rendre mon dernier soupir au milieu des vaillants compagnons de ma vie.

Jean sonna du cor à trois reprises différentes, parce que l'appel ainsi formulé, en prévenant les outlaws d'un danger imminent, activait encore la vélocité de leur marche.

Parmi les hommes qui répondirent à l'appel de Jean, se trouvait Will Ecarlate ; car, tout en cessant de faire partie de la bande, Will lui prodiguait ses visites, et passait rarement une semaine sans venir abattre quelque cerf, serrer la main de ses amis, et partager avec eux les produits de sa chasse.

Nous n'essayerons pas de dépeindre la stupeur et le désespoir du bon William lorsqu'il apprit l'état de Robin Hood, lorsqu'il vit le visage décomposé de cet ami si cher et si digne de la tendresse qu'il inspirait.

– Sainte Vierge ! dit Will, qu'est-il arrivé, ô mon pauvre ami, mon pauvre frère, mon cher Robin ? Fais-moi connaître ton mal ; es-tu blessé ? celui qui a porté sur toi sa main maudite existe-t-il encore ? Dis-le-moi, dis-le-moi, et demain il aura expié son crime.

Robin Hood souleva sa tête endolorie du bras de Jean sur lequel elle s'appuyait, regarda Will avec une expression de vive tendresse, et lui dit en souriant d'un pâle et triste sourire :

– Merci, mon bon Will, je ne veux pas être vengé ; éloigne de ton cœur tout sentiment de haine contre le meurtrier de celui qui meurt, sinon sans regret, du moins sans souffrance. J'étais arrivé au terme de ma vie, sans doute, puisque la divine mère du Sauveur, ma sainte protectrice, m'a abandonné à ce moment fatal. J'ai vécu longtemps, Will, et j'ai vécu aimé et honoré de tous ceux qui m'ont connu. Quoiqu'il me soit pénible de me séparer de vous, bons et chers amis, continua Robin en enveloppant d'un regard de tendresse Petit-Jean et Will, cette douleur est adoucie par une pensée chrétienne, par la certitude que notre séparation ne sera pas éternelle, et que Dieu nous réunira dans un monde meilleur. Ta présence à mon lit de mort est une grande consolation pour moi, cher Will, cher frère, car nous avons été l'un pour l'autre un bon et tendre frère. Je te remercie de tous les témoignages d'affection dont tu m'as entouré ; je te bénis du cœur et des lèvres, et je prie la sainte Mère de te rendre aussi heureux que tu mérites de l'être. Tu diras de ma part à Maude, ta très chère femme, que je ne l'ai point oubliée en faisant des vœux pour ton bonheur et tu l'embrasseras de la part de son frère Robin Hood. (William sanglotait convulsivement.) Ne pleure pas ainsi, Will, reprit Robin après un instant de silence ; tu me fais trop de mal ; ton cœur est donc devenu faible comme celui d'une femme, que tu ne peux supporter courageusement la douleur ? (William ne répondit pas : il était à demi suffoqué par les larmes.) Mes vieux camarades, chers amis de mon cœur, continua Robin en s'adressant aux joyeux hommes silencieusement groupés autour de lui, vous qui avez partagé mes travaux et mes dangers, mes joies et mes chagrins avec un dévouement et une fidélité au-dessus de tout éloge, recevez mes derniers remerciements et ma bénédiction. Adieu, mes frères, adieu, braves Saxons ! Vous avez été la terreur des Normands ; vous avez conquis à jamais l'amour et la reconnaissance des pauvres : soyez heureux, soyez bénis, et priez quelquefois notre chère protectrice, la mère du Sauveur des hommes, pour votre ami absent, pour votre cher Robin Hood.

Quelques gémissements étouffés répondirent seuls aux paroles de Robin ; éperdus de douleur, les yeomen écoutaient ces adieux sans vouloir en comprendre la cruelle signification.

— Et toi, Petit-Jean, reprit le moribond d'une voix qui, de minute en minute devenait plus lente et plus faible, toi le noble cœur, toi que j'aime de toutes les forces de mon âme, que vas-tu devenir, à qui donneras-tu l'affection que tu avais pour moi ? avec qui vivras-tu sous les grands arbres de la vieille forêt ? Ô mon Jean ! tu vas être bien seul, bien isolé, bien malheureux ; pardonne-moi de te quitter ainsi ; j'avais espéré une mort plus douce, j'avais espéré mourir avec toi, auprès de toi, les armes à la main, pour la défense de mon pays. Dieu en a décidé autrement, que son nom soit béni ! Mon heure approche, Jean ; mes yeux se troublent ; donne-moi ta main, je veux mourir en la tenant serrée entre les miennes. Jean, tu connais mon désir, tu connais la place où ma dépouille mortelle doit être déposée, sous l'arbre du Rendez-Vous, auprès de celle qui m'attend, auprès de Marianne.

— Oui, oui, soupira le pauvre Jean les yeux pleins de larmes, tu seras...

— Merci, mon vieil ami, je meurs heureux. Je vais rejoindre Marianne et pour toujours. Adieu, Jean...

La mourante voix de l'illustre proscrit cessa de se faire entendre, une tiède vapeur effleura le visage de Petit-Jean, et l'âme de celui qu'il avait tant aimé s'envola vers le ciel.

— A genoux, mes enfants ! dit le vieillard en faisant le signe de la croix ; le noble et généreux Robin Hood a cessé de vivre !

Tous les fronts s'inclinèrent et William prononça sur le corps de Robin une courte mais ardente prière ; puis, avec l'aide de Petit-Jean, il emporta le corps à l'endroit où il devait trouver son dernier lit de repos.

Deux forestiers creusèrent la fosse auprès de celle où reposait Marianne, et Robin y fut déposé sur une couche de fleurs et de feuillage. Petit-Jean plaça auprès de Robin son arc, ses flèches ; et le chien favori du mort, qui ne devait plus servir aucun maître, fut tué sur la tombe et enterré avec lui.

Ainsi se termina la carrière de celui qui a offert un des traits les plus extraordinaires des annales de ce pays.

Paix à ses mânes !

Les biens de la bande furent loyalement partagés entre ses membres par Petit-Jean, qui désirait finir dans quelque retraite les derniers jours d'une existence désormais douloureuse. Les outlaws se séparèrent, les uns vécurent à Nottingham, les autres se disséminèrent çà et là dans les comtés environnants, mais pas un seul n'eut le courage de rester dans le vieux bois. La mort de Robin Hood en avait rendu le séjour trop cruellement triste.

Petit-Jean, lui, ne pouvait se décider à sortir de la forêt ; il y passa quelques jours, rôdant comme une âme en peine dans les allées solitaires et appelant à grands cris celui qui ne pouvait plus lui répondre. Il se décida enfin à aller demander un asile à Will Ecarlate. Will le reçut les bras ouverts et, quoique bien triste lui-même, essaya d'apporter quelque soulagement à cette inconsolable douleur : mais Jean ne voulait pas être consolé.

Un matin, William, qui cherchait Petit-Jean, le trouva dans le jardin, debout, le dos appuyé contre un vieux chêne et la tête tournée vers la forêt. La figure de Jean était très pâle, ses yeux ouverts et fixes paraissaient sans regard. Will, effrayé, prit le bras de son cousin en l'appelant d'une voix tremblante ; mais le vieillard ne répondit point, il était mort.

Ce coup inattendu fut une bien grande douleur pour le bon William ; il emporta Petit-Jean dans sa maison, et le lendemain toute la famille Gamwell conduisit ce second frère bien-aimé au cimetière d'Hathersage, situé à six milles de Castleton, dans le Derbyshire.

Le tombeau qui recouvre les restes du brave Petit-Jean existe encore, et il se fait remarquer par l'extraordinaire longueur de la pierre qui le recouvre. Cette pierre présente aux regards investigateurs des curieux deux initiales, J. N., très artistement creusées dans le cœur du granit.

Une légende rapporte qu'un certain antiquaire, grand amateur du merveilleux, fit ouvrir la gigantesque tombe, enleva les ossements qu'elle recouvrait, et les emporta comme une chose digne de prendre rang dans son cabinet de curiosités anatomiques. Par malheur pour le digne savant, dès que ces débris humains furent dans sa maison, il ne connut plus de repos ; la ruine, la maladie et la mort se firent les hôtes de sa demeure, et le fossoyeur qui avait pris part à la profanation du tombeau fut également frappé dans ses affections les plus chères. Les deux hommes comprirent alors qu'ils avaient offensé le ciel en violant le secret d'une tombe, et ils replacèrent pieusement en terre sainte les restes du vieux forestier.

Depuis cette époque, l'antiquaire et le fossoyeur vivent heureux et tranquilles ; Dieu, qui fait au repentir la remise de toute faute, avait accordé son pardon aux deux sacrilèges.